Борис Акунин

Особые поручения

ЗАХАРОВ
МОСКВА

УДК 82-32
ББК 84-44
А44

В оформлении использован коллаж работы Макса Эрнста

Акунин Б.

А44 Особые поручения : роман / Борис Акунин. — М. : «Захаров», 2013. — 368 с.

ISBN 978-5-8159-1195-6

Пиковый валет

Повесть

«Пиковый валет» распоясался

На всем белом свете не было человека несчастнее Анисия Тюльпанова. Ну, может, только где-нибудь в черной Африке или там Патагонии, а ближе — навряд ли.

Судите сами. Во-первых, имечко — Анисий. Видели вы когда-нибудь, чтобы благородного человека, камер-юнкера или хотя бы столоначальника звали Анисием? Так сразу и тянет лампадным маслицем, крапивным поповским семенем.

А фамилия! Смех, да и только. Досталось злосчастное семейное прозвание от прадеда, деревенского дьячка. Когда Анисиев родоначальник обучался в семинарии, отец ректор задумал менять неблагозвучные фамилии будущих церковных служителей на богоугодные. Для простоты и удобства один год именовал бурсаков сплошь по церковным праздникам, другой год по фруктам, а на прадеда цветочный год пришелся: кто стал Гиацинтов, кто Бальзаминов, кто Лютиков. Семинарию пращур не закончил, а фамилию дурацкую потомкам передал. Хорошо еще Тюльпановым нарекли, а не каким-нибудь Одуванчиковым.

Да что прозвание! А внешность? Перво-наперво уши: выпятились в стороны, словно ручки на ночном горшке. Примнешь картузом — своевольничают, так и норовят вылезти и торчат, будто шапку подпирают. Слишком уж упругие, хрящеватые.

Раньше, бывало, Анисий подолгу крутился перед зеркалом. И так повернется, и этак, пустит длинные, специально отращенные волоса на две стороны, свое лопоушие прикрыть — вроде и получше, по крайней мере на время. Но как по всей личности прыщи повылезали (а тому уже третий год), Тюльпанов зеркало на чердак убрал, потому что смотреть на свою мерзкую рожу стало ему окончательно невмоготу.

Вставал Анисий на службу ни свет ни заря, по зимнему времени считай еще ночью. Путь-то неблизкий. Домик, доставшийся от тятеньки-дьякона, располагался на огородах Покровского монастыря, у самой Спасской заставы. По Пустой улице, через Таганку, мимо недоброй Хитровки, на службу в Жандармское управление было Анисию целый час быстрого ходу. А если, как нынче, приморозит да дорогу гололедом прихватит, то совсем беда — в драных штиблетах и худой шинелишке не больно авантажно выходило. Наклацаешься зубами, помянешь и лучшие времена, и беззаботное отрочество, и маменьку, царствие ей небесное.

В прошлом году, когда Анисий в филеры поступил, куда как легче было. Жалование — восемнадцать целковых, плюс доплата за сверхурочные, да за ночные, да, бывало, еще разъездные подкидывали. Иной раз до тридцати пяти рубликов в месяц набегало. Но не удержался Тюльпанов, бессчастный человек, на хорошей, хлебной должности. Признан самим подполковником Сверчинским агентом бесперспективным и вообще слюнтяем. Сначала был уличен в том, что покинул наблюдательный пост (как же было не покинуть, домой не заскочить, если сестра Сонька с самого утра некормленая?). А потом еще хуже вышло, упустил Анисий опасную революционерку. Стоял он во время операции по захвату конспиративной квартиры на заднем дворе, у черного хода. На всякий случай, для подстраховки — по молодости лет не допускали Тюльпанова к самому задержанию. И надо же так случиться, что арестовальщики, опытные волкодавы, мастера своего дела, упустили одну студенточку. Видит Анисий — бежит на него барышня в очочках, и лицо у ней такой напуганное, отчаянное. Крикнул он «Стой!», а хватать не решился — больно тоненькие руки были у барышни. И стоял, как истукан, смотрел ей вслед. Даже в свисток не свистнул.

За это вопиющее упущение хотели Тюльпанова вовсе со службы турнуть, но сжалилось начальство над сиротой, разжаловало в рассыльные. Состоял теперь Анисий на должности мелкой, для образованного человека, пять классов реального окончившего, даже постыдной. И, главное, совершенно безнадежной. Так и пробегаешь всю жизнь жалким ярыжкой, не выслужив классного чина.

Ставить на себе крест в двадцать лет всякому горько, но даже и не в честолюбии дело. Поживите на двенадцать с полтиной, попробуйте. Самому-то не так много и надо, а Соньке ведь не объяснишь, что у младшего брата карьера не сложилась. Ей и маслица хочется, и творожку, и конфеткой когда-никогда надо побаловать. А дрова, печку топить, — нынче по три рубля сажень. Сонька даром что идиотка, а мычит, когда холодно, плачет.

Анисий перед тем, как из дому выскочить, успел переменить сестре мокрое. Она разлепила маленькие, поросячьи глазки, сонно улыбнулась брату и пролепетала: «Нисий, Нисий».

— Тихо тут сиди, дура, не балуй, — с напускной суровостью наказал ей Анисий, ворочая тяжелое, горячее со сна тело. На стол положил обговоренный гривенник, для соседки Сычихи, которая приглядывала за убогой. Наскоро сжевал черствый калач, запил холодным молоком, и все, пора в темень, вьюгу.

Семеня по заснеженному пустырю к Таганке и поминутно оскальзываясь, Тюльпанов сильно себя жалел. Мало того что нищ, некрасив и бесталанен, так еще Сонька эта, хомут на всю жизнь. Обреченный он человек, не будет у него никогда ни жены, ни детей, ни уютного дома.

Пробегая мимо церкви Всех Скорбящих, привычно перекрестился на подсвеченную лампадой икону Божьей Матери. Любил Анисий эту икону с детства: не в тепле и сухости висит, а прямо на стене, на семи ветрах, только от дождей и снегов козыречком прикрыта, и сверху крест деревянный. Огонек малый, неугасимый, в стеклянном колпаке горящий, издалека видать. Хорошо это, особенно когда из тьмы, холода и ветряного завывания смотришь.

Что это там белеет, над крестом?

Белая голубка! Сидит, клювом крылышки чистит, и вьюга ей нипочем. По верной примете, на которые покойная маменька была великая знательница, белая голубка на кресте — к счастью и нежданной радости. Откуда только счастью-то взяться?

Поземка так и вилась по земле. Ох, холодно.

* * *

Но служебный день у Анисия нынче и в самом деле начался куда как неплохо. Можно сказать, повезло Тюльпанову. Егор Семеныч, коллежский регистратор, что ведал рассылом, покосился на неубедительную анисиеву шинельку, покачал седой башкой и дал хорошее задание, теплое. Не бегать в сто концов по бескрайнему, продуваемому ветрами городу, а всего лишь доставить папку с донесениями и документами его высокоблагородию господину Эрасту Петровичу Фандорину, чиновнику особых поручений при его сиятельстве генерал-губернаторе. Доставить и ждать, не будет ли от господина надворного советника обратной корреспонденции.

Это ничего, это можно. Анисий духом воспрял и папку вмиг доставил, даже и подмерзнуть не успел. Квартировал господин Фандорин близехонько — тут же, на Малой Никитской, в собственном флигеле при усадьбе барона фон Эверт-Колокольцева.

Господина Фандорина Анисий обожал. Издали, робко, с благоговением, безо всякой надежды, что большой человек когда-нибудь заметит его, тюльпановское существование. У надворного советника в Жандармском была особенная репутация, хоть и служил Эраст Петрович по иному ведомству. Сам его превосходительство московский оберполицеймейстер Баранов Ефим Ефимович, даром что генерал-лейтенант, а не считал зазорным у чиновника особых поручений конфиденциального совета попросить или даже протекцию исходатайствовать.

Еще бы, всякий человек, хотя бы отчасти сведущий в большой московской политике, знал, что отец первопрестольной, князь Владимир Андреевич Долгорукой, надворного советника отличает и к мнению его прислушивается. Разное поговаривали про господина Фандорина: к примеру, будто есть дар у него особенный — любого человека насквозь видеть и всякую, даже самую таинственную тайну вмиг до самой сути прозревать.

По должности полагалось надворному советнику быть генерал-губернаторовым оком во всех секретных московских делах, попадающих в ведение жандармерии и полиции. Посему каждое утро Эрасту Петровичу от генерала Баранова и из Жандармского доставляли нужные сведения — обычно в губернаторский дом, на Тверскую, но бывало, что и домой, потому что распорядок у надворного советника был вольный и при желании мог он в присутствие вовсе не ходить.

Вот какой значительной персоной был господин Фандорин, а между тем держался просто, без важности. Дважды

Анисий доставлял ему пакеты на Тверскую и был совершенно покорен обходительной манерой столь влиятельного лица: не унизит маленького человека, обращается уважительно, всегда пригласит сесть, на «вы» называет.

И еще очень было любопытно видеть вблизи особу, про которую по Москве ходили слухи поистине фантастические. Сразу видно — особенный человек. Лицо красивое, гладкое, молодое, а вороные волосы на висках с сильной проседью. Голос спокойный, тихий, говорит с легким заиканием, но каждое слово к месту, и видно, что повторять одно и то же дважды не привык. Внушительный господин, ничего не скажешь.

На дому у надворного советника Тюльпанову еще бывать не доводилось, и потому, войдя в ажурные ворота, с чугунной короной поверху, он приблизился к нарядному одноэтажному флигелю с некоторым замиранием сердца. У такого необыкновенного человека и жилище, верно, тоже какое-нибудь особенное.

Нажал на кнопку электрического звонка, первую фразу заготовил заранее: «Курьер Тюльпанов из Жандармского управления к его высокоблагородию с бумагами». Спохватившись, запихнул под картуз строптивое правое ухо.

Дубовая резная дверь распахнулась. На пороге стоял низенький, плотно сбитый азиат — с узкими глазенками, толстыми щеками и ежиком жестких черных волос. На азиате была зеленая ливрея с золотым позументом и почему-то соломенные сандалии. Слуга недовольно уставился на посетителя и спросил:

— Сево нада?

Откуда-то из глубины дома донесся звучный женский голос:

— Маса! Сколько раз тебе повторять! Не «сево нада», а «что вам угодно»!

Азиат злобно покосился куда-то назад и неохотно буркнул Анисию:

— Сьто чибе угодно?

— Курьер Тюльпанов из Жандармского управления к его высокоблагородию с бумагами, — поспешно доложил Анисий.

— Давай, ходи, — пригласил слуга и посторонился, пропуская.

Тюльпанов оказался в просторной прихожей, с интересом огляделся по сторонам и в первый момент испытал разочарование: не было медвежьего чучела с серебряным подносом для визитных карточек, а что это за барская квартира без набивного медведя? Или к чиновнику для особых поручений с визитами не ходят?

Впрочем, хоть медведя и не обнаружилось, обставлена прихожая была премило, а в углу, в стеклянном шкафу стояли какие-то диковинные доспехи: все из металлических планочек, с замысловатым вензелем на панцыре и с рогатым, как жук, шлемом.

Из двери, ведущей во внутренние покои, куда курьеру, конечно, вход был заказан, выглянула редкостной красоты дама в красном шелковом халате до пола. Пышные темные волосы у красавицы были уложены в замысловатую прическу, стройная шея обнажена, белые, сплошь в кольцах руки скрещены на высокой груди. Дама с разочарованием воззрилась на Анисия огромными черными очами, чуть наморщила классический нос и позвала:

— Эраст, это к тебе. Из присутствия.

Анисий почему-то удивился, что надворный советник женат, хотя, в сущности, не было ничего удивительного в том, что у такого человека имеется прекрасная собой супруга, с царственной осанкой и надменным взором.

Мадам Фандорина аристократично, без разжатия губ, зевнула и скрылась за дверью, а через минуту в прихожую вышел сам господин Фандорин.

Он тоже был в халате, но не в красном, а в черном, с кистями и шелковым поясом.

— Здравствуйте, Т-Тюльпанов, — сказал надворный советник, перебирая пальцами зеленые нефритовые четки, и Анисий аж обмер от удовольствия — никак не предполагал, что Эраст Петрович его помнит, и тем более по фамилии. Мало ли всякой мелкой шушеры к нему пакеты доставляет, а вот поди ж ты.

— Что там у вас? Давайте. И проходите в гостиную, посидите. Маса, прими у г-господина Тюльпанова шинель.

Робко войдя в гостиную, Анисий не посмел пялиться по сторонам, скромно сел на краешек обитого синим бархатом стула и только малость погодя стал потихоньку осматриваться.

Комната была интересная: все стены увешаны цветными японскими гравюрами, на которые, Анисий знал, нынче большая мода. Еще он разглядел какие-то свитки с иероглифами и на деревянной лаковой подставке — две изогнутые сабли, одна подлиннее, другая покороче.

Надворный советник шелестел бумагами, время от времени отмечая в них что-то золотым карандашиком. Его супруга, не обращая внимания на мужчин, стояла у окна и со скучающим видом смотрела в сад.

— Милый, — сказала она по-французски, — ну почему мы никуда не ездим? Это в конце концов невыносимо. Я хочу в театр, хочу на бал.

— Вы же сами г-говорили, Адди, что это неприлично, — ответил Фандорин, отрываясь от бумаг. — Можно встретить ваших знакомых по Петербургу. Будет неловко. Мне-то, собственно, все равно.

Он взглянул на Тюльпанова, и тот покраснел. Ну не виноват же он, в конце концов, что пусть через пень-колоду, но понимает по-французски!

Выходило, что красивая дама — вовсе не мадам Фандорина.

— Ах, прости, Адди, — сказал Эраст Петрович по-русски. — Я не представил тебе господина Тюльпанова, он служит в Жандармском управлении. А это графиня Ариадна Аркадьевна Опраксина, моя д-добрая знакомая.

Анисию почудилось, что надворный советник чуть замялся, словно не вполне зная, как аттестовать красавицу. А может, просто из-за заикания так показалось.

— О боже, — страдальчески вздохнула графиня Адди и стремительно вышла из комнаты.

Почти сразу же послышался ее голос:

— Маса, немедленно отойди от моей Натальи! Марш к себе, мерзавка! Нет, это просто несносно!

Эраст Петрович тоже вздохнул и вернулся к чтению бумаг.

Тут раздалось треньканье звонка, приглушенный шум голосов из прихожей, и в гостиную колобком вкатился давешний азиат.

Он закурлыкал на каком-то тарабарском наречии, но Фандорин жестом велел ему замолчать.

— Маса, я тебе говорил: при гостях обращайся ко мне не по-японски, а по-русски.

Анисий, произведенный в ранг гостя, приосанился, а на слугу уставился с любопытством: надо же, живой японец.

— От Ведисев-сан, — коротко объявил Маса.

— От Ведищева? Фрола Г-Григорьевича? Проси.

Кто такой Фрол Григорьевич Ведищев, Анисий знал. Личность известная, прозвище Серый Кардинал. Сызмальства состоял при князе Долгоруком сначала мальчиком, потом денщиком, потом лакеем, а последние двадцать лет личным камердинером — с тех пор как Владимир Андреевич взял древний город в свои твердые, цепкие руки. Вроде невелика птица камердинер, а известно было, что без совета с верным Фролом многоумный и осторожный Долгорукой никаких важных решений не принимает. Хочешь к его сиятельству с важным прошением подступиться — сумей Ведищева улестить, и тогда, считай, полдела сделано.

В гостиную вошел, а пожалуй что и вбежал ражий малый в губернаторской ливрее, зачастил с порога:

— Ваше высокоблагородие, Фрол Григорьич зовут! Беспременно чтоб пожаловали в самом срочном порядке! Буза у нас, Эраст Петрович, умалишение! Фрол Григорьич говорят, без вас никак! Я на санях княжеских, вмиг долетим.

— Что за «буза»? — нахмурился надворный советник, однако поднялся и халат скинул. — Ладно, поехали п-посмотрим.

Под халатом оказалась белая рубашка с черным галстуком.

— Маса, жилет и сюртук, живо! — крикнул Фандорин, засовывая бумаги в папку. — А вам, Тюльпанов, придется прокатиться со мной. Дочитаю по дороге.

Анисий был готов за его высокоблагородием куда угодно, что и продемонстрировал поспешным вскакиванием со стула.

Вот уж не думал — не гадал курьеришка Тюльпанов, что доведется когда-нибудь прокатиться в генерал-губернаторском возке.

Знатный был возок — настоящая карета на полозьях. Внутри обшит атласом, сиденья юфтевые, в углу — печка с бронзовым дымоходом. Правда, незажженная.

Лакей уселся на козлы, и четверка лихих долгоруковских рысаков весело взяла разбег.

Анисия плавно, почти нежно качнуло на мягком сиденье, предназначенном для куда более благородных ягодиц, и подумалось: эх, ведь не поверит никто.

Господин Фандорин хрустнул сургучом, распечатывая какую-то депешу. Нахмурил высокий чистый лоб. До чего же хорош, без зависти, а с искренним восхищением подумал Тюльпанов, искоса наблюдая, как надворный советник подергивает себя за тонкий ус.

К большому дому на Тверской примчали в пять минут. Возок свернул не налево, к присутствию, а направо, к парадному подъезду и личным покоям «великого князя московского», Володи Большое Гнездо, Юрия Долгорукого (как только не называли всесильного Владимира Андреевича).

— Вы уж извините, Тюльпанов, — скороговоркой произнес Фандорин, распахивая дверцу, — но отпустить вас пока что не могу. После набросаю пару строк для п-полковника. Только с «бузой» сначала разберусь.

Анисий вылез следом за Эрастом Петровичем, вошел в мраморный чертог, но тут поотстал — заробел, увидев важного швейцара с золоченой булавой. Ужасно тут испугался Тюльпанов унижения — что оставит его господин Фандорин топтаться внизу лестницы, будто собачонку какую. Но преодолел гордыню и приготовился надворного советника простить: а как человечка в этакой шинели и картузе с треснутым козырьком в губернаторские апартаменты приведешь?

— Вы что застряли? — нетерпеливо обернулся Эраст Петрович, уже достигший середины лестницы. — Не отставать. Видите, какая чертовщина тут творится.

Только теперь до Анисия дошло, что в губернаторском доме и в самом деле происходит что-то из ряда вон выходящее. И вид у сановного швейцара, если приглядеться, был не столько важный, сколько растерянный. Какие-то расторопные мужички вносили с улицы в вестибюль сундуки, коробки, ящики с иностранными буквами. Переезд что ли какой?

Тюльпанов вприпрыжку догнал надворного советника и постарался держаться от него не далее как в двух шагах, для чего временами приходилось несолидно рысить, потому что шаг у его высокоблагородия был широкий и быстрый.

Ох, красиво было в губернаторской резиденции! Почти как в храме Божьем: разноцветные (может, порфирные?) колонны, парчовые портьеры, статуи греческих богинь. А люстры! А картины в золотых рамах! А зеркальный паркет с инкрустацией!

Анисий оглянулся на паркет и вдруг увидел, что от его позорных штиблет на чудесном полу остаются мокрые и грязные следы. Господи, хоть бы не увидел никто.

В просторной зале, где не было ни души, а вдоль стен стояли кресла, надворный советник сказал:

— Посидите тут. И п-папку подержите.

Сам же направился к высоким, раззолоченным дверям, но те вдруг сами распахнулись ему навстречу. Поначалу выплеснуло гомоном разгоряченных голосов, а потом в залу вышли четверо: статный генерал, долговязый господин нерусского вида в клетчатом пальто с пелериной, тощий лысый старик с преогромными бакенбардами и очкастый чиновник в вицмундире.

В генерале Анисий признал самого князя Долгорукого и, вострепетав, вытянулся в струнку.

Вблизи его сиятельство оказался не так молодцеват и свеж, как ежели из толпы смотреть: лицо все в глубоченных морщинах, кудри противоестественно пышны, а длинные усы и бакенбарды чересчур каштановы для семидесяти пяти лет.

— Эраст Петрович, вот кстати! — вскричал губернатор. — Он по-французски так коверкает, что ни слова не поймешь, а по-нашему вообще ни бельмеса. Вы английский знаете, так растолкуйте мне, чего он от меня хочет! И как только его впустили! Битый час с ним объясняюсь, и все попусту!

— Ваше высокопревосходительство, как же его не впустишь, когда он лорд и к вам вхож! — видно, уже не в первый раз плачуще пропищал очкастый. — Откуда ж мне было знать...

Тут заговорил и англичанин, обращаясь к новому человеку и возмущенно размахивая какой-то бумагой, сплошь покрытой печатями. Эраст Петрович стал бесстрастно переводить:

— Это нечестная игра, в цивилизованных странах так не делают. Я был у этого старого господина вчера, он подписал купчую на дом, и мы скрепили договор рукопожатием. А теперь он, видите ли, передумал съезжать. Его внук мистер Шпейер сказал, что старый джентльмен переезжает в Дом для ветеранов наполеоновских войн, ему там будет удобнее, потому что там хороший уход, а этот особняк продается. Такое непостоянство не делает чести, особенно когда деньги уже заплачены. И немалые деньги, сто тысяч рублей. Вот и купчая!

— Он энтой бумажкой давно машет, а в руки не дает, — заметил лысый старик, до сей минуты молчавший. Очевидно, это и был Фрол Григорьевич Ведищев.

— Я — дедушка Шпейера? — пролепетал князь. — Меня — в богадельню?!

Чиновник, подкравшись к англичанину сзади, приподнялся на цыпочках и исхитрился заглянуть в таинственную бумагу.

— В самом деле, сто тысяч, и у нотариуса заверено, — подтвердил он. — И адрес наш: Тверская, дом князя Долгорукого.

Эраст Петрович спросил:

— Владимир Андреевич, кто такой Шпейер?

Князь вытер платком багровый лоб и развел руками:

— Шпейер — очень милый молодой человек. С отличными рекомендациями. Мне его представил на рождественском балу...м-м... кто же? Ах нет, вспомнил! Не на балу! Мне его рекомендовал особым письмом его высочество герцог Саксен-Лимбургский. Шпейер — очень славный, учтивый юноша, золотое сердце и такой несчастный. Был в Кушкинском походе, ранен в позвоночник, с тех пор у него ноги не ходят. Передвигается в самоходной коляске, но духом не пал. Занимается благотворительностью, собирает пожертвования на сироток и сам жертвует огромные суммы. Был здесь вчера утром с этим сумасшедшим англичанином, сказал, что это известный британский филантроп лорд Питсбрук. Просил, чтобы я позволил показать англичанину особняк, потому что лорд знаток и ценитель архитектуры. Мог ли я отказать бедному Шпейеру в таком пустяке? Вот Иннокентий их сопровождал. — Долгорукой сердито ткнул на чиновника, и тот аж всплеснул руками.

— Ваше высокопревосходительство, да откуда ж мне было... Ведь вы сами велели, чтоб я самым любезнейшим образом...

— Вы жали лорду П-Питсбруку руку? — спросил Фандорин, причем Анисию показалось, что в глазах надворного советника промелькнула некая искорка.

— Ну разумеется, — пожал плечами князь. — Шпейер ему сначала про меня что-то по-английски рассказал, этот долговязый просиял и сунулся с рукопожатием.

— А п-подписывали ли вы перед тем какую-нибудь бумагу?

Губернатор насупил брови, припоминая.

— Да, Шпейер попросил меня подписать приветственный адрес для вновь открываемого Екатерининского приюта. Такое святое дело — малолетних блудниц перевоспитывать. Но никакой купчей я не подписывал! Вы меня знаете, голубчик, я всегда внимательно читаю все, что подписываю.

— И куда он адрес дел потом?

— Кажется, показал англичанину, что-то сказал и сунул в папку. У него в каталке папка лежала. — Лицо Долгорукого, и без того грозное, сделалось мрачнее тучи. — А, merde! Неужто...

Эраст Петрович обратился к лорду по-английски и, должно быть, заслужил у сына Альбиона полное доверие, потому что получил таинственную бумагу для изучения.

— Составлено по всей форме, — пробормотал надворный советник, пробегая купчую взглядом. — И г-гербовая печать, и штамп нотариальной конторы «Мебиус», и подпись... Что это?!

На лице Фандорина отразилось крайнее недоумение.

— Владимир Андреевич, взгляните-ка! На подпись взгляните!

Князь брезгливо, словно жабу, взял документ, отодвинул как можно дальше от дальнозорких глаз. И прочел вслух:

— «Пиковый валет»... Позвольте, в каком смысле «валет»?

— Вот те на-а... — протянул Ведищев. — Тогда ясно. Снова «Пиковый валет». Ну и ну. Дожили, царица небесная.

— «Пиковый валет?» — все не мог взять в толк его сиятельство. — Но ведь так называется шайка мошенников. Тех, что в прошлом месяце банкиру Полякову его собственных рысаков продали, а на Рождество помогли купцу Виноградову в речке Сетуни золотой песок намыть. Мне Баранов докладывал. Ищем, говорил, злодеев. Я еще смеялся. Неужто они посмели меня... меня, Долгорукого?! — генерал-губернатор рванул шитый золотом ворот, и лицо у него стало такое страшное, что Анисий втянул голову в плечи.

Ведищев всполошившейся курицей кинулся к осерчавшему князю, закудахтал:

— Владим Андреич, и на старуху бывает проруха, чего убиваться-то! Вот я сейчас капелек валерьяновых, и лекаря позову, кровь отворить! Иннокентий, стул давай!

Однако Анисий подоспел к высокому начальству со стулом первый. Разволновавшегося губернатора усадили на мягкое, но он все порывался встать, все отталкивал камердинера.

— Как купчишку какого-то! Что я им, мальчик? Я им дам богадельню! — не слишком связно выкрикивал он, Ведищев же издавал всякие успокаивающие звуки и один раз даже погладил его сиятельство по крашеным, а может, и вовсе ненастоящим кудрям.

Губернатор повернулся к Фандорину и жалобно сказал:

— Эраст Петрович, друг мой, ведь что же это! Совсем распоясались, разбойники. Оскорбили, унизили, надсмеялись. Над всей Москвой в моем лице. Полицию, жандармерию на ноги поставьте, но сыщите мерзавцев. Под суд их! В Сибирь! Вы все можете, голубчик. Считайте это отныне своим главным делом и моей личной просьбой. Баранову самому не справиться, пусть вам помогает.

— Невозможно полицию, — озабоченно сказал на это надворный советник, и никакие искорки в его голубых глазах уже не сверкали, лицо господина Фандорина выражало теперь только тревогу за авторитет власти. — Слух разнесется — весь г-город животики надорвет. Этого допустить нельзя.

— Позвольте, — снова закипятился князь. — Так что же, с рук им что ли спустить, «валетам» этим?

— Ни в коем случае. И я этим д-делом займусь. Только конфиденциально, без огласки. — Фандорин немного подумал и продолжил. — Лорду Питсбруку деньги придется вернуть из городской к-казны, принести извинения, а про «валета» ничего не объяснять. Мол, недоразумение вышло. Внук насвоевольничал.

Услышав свое имя, англичанин обеспокоенно спросил надворного советника о чем-то, тот коротко ответил и снова обратился к губернатору:

— Фрол Григорьевич придумает что-нибудь правдоподобное для прислуги. А я займусь поисками.

— В одиночку разве энтаких прохиндеев сыщешь? — усомнился камердинер.

— Да, трудновато. Но круг посвященных расширять нежелательно.

Фандорин взглянул на очкастого секретаря, которого князь назвал «Иннокентием», и покачал головой. Видно, Иннокентий в помощники не годился. Потом Эраст Петрович повернулся к Анисию, и тот закоченел, остро ощущая всю свою непрезентабельность: молод, тощ, уши торчат, да еще прыщи.

— Я что... Я буду нем, — пролепетал он. — Честное слово.

— Эт-то еще кто? — рявкнул его сиятельство, кажется, впервые углядев жалкую фигуру рассыльного. — Паччему здесь?

— Тюльпанов это, — пояснил Фандорин. — Из Жандармского управления. Опытный агент. Вот он мне и п-поможет.

Князь окинул взглядом сжавшегося Анисия, сдвинул грозные брови.

— Ну смотри у меня, Тюльпанов. Будешь полезен — человеком сделаю. А дров наломаешь — в порошок сотру.

Когда Эраст Петрович и очумевший Анисий шли к лестнице, было слышно, как Ведищев сказал:

— Владим Андреич, воля ваша, а денег в казне нету. Шутка ли — сто тыщ. Обойдется англичанин одними извинениями.

На улице Тюльпанова ждало новое потрясение.

Натягивая перчатки, надворный советник вдруг спросил:

— А верно ли мне рассказывали, будто вы содержите инвалидку-сестру и отказались отдавать ее на казенное попечение?

Такой осведомленности о своих домашних обстоятельствах Анисий не ожидал, однако, находясь в оцепенелом состоянии, удивился меньше, чем следовало бы.

— Нельзя ее на казенное, — объяснил он. — Она там зачахнет. Очень уж, дура, ко мне привыкла.

Вот тут-то Фандорин его и потряс.

— Завидую вам, — вздохнул он. — Счастливый вы человек, Тюльпанов. В таком молодом возрасте вам уже есть, за что себя уважать и чем г-гордиться. На всю жизнь вам Господь стержень дал.

Анисий еще пытался уяснить смысл этих странных слов, а надворный советник уже повел разговор дальше:

— О сестре не беспокойтесь. На время расследования наймите для нее сиделку. Разумеется, за казенный счет. Отныне и до окончания дела о «Пиковом валете» вы поступаете в мое распоряжение. Поработаем вместе. Надеюсь, скучать не б-будете.

Вот она, нежданная радость, внезапно сообразил Тюльпанов. Вот оно, счастье.

Ай да белая голубка!

Жизненная наука по Момусу

Имен за последние годы переменил столько, что первоначальное, с каким появился на свет, стало забываться. Сам себя давно уже называл Момусом.

«Момус» — это древнегреческий насмешник и злопыхатель, сын Никты, богини ночи. В гадании «Египетская пифия» так обозначается пиковый валет, карта нехорошая, сулящая встречу с глумливым дурачком или злую шутку фортуны.

Карты Момус любил и даже глубоко чтил, однако в гадания не верил и вкладывал в избранное имя совсем другой смысл.

Всякий смертный, как известно, играет в карты с судьбой. Расклад от человека не зависит, тут уж как повезет: кому достанутся одни козыри, кому — сплошь двойки да тройки. Момусу природа сдала карты средненькие, можно сказать, дрянь картишки — десятки да валеты. Но хороший игрок и с такими посражается.

Опять же и по человеческой иерархии на валета высвечивало. Оценивал Момус себя трезво: не туз, конечно, и не король, но и не фоска. Так, валетик. Однако не какой-нибудь скучный трефовый, или добропорядочный бубновый, или, упаси боже, слюнявый червовый, а особенный, пиковый. Пика — масть непростая. Во всех играх самая младшая, только в бридж-висте кроет и трефу, и черву, и бубну. Вывод: сам решай, в какую игру тебе с жизнью играть, и твоя масть будет главной.

В раннем детстве Момусу не давала покоя поговорка про двух зайцев. Ну почему, недоумевал он, нельзя поймать сразу обоих? Что ж, от одного отказываться, что ли? Маленький Момус (тогда еще и не Момус, а Митенька Савин) с этим был решительно не согласен. И вышел кругом прав. Дурацкая оказалась поговорка, для тупых и ленивых. Случалось Момусу за раз даже и не двух, а много больше ушастых, серых, пушистых вылавливать. Для того была у него разработана собственная психологическая теория.

Много наук напридумывали люди, от большинства из них нормальному человеку и пользы-то никакой, а вот ведь трактаты пишут, магистерские и докторские диссертации защищают, членами академий становятся. Момус сызмальства чувствовал кожей, костями, селезенкой, что самая главная наука — не арифметика или там какая-нибудь латынь, а *умение нравиться*. Вот он, ключ, которым можно любую дверку открыть. Странно только, что этой наиглавнейшей науке не учили ни гувернеры, ни гимназические учителя. Постигать ее законы приходилось самому.

Но это, если поразмыслить, было даже на руку. Талант к важнейшей науке у мальчика обнаружился рано, а что другим преимущества этой дисциплины невдомек, так и слава богу.

Обычные люди почему-то относились к ключевому делу без внимания и толка, считали так: нравлюсь — хорошо, не нравлюсь — что поделаешь, насильно мил не будешь. Будешь, думал подрастающий Митенька, еще как будешь. Если ты человеку понравился, сумел к нему ключик подобрать, — всё, твой он, этот человек, делай с ним что хочешь.

Выходило, что понравиться можно всякому, и нужно для этого совсем немногое — понять, что за человек: чем живет, как мир видит, чего боится. А как понял, играй на нем, словно на дудке, любую мелодию. Хоть серенаду, хоть польку-бабочку.

Девять из десяти людей сами тебе все расскажут, только согласись выслушать. Ведь никто никого толком не слушает — вот что поразительно. В лучшем случае, если воспитанные, дождутся паузы в разговоре и снова о своем. А сколько важного и интересного можно узнать, если умеешь слушать!

Правильно слушать — это своего рода искусство. Надо вообразить, будто ты — пустая склянка, прозрачный сосуд, сообщающийся с собеседником при помощи невидимой трубки. Пусть содержимое из партнера по капельке перетечет в тебя, чтоб ты наполнился жидкостью того же цвета, состава и градуса. Чтоб ты на время перестал быть собой и стал им. И тогда человек станет тебе понятен во всей своей сути, и ты заранее будешь знать, что он скажет и что сделает.

Науку свою Момус постигал постепенно и в ранние годы применял по мелочи, для небольшой выгоды, а более для проверки и эксперимента. Не выучив урока, получить хорошую отметку в гимназии; потом, уже в кадетском, заслужить уважение и любовь товарищей; занять денег; влюбить в себя барышню.

Позднее, когда вышел в полк, выгоды от подросшей и окрепшей науки стали заметнее. Скажем, чистишь денежного человека в картишки, а он смирно сидит, не обижается на славного малого, корнета Митю Саввина. Да и на руки приятному партнеру больше нужного не пялится. Плохо ли?

Но и это была только гимнастика, разработка мышц. По-настоящему наука и талант пригодились шесть лет назад, когда судьба дала будущему Момусу первый настоящий Шанс. Тогда он еще не знал, что Шанс надо не ловить, а создавать. Всё ждал, пока удача сама в руки приплывет, и боялся только одного — не упустить бы.

Не упустил.

Жизненная ситуация у корнета в ту пору обрисовывалась тухлая. Полк стоял в губернском городе Смоленске второй год, и все возможности приложения талантов были исчерпаны. Кого мог, обыграл; всё, что можно было занять, давно занял; полковничиха, хоть и любила Митеньку всей душой, но денег давала скупо, да еще сильно изводила ревностью. А тут с ремонтными суммами неосторожность произошла: послан был корнет Саввин на конскую ярмарку в Торжок, да увлекся, растратил больше допустимого.

В общем, планида складывалась либо под суд идти, либо в бега пускаться, либо жениться на угреватой дочке купца Почечуева. Первый вариант, конечно, исключался, и способный юноша всерьез колебался между вторым и третьим.

И вдруг фортуна дала тузовый прикуп, при помощи которого обреченную партию вполне можно было вытянуть. Умерла двоюродная тетка, вятская помещица, завещала любимому племяннику имение. Когда-то, еще юнкером, Митенька провел у нее скучнейший месяц и от нечего делать слегка попрактиковался в жизненной науке. Потом про старуху и думать забыл, а вот тетка тихого, милого мальчугана не забыла. В обход всех прочих племянников и племянниц одарила в завещании именно его. Не бог весть какая латифундия досталась Мите: всего тысячонка десятин, да и то в тьмутараканской губернии, куда приличному человеку и на неделю появиться зазорно.

Как поступил бы обычный, заурядный корнетик, подвали ему такая удача? Продал бы теткино наследство, покрыл бы казенную недостачу, отдал бы часть долгов, да и зажил себе по-старому, дурачина.

А как же иначе, спросите вы.

Извольте, вот вам задачка. У вас имение, которому красная цена двадцать пять, ну тридцать тысяч. А долгов на все пятьдесят. И, главное, до смерти надоело копейничать, хочется пожить достойно: с хорошим выездом, в лучших гостиницах, чтоб жизнь была как вечная масленица, и чтоб не толстая полковница содержала, а самому завести этакую бутоньерку, этакую туберозу с нежными глазками, стройной талией и звонким смехом.

Хватит плыть щепкой по реке жизни, решил Митенька, пора брать судьбу за лебединую шею. Тут-то психологическая наука и пригодилась в полной мере.

Прожил он в захолустной губернии не неделю и не две, а целых три месяца. Ездил с визитами по соседям, каждому сумел понравиться на свой лад. С отставным майором, барсуком и грубияном, пил ром и на медведя ходил (вот страху-то натерпелся). С коллежской советницей, хозяйственной вдовой, варил варенье из райских яблочек и записывал в книжечку советы по опоросу. С уездным предводителем, из недоучившихся пажей, обсуждал новости большого света. С мировым судьей ездил за реку, в цыганский табор.

Преуспел изрядно: оказался одновременно простым малым, столичной штучкой, серьезным юношей, разудалой душой, «новым человеком», ревнителем старины и еще верным кандидатом в женихи (в двух незнакомых между собой семействах).

А когда счел, что почва унавожена достаточно, провернул все дельце в два дня.

Даже сейчас, спустя годы, когда уж, казалось бы, есть что вспомнить и чем погордиться, Момус с удовольствием восстанавливал в памяти свою первую настоящую «операцию». Особенно эпизод с Эврипидом Каллистратовичем Канделаки, который слыл среди местных помещиков скупердяем и сутягой, каких свет не видывал. Можно было бы, конечно, обойтись и без Канделаки, но по юности лет и азартности натуры Митенька любил разгрызать крепкие орешки.

Выжига-грек был из отставных акцизных. Человеку этого типа понравиться можно только одним способом — создать иллюзию, что за твой счет ему удастся поживиться.

Бравый корнет прискакал к соседу на взмыленной лошади, весь красный, в глазах слезы, руки трясутся. Прямо с порога взвыл:

— Эврипид Каллистратович, спасите! На вас вся надежда! Перед вами, как на духу! В полк меня вызывают, к аудитору! Растрата за мной! Двадцать две тысячи!

Письмо из полка и правда было — по ремонтным грехам. Кончилось у начальства терпение Саввина из отпуска дожидаться.

Митя достал пакет с полковой печатью, достал и еще одну бумагу.

— Мне через месяц из Дворянского земельного банка положена ссуда в 25 тысяч под залог тетенькиного имения. Я думал, — всхлипнул он, отлично зная, что грека не разжалобишь, — деньги получу и недостачу покрою. Ан нет, не поспеваю! Позор! Только одно и осталось — пулю в лоб! Выручите, Эврипид Каллистратович, миленький! Дайте мне двадцать две тысячи, а я вам доверенность на получение ссуды составлю. Поеду в полк, оправдаюсь, спасу честь и жизнь. А вы через месяц двадцать пять тысяч получите. И вам выгода, и мне спасение! Умоляю!

Канделаки надел очки, прочел грозное письмо из полка, внимательно изучил закладной договор с банком (тоже подлинный, честь по чести оформленный), пожевал губами и предложил пятнадцать тысяч. Сторговались на девятнадцати.

То-то, поди, была сцена в банке, когда месяц спустя, в назначенный день, там съехались обладатели всех одиннадцати выданных Митенькой доверенностей.

Куш получился неплохой, но жизнь после этого, конечно, пришлось менять самым коренным образом. Да и ну ее, прежнюю жизнь, не жалко.

Полицейских неприятностей бывший корнет Саввин не боялся. Империя, слава тебе Господи, большая, дураков много, богатых городов хватает. Человеку с фантазией и куражом всегда найдется, где покуролесить. А имя и документы — дело плевое. Как пожелаешь, так и назовешься. Кем захочешь, тем и будешь.

Что же до внешности, то с ней Момусу просто исключительно повезло. Он очень любил свое лицо и мог любоваться на него в зеркале часами.

Волосы дивного блекло-русого цвета, как у подавляющего большинства славянского туземства. Черты мелкие, невыразительные, глазки серо-голубые, нос неясного рисунка, подбородок слабохарактерный. В общем, взору задержаться абсолютно не на чем. Не физиономия, а чистый холст, рисуй на нем что хочешь.

Рост средний, особые приметы отсутствуют. Голос, правда, необычный — глубокий, звучный, но этим инструментом Момус научился владеть в совершенстве: мог и басом гудеть, и тенором обольщать, и фистулой припустить, и даже дамским сопрано попищать.

Ведь чтобы внешность до неузнаваемости изменить, мало волосы перекрасить и бороду прицепить. Человека делают мимика, манера ходить и садиться, жесты, интонации, особенные словечки в разговоре, энергия взгляда. Ну и, само собой, антураж — одежда, первое впечатление, имя, звание.

Если б актеры зарабатывали большие деньги, Момус непременно стал бы новым Щепкиным или Садовским — он это в себе чувствовал. Но столько, сколько ему было нужно, не платили даже премьерам в столичных театрах. К тому же куда интереснее разыгрывать пьесы не на сцене, с двумя пятнадцатиминутными антрактами, а в жизни, каждый день, с утра до вечера.

Кого только за эти шесть лет он не сыграл — всех ролей и не упомнить. Причем пьесы были сплошь собственного сочинения. Момус их называл на военно-стратегический манер — «операциями», и перед началом очередного приключения любил воображать себя Морицем Саксонским или Наполеоном, но по своей природе это были, конечно же, не кровопролитные сражения, а веселые спектакли. То есть другие действующие лица, возможно, и не могли оценить всего остроумия сюжета, но сам Момус неизменно оставался при полном удовольствии.

Спектаклей отыграно было много — мелких и крупных, триумфальных и менее удачных, но срыва, чтоб с шиканьем и освистыванием, доселе не случалось.

Одно время Момус увлекся увековечиванием памяти национальных героев. Сначала, проигравшись в винт на волжском пароходе и сойдя на берег в Костроме без единого гроша, собирал пожертвования на бронзовый монумент Ивану Сусанину. Но купчишки жались, дворянство норовило внести взнос маслицем или рожью, и вышла ерунда, меньше восьми тысяч. Зато в Одессе на памятник Александру Сергеевичу Пушкину давали щедро, особенно купцы-евреи, а в Тобольске на Ермака Тимофеевича торговцы пушниной и золотодобытчики отвалили красноречивому «члену Императорского исторического общества» семьдесят пять тысяч.

Очень удачно в позапрошлом году получилось с Кредитным товариществом «Баттерфляй» в Нижнем Новгороде. Идея простая и гениальная, рассчитанная на весьма распространенную породу людей, у которых вера в бесплатное чудо сильнее природной осторожности. Товарищество «Баттерфляй» брало у обывателей денежные ссуды под невиданно высокий процент. В первую неделю деньги внесло всего десять человек (из них девять подставных, самим же Момусом нанятых). Однако когда в следующий понедельник — проценты начислялись еженедельно — все они получили по гривеннику с каждого вложенного рубля, город как с ума сошел. В контору товарищества выстроилась очередь на три квартала. Через неделю Момус снова выплатил по десяти процентов, после чего пришлось нанять еще два помещения и двенадцать новых приемщиков. В четвертый понедельник двери контор остались на замке. Радужный «Баттерфляй» навсегда упорхнул с волжских берегов в иные палестины.

Другому человеку одних нижегородских барышей хватило бы на весь остаток жизни, но у Момуса деньги долго не задерживались. Иногда он представлял себя воздушной мельницей, в которую широким потоком сыплются ассигнации и звонкая монета. Мельница машет широченными крыльями, не ведая передышки, перерабатывает денежки в мелкую муку — в бриллиантовые заколки для галстука, в чистокровных рысаков, в многодневные кутежи, в умопомрачительные букеты для актрисок. А ветер все дует, дует, и разлетается мука по бескрайним просторам, так что и крупинки не остается.

Ну и пусть ее разлетается, на век Момуса «зерна» хватит. Простаивать чудо-мельница не будет.

Погастролировал по ярмаркам и губернским городам изрядно, набрал мастерства. В прошлый год добрался до столицы. Славно почистил город Санкт-Петербург, будут помнить придворные поставщики, хитроумные банкиры и коммерции советники Пикового Валета.

Явить публике свое незаурядное дарование Момус надумал недавно. Одолел бес честолюбия, стало обидно. Столько талантливых, не виданных прежде кундштюков придумываешь, столько вкладываешь воображения, художества, души, а признания никакого. То на шайку аферистов валят, то на жидовские происки, то на местные власти. И ведь невдомек православным, что все эти ювелирные chef-d'oeuvres — произведения одного мастера.

Мало стало Момусу денег, возжаждал он славы. Конечно, с фирменным знаком работать куда рискованней, но слава трусам не достается. Да и пойди его, поймай, когда для каждой операции у него своя маска заготовлена. Кого ловить, кого искать? Видел кто-нибудь настоящее лицо Момуса? То-то.

Поахайте, посплетничайте и посмейтесь на прощанье, мысленно обращался Момус к соотечественникам. Поаплодируйте великому артисту, ибо не вечно пребуду с вами.

Нет, умирать он отнюдь не собирался, но стал всерьез подумывать о расставании с милыми сердцу российскими просторами. Осталось вот только древнепрестольную отработать, а там самое время показать себя и на интернациональном поприще — уже ощущал в себе Момус достаточную для этого силу.

Чудесный город Москва. Москвичи еще тупее питерцев, простодушнее, не такие тертые, а денег у них не меньше. Момус обосновался тут с осени и уж успел провернуть несколько изящных фокусов. Еще пара-тройка операций, и прощай, родимая земля. Надо будет по Европе прогуляться, в Америку заглянуть. Много про Североамериканские Штаты интересного рассказывают. Чутье подсказывало — там будет где разгуляться. Можно рытье какого-нибудь канала затеять, организовать акционерное общество по строительству трансамериканской железной дороги или, скажем, по розыскам ацтекского золота. Опять же на немецких принцев сейчас спрос большой, особенно в новых славянских странах и на южноамериканском континенте. Здесь есть о чем подумать. Момус из предусмотрительности уже и кое-какие меры принял.

Но были пока делишки и в Москве. Эту яблоню еще трясти и трясти. Дайте срок, московские писатели про Пикового Валета еще романы напишут.

* * *

Наутро после забавного трюка с английским лордом и старичком-губернатором Момус проснулся поздно и с головной болью — весь вечер и полночи праздновали. Мими обожала праздники, это была ее настоящая стихия, так что повеселились на славу.

Нумер «люкс» гостиницы «Метрополь» проказница превратила в Эдемский сад: оранжерейные тропические растения в кадках, люстра сплошь в хризантемах и лилиях, ковер усыпан лепестками роз, повсюду корзины с фруктами от Елисеева и букетами от Погодина. Вокруг пальмы узорчатым кольцом свернулся удав из зверинца Морселли, изображал Змея-Искусителя. Правда, неубедительно — по зимнему времени дрых и глаз ни разу не раскрыл. Зато Мими, представлявшая Еву, была в ударе. Момус, вспомнив, улыбнулся и потер ноющий висок. Все проклятое «клико». Когда, уже после грехопадения, Момус нежился в просторной фарфоровой ванне, среди плавающих орхидей-ванд (по пятнадцать рублей штучка), Мими поливала его шампанским из большущих бутылок. Он все ловил пенную струю губами и явно перестарался.

Но и Мимочка вчера нарезвилась, умаялась. Вон как спит — на пожар не добудишься. Приоткрыла подпухшие губки, обе ладошки по обыкновению сложила под щеку, густые золотистые локоны разметались по подушке.

Когда решалось, что будут путешествовать вместе, Момус сказал ей: «Жизнь, девочка, у человека такая, каков он сам. Если жестокий человек — она жестокая. Если боязливый — она страшная. Если кислый — она печальная. А я человек веселый, жизнь у меня веселая, и у тебя будет такая же».

И Мими вписалась в веселую жизнь так, будто была создана специально для нее. Хотя, надо полагать, за свои двадцать два года вкусила хренку с горчичкой изрядно. Впрочем, Момус не выспрашивал — не его дело. Захочет — сама расскажет. Только девочка не из таковских, плохого долго не помнит и уж тем более не станет на жалость надавливать.

Подобрал он ее прошлой весной в Кишиневе, где Мими подвизалась эфиопской танцоркой в варьете и пользовалась у местных прожигателей жизни бешеной популярностью. Она вычернила себе кожу, покрасила и завила волосы, по сцене скакала в одних цветочных гирляндах, с браслетами на руках и ногах. Кишиневцы принимали ее за самую что ни есть природную негритоску. То есть в начале у них еще были сомнения, но заезжий неапольский негоциант, который бывал в Абиссинии, подтвердил, что мамзель Земчандра и в самом деле говорит по-эфиопски, так что все подозрения рассеялись.

Именно эта деталь первоначально и восхитила Момуса, который ценил в мистификациях сочетание нахальства с дотошностью. С синими, в цвет колокольчиков, глазами, с хоть и чумазой, но абсолютно славянской мордашкой лезть в эфиопки — это большая лихость нужна. И при этом еще научиться эфиопскому!

Потом, когда подружились, Мими рассказала, как все вышло. Жила в Питере, после банкротства оперетки сидела на мели, устроилась по случаю гувернанткой к близняшкам, детям абиссинского посланника. Эфиопский князь, расс по-ихнему, не мог нарадоваться своей удаче: покладистая, веселая барышня, довольствуется малым жалованьем, и дети ее обожают — все шепчутся с ней о чем-то, все секретничают и вести себя стали паиньками. Гуляет однажды расс по Летнему саду со статс-секретарем Мордером, обсуждает осложнения в итальянско-абиссинских отношениях, вдруг видит — толпа. Подошел — эфиопский бог! Гувернантка играет на гармонике, а его сын с дочуркой пляшут и поют. Публика на арапчат пялится, хлопает, бросает деньги в скрученную из полотенца чалму, и щедро бросает, от души.

В общем, пришлось Мими из северной столицы уносить ноги со всей возможной поспешностью — без багажа, без вида на жительство. Все бы ничего, вздыхала она, только арапчат жалко. Бедненькие Марьямчик и Асефочка, скучно им, поди, теперь живется.

Зато мне с тобой нескучно, подумал Момус, любовно глядя на высунувшееся из-под одеяла плечико с тремя симпатичными родинками в виде правильного треугольника.

Он закинул руки за голову, осмотрел нумер, в который въехали только накануне, заметая след. Шикарные апартаменты: с будуаром, гостиной, кабинетом. Золотой лепнины многовато, купечеством отдает. В «Лоскутной» апартаменты были поизящней, но оттуда пора было съезжать — разумеется, совершенно официальным образом, с щедрой раздачей чаевых и позированием перед рисовальщиком из «Московского наблюдателя». Покрасоваться на обложке почтенного иллюстрированного журнала в виде «его высочества» не помешает — глядишь, когда-нибудь и пригодится.

Момус рассеянно посмотрел на пристроившегося под балдахином золоченого круглощекого амурчика. Гипсовый озорник целил постояльцу стрелой прямо в лоб. Стрелы, собственно, было не видно, потому что на ней повисли Мимочкины кружевные панталоны цвета «пылающее сердце». Как они туда попали? И откуда взялись? Ведь Мими изображала Еву? Загадка.

Умопомрачительные панталоны чем-то заинтриговали Момуса. Под ними должна быть стрела, больше нечему — это очевидно. А вдруг там окажется не стрела, а что-то совсем другое? Вдруг купидончик сложил свои пухлые пальчики кукишем, сверху прикрыл яркой тряпкой, да и выставил на манер стрелы?

Так-так, тут что-то вырисовывалось.

Забыв о ноющем виске, Момус сел на кровати, по-прежнему глядя на панталоны.

Человек ожидает, что под ними стрела, потому что купидону по должности и званию положена именно стрела, а ну как на самом деле там не стрела, а кукиш?

— Девочка, просыпайся! — Он шлепнул спящую по розовому плечу. — Живо! Бумагу, карандаш! Мы сочиняем объявление в газету!

Вместо ответа Мими натянула на голову одеяло. Момус же спрыгнул с постели на пол, попал на что-то шершавое, холодное и заорал от ужаса — на ковре, свернувшись на манер брезентовой садовой кишки, почивал давешний удав, эдемский искуситель.

Ловок, мерзавец

Служить, оказывается, можно по-разному.

Можно филером — часами мокнуть под дождем, следя из колючих кустов за вторым слева окошком на третьем этаже, или плестись по улице за переданным по эстафете «объектом», который неизвестно кто таков и что натворил.

Можно рассыльным — высунув язык, носиться по городу с казенной сумкой, набитой пакетами.

А можно временным помощником у его высокоблагородия чиновника по особым поручениям. Во флигель на Малой Никитской приходить полагалось часам к десяти. То есть как человек идешь, не бегом по темным переулкам, а не спеша, с достоинством, при свете дня. Выдавалось Анисию и на извозчика, так что можно бы не тратить час на дорогу, а подкатывать на службу барином. Ну да ничего, сойдет и пешочком, а лишний полтинник всегда пригодится.

Дверь открывал слуга-японец Маса, с которым Анисий успел хорошо познакомиться. Маса кланялся и говорил: «Добуро, Тюри-сан», что означало «Доброе утро, господин Тюльпанов». Японцу выговаривать длинные русские слова было трудно, а буква «л» и вовсе не давалась, поэтому «Тюльпанов» у него превратился в «Тюри». Но Анисий на фандоринского камердинера не обижался, отношения у них установились вполне дружественные, можно даже сказать заговорщицкие.

Первым делом Маса вполголоса извещал о «состоянии атмосферы» — так Анисий про себя называл царившее в доме настроение. Если японец говорил: «Чихо», стало быть, все тихо, прекрасная графиня Адди проснулась в ясном расположении духа, напевает, воркует с Эрастом Петровичем и на Тюльпанова будет смотреть взглядом рассеянным, но благосклонным. Тут можно смело идти в гостиную, Маса подаст кофей с булочкой, господин надворный советник станет разговаривать весело и насмешливо, а любимые нефритовые четки в его пальцах будут постукивать задорно и энергично.

Если же Маса прошептал: «Гуромко», то надо на цыпочках прошмыгнуть в кабинет и сразу заняться делом, потому что в доме гроза. Значит, снова Адди рыдала и кричала, что ей скучно, что Эраст Петрович ее погубил, соблазнил, увел от мужа, достойнейшего и благороднейшего из людей. Тебя, пожалуй, уведешь, думал Анисий, боязливо прислушиваясь к громовым раскатам и листая газеты.

Такое у него теперь было утреннее задание — московские печатные издания изучать. Милое дело: шуршишь пахучими страницами, читаешь про городские сплетни, разглядываешь соблазнительные рекламные объявления. На столе остро отточенные карандашики, синий для обычных пометок, красный для особого примечания. Нет, право слово, жизнь у Анисия пошла теперь совсем другая.

Плата за такую золотую службу, между прочим, была против прежней двойная, да еще и по службе вышло повышение. Чиркнул Эраст Петрович в управление две строчки, и тут же определили Тюльпанова кандидатом на классный чин. При первой же вакансии сдаст ерундовый экзамен, и готово — был рассыльный, стал чиновник, господин коллежский регистратор.

А начиналось все вот как.

В тот памятный день, когда Анисию явилась белая голубка, прямо из губернаторского дома отправились вместе с надворным советником в нотариальную контору, что зарегистрировала купчую с издевательской подписью. Увы, за дверью с медной табличкой *Иван Карлович МЕБИУС* было пусто. Титулярная советница Капустина, чей дом, отворила запертую дверь собственным ключом и дала показание, что господин Мебиус снял первый этаж тому две недели, заплатил за месяц вперед. Человек солидный, обстоятельный, пропечатал объявление о конторе во всех газетах, на самом видном месте. Со вчерашнего дня не появлялся, она уж и сама в удивлении.

Фандорин слушал, кивал, время от времени задавал короткие вопросы. Описание внешности исчезнувшего нотариуса велел Анисию записать. «Роста обыкновенного, — старательно скрипел карандашом Тюльпанов. — Усы, бородка клинышком. Волосы пегие. Пенсне. Все время трет руки и подсмеивается. Вежливый. На щеке справа большая коричневая бородавка. Лет на вид не менее сорока. Кожаные калоши. Пальто серое с черным шалевым воротником».

— Не пишите вы про к-калоши и пальто, — сказал надворный советник, мельком глянув в Анисиеву писанину. — Только внешность.

За дверью оказалась самая что ни на есть обычная контора: в приемном покое письменной стол, приоткрытый несгораемый шкаф, полки с папками. Папки все пустые, одни корешки, а в сейфе на железной полке, на самом видном месте — игральная карта, пиковый валет. Эраст Петрович карту взял, в лупу рассмотрел, да и на пол бросил. Сказал Анисию в пояснение:

— Карта как карта, такие всюду продаются. Я, Тюльпанов, карт терпеть не могу, а п-пикового валета (его еще

Момусом называют) в особенности. У меня с ним связаны весьма неприятные воспоминания.

Из конторы поехали в английское консульство встречаться с лордом Питсбруком. На сей раз альбионец был в сопровождении дипломатического переводчика, так что показания потерпевшего Анисий смог записать сам.

Британец сообщил надворному советнику, что нотариальную контору «Мебиус» ему порекомендовал мистер Шпейер как почтеннейшую и старейшую юридическую фирму в России. В подтверждение своих слов мистер Шпейер показал несколько газет, в каждой из которых реклама «Мебиуса» располагалась на самом видном месте. Русского языка лорд не знает, но год основания фирмы — тысяча шестьсот какой-то — произвел на него самое благоприятное впечатление.

Питсбрук предъявил и одну из газет, «Московские губернские ведомости», которые на свой английский лад именовал «Москоу ньюс». Анисий вытянул шею из-за спины господина Фандорина, увидел большущее, в четверть газетного листа объявление:

Нотариальная контора
МЕБИУС

Регистрационное свидетельство
министерства юстиции за нумером 1672.
Составление завещаний и купчих,
оформление доверенностей,
поручительство по залогу,
представительство по взысканию долгов,
а также прочие услуги.

Повезли британца в злополучную контору. Он рассказал во всех подробностях, как, получив подписанную «старым джентльменом» (то есть его сиятельством господином генерал-губернатором) бумагу, отправился сюда, в «оффис». Мистер Шпейер с ним не поехал, потому что неважно себя чувствовал, однако заверил, что глава фирмы предупрежден и ждет высокого иностранного клиента. Лорда и в самом деле встретили очень любезно, предложили чаю с «твердыми круглыми бисквитами» (пряниками, что ли?), хорошую сигару, и документы оформили очень быстро. Деньги же, сто тысяч рублей, нотариус принял на ответственное хранение и положил в сейф.

— Ну да, ответственное, — пробормотал Эраст Петрович и спросил что-то, показывая на несгораемый шкаф.

Англичанин кивнул, приоткрыл незапертую железную дверцу и свистяще выругался.

Ничего существенного к портрету Ивана Карловича Мебиуса лорд добавить не смог, все твердил про бородавку. Анисий даже слово английское запомнил — «уарт».

— Примета изрядная, ваше высокоблагородие. Большая коричневая бородавка на правой щеке. Может, и отыщем мошенника? — робко высказал Тюльпанов здравую идею. Очень уж запали ему в душу слова генерал-губернатора про дрова и порошок. Хотелось проявить полезность.

Но надворный советник Анисиева вклада в расследование не оценил. Сказал рассеянно:

— Ерунда это, Тюльпанов. Психологическая уловка. Бородавку, или, скажем, родимое пятно в полщеки изобразить нетрудно. Обычно свидетели запоминают только т-такую, бросающуюся в глаза примету, а на прочие уже обращают меньше внимания. Займемся-ка лучше защитником малолетних б-блудниц, «мистером Шпейером». Вы записали его портрет? Покажите-ка. «*Непонятного росту, потому что в коляске. Волосы темно-русые, с подстриженными височками. Взгляд мягкий, добрый.* (Хм...) *Глаза, кажется, светлые.* (Это важно, надо будет еще расспросить секретаря его высокопревосходительства.) *Лицо открытое, приятное*». М-да, зацепиться не за что. Придется побеспокоить его высочество герцога Саксен-Лимбургского. Будем надеяться, что он что-то знает про «внука», раз уж рекомендовал его «дедушке» особым письмом.

В «Лоскутную», к владетельной особе, Эраст Петрович поехал один, нарядившись в мундир. Отсутствовал долго и вернулся мрачнее тучи. В гостинице сказали, что его высочество накануне съехал, отбыл на варшавский поезд. Однако на Брянском вокзале высокий пассажир вчера так и не появился.

Вечером, подводя итоги длинного дня, надворный советник провел с Анисием совещание, которое назвал «оперативным разбором». Для Тюльпанова такая процедура была внове. Это уж потом, когда привык, что каждый день заканчивается «разбором», понемногу осмелел, а в первый вечер больше помалкивал, боялся сморозить глупость.

— Итак, давайте рассуждать, — начал надворный советник. — Нотариуса Мебиуса, который никакой не нотариус, нет. Испарился. Это раз. — Нефритовая косточка на четках звонко щелкнула. — Инвалида-благотворителя Шпейера, который никакой не благотворитель и вряд ли инвалид, тоже нет. Исчез бесследно. Это два. (Снова — щелк!). Что особенно п-пикантно, непонятным образом исчез и герцог, который в отличие от «нотариуса» и «инвалида», вроде бы был настоящий. Конечно, владетельных князьков в Германии видимо-невидимо, за всеми не уследишь, но этого в Москве принимали честь по чести, о его прибытии писали г-газеты. И это три. (Щелк!) По пути с вокзала я наведался в редакции «Недели» и «Русского вестника». Спросил, откуда они узнали о предстоящем визите его высочества герцога Саксен-Лимбургского. Выяснилось, что газеты получили это сообщение обычным образом, по телеграфу от своих петербургских корреспондентов. Что вы об этом думаете, Тюльпанов?

Анисий, разом вспотев от напряжения, сказал неуверенно:

— Мало ли, ваше высокоблагородие, кто их на самом деле прислал, телеграммы эти.

— Вот и я так думаю, — одобрил надворный советник, и у Тюльпанова сразу отлегло от сердца. — Достаточно знать фамилии петербургских корреспондентов, а телеграмму может отправить кто угодно и откуда угодно... Да, кстати. Не зовите вы меня «высокоблагородием», мы ведь не в армии. Достаточно будет имени-отчества, или... или называйте меня просто «шеф», оно короче и удобнее. — Фандорин чему-то невесело улыбнулся и продолжил «разбор». — Смотрите, что п-получается. Некая ловкая особа, всего-то выяснив имена нескольких корреспондентов (для чего достаточно полистать газетки), отбивает по редакциям телеграмму о прибытии германского фюрста, а далее все происходит само собой. Репортеры встречают «его высочество» на вокзале, «Русская мысль» печатает беседу, в которой почетный гость высказывает весьма смелые суждения по Балканскому вопросу, категорически отмежевывается от политического курса Бисмарка, и всё, Москва покорена, наши патриоты принимают герцога с распростертыми объятьями. Ах, пресса, как мало у нас осознают ее истинную силу... Ну-с, Тюльпанов, а теперь переходим к выводам.

Надворный советник, он же «шеф», сделал паузу, и Анисий испугался, что выводы придется делать ему, а в голове бедного рассыльного царил полнейший туман.

Но нет, обошелся господин Фандорин без Анисиева содействия. Энергично прошелся по кабинету, дробно пощелкал четками, потом сцепил руки за спиной.

— Состав шайки «Пиковый валет» неизвестен. Участников по меньшей мере трое: «Шпейер», «Нотариус» и «Герцог». Это раз. Крайне нахальны, очень изобретательны, невероятно самоуверены. Это д-два. Следов никаких. Это три... — Помолчав, Эраст Петрович тихо, пожалуй, даже вкрадчиво закончил. — Но кое-какие зацепки есть, и это четыре.

— Неужто? — встрепенулся приунывший Анисий, который ожидал совсем иной концовки: мол, надежды никакой, так что возвращайся-ка, Тюльпанов, на свою курьерскую службу.

— Думаю, что да. «Валеты» т-твердо уверены в своей безнаказанности, а это означает, что, скорее всего, захотят пошалить еще. Это раз. Ведь и до истории с лордом Питсбруком они успели провернуть две удачные, чрезвычайно дерзкие аферы. Оба раза недурно поживились, оба раза нагло оставили «визитку», а покинуть Москву с изрядными трофеями даже не подумали. Далее... Не угодно ли сигару? — Надворный советник щелкнул крышкой стоявшей на столе эбеновой шкатулки.

Анисий, хоть табак и не употреблял по причинам экономии, не удержался, взял одну — больно уж аппетитно выглядели аккуратные, шоколадные сигарки с красно-золотыми наклейками. В подражание Эрасту Петровичу зачмокал губами, разжигая огонек, и приготовился испытать райское блаженство, доступное лишь богатым господам. Видел он такие сигары на Кузнецком, в витрине колониальной лавки Сычова — по полтора рубля штучка.

— Следующий пункт, — продолжил Фандорин. — «Валеты» повторяются в методах. Это два. И в деле с «герцогом», и в эпизоде с «нотариусом» они использовали людскую доверчивость к печатному слову. Ну, лорд еще ладно. Они, англичане, п-привыкли верить всему, что их «Таймс» п-печатает. Но газеты-то наши московские хороши: сами известили москвичей о приезде «его высочества», сами подняли шумиху, задурили всему городу голову... Тюльпанов, сигарой не затягиваются!

Но было поздно. Тщательно изготовившись, Анисий вдохнул полную грудь терпкого, покалывающего нёбо дыма. Свет померк, всю внутреннюю словно продрало напильником, и бедный Тюльпанов согнулся пополам, кашляя, задыхаясь и чувствуя, что сейчас умрет.

Вернув помощника к жизни (чему способствовала вода из графина и энергичные шлепки по тощей Анисиевой спине), Фандорин кратко резюмировал:

— Наша задача — смотреть в оба.

* * *

И вот уже неделю Тюльпанов смотрел в оба. Поутру, идя на свою завидную службу, покупал весь набор городских газет. Подчеркивал в них все примечательное и необычное, а за обедом докладывал «шефу».

Про обед надо сказать особо. Когда графиня бывала в духе и выходила к столу, кормили изысканно — блюдами, доставленными из французского ресторана «Эртель»: какой-нибудь шофруа из бекасов с трюфелями, салат ромен, маседуан в дыне и прочие кулинарные чудеса, о которых Анисий прежде и не слыхивал. Если же Адди с утра хандрила у себя в будуаре или отправлялась развеяться по галантерейным и парфюмерным магазинам, власть в столовой захватывал Маса, и тут выходил совсем иной коленкор.

Из японо-китайской лавки, что на Петровских линиях, фандоринский камердинер приносил пресного рису, маринованной редьки, хрустящих, похожих на бумагу водорослей и сладкой жареной рыбы. Надворный советник поедал всю эту отраву с видимым удовольствием, Анисию же Маса выдавал чай, свежий бублик и колбасу. По правде говоря, такая трапеза Тюльпанову нравилась куда как больше, потому что в присутствии своенравной красавицы он сильно тушевался, и оценить сказочные деликатесы по достоинству все равно не мог.

Эраст Петрович внимательно выслушивал результаты утренних тюльпановских изысканий. Бо́льшую часть отметал, прочее соглашался взять на заметку. Во второй половине дня разъезжались проверять: Анисий — подозрительные объявления, шеф — важных персон, прибывших в Москву (якобы визитировал с приветствием от генерал-губернатора, а на самом деле приглядывался, не самозванец ли).

Пока все было впустую, но Анисий носа не вешал. Эх, служить бы так вечно.

Сегодня с утра у Соньки болел живот — видно, опять известку с печки жевала, и потому Тюльпанов позавтракать дома не успел. Кофею во флигеле ему тоже не дали — день выдался «громкий». Сидел Анисий в кабинете тихонько, листал газеты, и в глаза, как на грех, лезла реклама всякой снеди.

«На Сретенку, в лавку Сафатова, поступила необыкновенной доброты солонина под названием «Антрекот», — читал он ненужное. — *По 16 коп. за фунт, одна мякоть, может заменить ветчину самого высшего сорта».*

В общем, еле дожил до обеда. Уплетая бублик, докладывал Эрасту Петровичу о сегодняшнем улове.

Вновь прибывших нынче, 11 февраля 1886 года, было немного: пять военных генералов и семь статских. Шеф пометил себе навестить двоих: начальника военно-морского интендантства контр-адмирала фон Бомбе и управляющего государственным казначейством тайного советника Свиньина.

Затем Тюльпанов перешел к более интересному — необычным объявлениям.

«*По постановлению Городской думы,* — читал он вслух с многозначительными паузами, — *все лавковладельцы из Городских рядов на Красной площади приглашаются на совещание по образованию акционерного общества с целью перестройки Городских рядов и возведения на их месте эмпориума со стеклянным куполом*».

— Ну и что тут вам кажется п-подозрительным? — спросил Фандорин.

— Ерунда какая-то — зачем лабазу стеклянный купол? — резонно заметил Анисий. — Опять же вы, шеф, велели обращать внимание на все объявления, где призывают вносить деньги, а тут вон акционерное общество. Не афера ли?

— Не афера, — успокоил его надворный советник. — Дума действительно приняла решение снести Городские ряды и п-построить на их месте крытую тройную галерею в русском стиле. Дальше.

Тюльпанов отложил отвергнутую заметку из «Московских городских ведомостей», взял «Русское слово».

— «*ШАХМАТНЫЙ ТУРНИР. В помещении Московского общества любителей шахматной игры в два часа пополудни состоится турнир М.И.Чигорина с десятью партнерами. Г-н Чигорин будет играть á l'aveugle, не глядя на доску и не записывая ходов. Ставка в игре — 100 рублей. Входной билет — 2 рубля. Приглашаются все желающие*».

— Не глядя на доску? — удивился Эраст Петрович и записал себе в книжечку. — Ладно. Съезжу, поиграю.

Ободренный Анисий стал читать дальше, из «Ведомостей московской городской полиции»:

— «*НЕБЫВАЛАЯ ЛОТЕРЕЯ НЕДВИЖИМОСТИ. Международное евангелическое общество «Слезы Иисуса» впервые проводит в Москве МОМЕНТАЛЬНУЮ БЛАГОТВОРИТЕЛЬНУЮ ЛОТЕРЕЮ в пользу строительства Часовни Плащаницы Господней в Иерусалиме. НЕБЫВАЛО ЦЕННЫЕ ПРИЗЫ, пожертвованные дарителями всей Европы: особняки, доходные дома, виллы в лучших европейских городах. ВЫИГРЫШ ПРОВЕРЯЕТСЯ НА МЕСТЕ!!! Ординарный билет — 25 рублей. Спешите, лотерея пробудет в Москве всего ОДНУ НЕДЕЛЮ, а затем переместится в Санкт-Петербург*».

Эраст Петрович заинтересовался:

— Моментальная лотерея? Очень продуктивная идея. Публике понравится. Не дожидаться тиража, а узнать результат сразу. Любопытно. И на мошенничество непохоже. Использовать д-для аферы «Ведомости полиции» — это уж чересчур смело. Хотя от «валетов» всего можно ожидать... Пожалуй, съездите туда, Тюльпанов. Вот вам четвертная. Купите для меня билетик. Дальше.

— «*НОВОСТЬ! Имею честь известить почтенную публику, что на сих днях в мой Музей, что против Пассажа Солодовникова, получена из Лондона весьма живая и веселая ЧИМПАНЗИ С ДЕТЕНЫШЕМ. Вход 3 рубля. Ф.Патек*».

— А чимпанзи вам чем не угодила? — пожал плечами шеф. — Ее-то вы в чем п-подозреваете?

— Необычно, — пробормотал Анисий, которому, по правде сказать, просто ужасно хотелось взглянуть на этакое диво, да еще «живое и веселое». — И вход больно дорогой.

— Нет, для «Пикового валета» это не масштаб, — покачал головой Фандорин. — Да и не загримируешься обезьяной. Тем более д-детенышем. Дальше.

— *«28 января сего года ПРОПАЛА СОБАКА, кобель, ублюдок крупного роста, кличка Гектор, сам черный, задняя левая лапа кривая, на груди белое пятно. Кто доставит, тому будет дано 50 рублей. Большая Ордынка, дом графини Толстой, спросить приват-доцента Андреева».*

На это объявление шеф только вздохнул:

— Что-то вы нынче в веселом настроении, Тюльпанов. Ну зачем нам «ублюдок крупного роста»?

— Так ведь 50 рублей, Эраст Петрович! Это за дворняжку-то? Куда как подозрительно!

— Ах, Тюльпанов, да этаких, с к-кривой лапой, больше чем красавцев любят. Ничего-то вы в любви не смыслите. Дальше.

Анисий обиженно шмыгнул носом. Подумал: вы больно много в любви понимаете. То-то у вас в доме с утра двери хлопают и кофею не подают. Прочел последнее из сегодняшнего урожая:

— *«Мужское бессилие, слабость и последствия пороков молодости лечит электрическими разрядами и гальваническими ванночками доктор медицины Эммануил Страус».*

— Явный шарлатан, — согласился Эраст Петрович. — Только не мелковато ли для «валетов»? Впрочем, съездите, проверьте.

* * *

Из экспедиции Анисий вернулся в четвертом часу пополудни усталый и без улова, но в хорошем настроении, которое, впрочем, не покидало его всю последнюю неделю. Предстоял самый приятный этап работы — разбор и обсуждение событий дня.

— Вижу по отсутствию блеска в глазах, что сети пусты, — приветствовал его проницательный Эраст Петрович, видно, и сам недавно вернувшийся — был он еще в мундире и при крестах.

— А что у вас, шеф? — с надеждой спросил Тюльпанов. — Что генералы? Что шахматист?

— Г-генералы настоящие. Шахматист тоже. Действительно, феноменальный дар: сидел спиной к доскам, ничего не записывал. Из десяти партий выиграл девять, проиграл только одну. Неплохой business, как говорят нынешние дельцы. Девятьсот рублей господин Чигорин получил, сто отдал. Чистая прибыль — восемьсот, и это за какой-нибудь час.

— А кому он проиграл? — полюбопытствовал Анисий.

— Мне, — ответил шеф. — Но это неважно, время потрачено попусту.

Ничего себе попусту, подумал Тюльпанов. Сто рублей! Спросил уважительно:

— Хорошо играете в шахматы?

— П-прескверно. Случайное везение. — Фандорин поправлял перед зеркалом и без того идеальные уголки крахмального воротничка. — Я, Тюльпанов, видите ли, тоже в некотором роде феномен. Азарт игры мне неведом, любые игры на дух не выношу, но мне всегда везет в них совершенно фантастическим образом. Я уж привык и д-давно этому не удивляюсь. Даже вот в шахматы. Господин Чигорин перепутал клетки, велел поставить королеву не на f5, а на f6, прямо под мою ладью, а после так расстроился, что продолжать не захотел. Все-таки играть десять партий не глядя чрезвычайно трудно. Однако рассказывайте вы.

Анисий весь подобрался, потому что в такие минуты чувствовал себя как на экзамене. Но экзамен был приятный, не то что в реальном. Двоек и колов тут не ставили, а вот похвала за наблюдательность или сообразительность выпадала нередко.

Сегодня, правда, похвастать было особо нечем. Во-первых, у Тюльпанова совесть была нечиста: потащился-таки в музей Патека, потратил казенных 3 рубля и полчаса пялился на чимпанзи с детенышем (оба были необычайно живыми и веселыми, реклама не соврала), хотя пользы для дела от этого не было решительно никакой. Заехал и на Большую Ордынку, это уж от служебного рвения. Поговорил с очкастым хозяином криволапого ублюдка, выслушал всю душераздирающую историю, закончившуюся сдержанными мужскими рыданиями.

Про электрического доктора рассказывать подробности не хотелось. Анисий начал было, но смутился и скомкал. Ради долга пришлось подвергнуться постыдной и довольно болезненной процедуре, после которой в паху до сих пор будто иголками покалывало.

— Страус, доктор этот, отвратительный тип, — наябедничал Анисий. — Очень подозрительный. Вопросы всякие пакостные задает. — И мстительно закончил. — Вот кем бы полиции заняться.

Эраст Петрович, деликатный человек, про детали расспрашивать не стал. Сказал с серьезным видом:

— Это похвально, что вы решили подвергнуться электрической процедуре, тем более что в вашем случае «последствия пороков молодости» вряд ли возможны. Самоотверженность во имя дела достойна всяческого поощрения, но вполне достаточно было бы ограничиться несколькими вопросами. Например, сколько этот лекарь берет за сеанс.

— Пять рублей. Вот, у меня и квитанция есть, — Анисий полез в карман, где хранилась вся денежная отчетность.

— Не нужно, — отмахнулся надворный советник. — Стали бы «пиковые валеты» из-за пяти рублей мараться.

Анисий сник. Проклятые иголки так забегали по измученному электричеством телу, что он аж заерзал на стуле и, чтобы поскорее стереть неблагоприятное впечатление от своей дурости, стал рассказывать про моментальную благотворительную лотерею.

— Солидное учреждение. Одно слово — Европа. Арендует бельэтаж в здании Попечительского совета по призрению сирот. Во всю лестницу хвост, люди разного звания и сословия, немало и благородных. Я, Эраст Петрович, простоял сорок минут, прежде чем до стойки добрался. Все-таки отзывчивы русские люди на благотворительность.

Фандорин неопределенно дернул соболиной бровью.

— Так, по-вашему, все чисто? Мошенничеством не п-попахивает?

— Нет, что вы! У дверей городовой, при портупее, при шашке. Каждому салютует, уважение оказывает. Внутри, как войдешь, конторка, за ней очень скромная, милая такая барышня в пенсне, вся в черном, на голове белый платок, на груди крестик. Монашка или послушница, а может, просто доброволка — у них, иностранцев, не разберешь. Принимает плату и предлагает крутить барабан. По-нашему говорит чисто, только немножко с акцентом. Крутишь сам, сам достаешь билет — все по-честному. Барабан стеклянный, в нем такие свернутые картоночки: голубые 25-рублевые и розовые 50-рублевые — это для тех, кто хочет побольше пожертвовать. При мне, правда, розовых не брали. Вскрываешь билет тут же, при всех. Если не повезло, там написано: «Спаси Вас Господь». Вот. — Анисий достал красивую голубую картонку с готическими буквами. — А кому выигрыш выпал, тот проходит за загородку. Там стол, и за ним сидит председатель лотереи, очень представительный пожилой господин, духовного звания. Он оформляет призы. А кому не повезло, того барышня сердечно благодарит и прикалывает к груди красивую бумажную розочку, в знак милосердия.

Анисий достал из кармана заботливо спрятанную розочку. Думал Соньке отнести, пусть порадуется.

Эраст Петрович цветок осмотрел и даже понюхал.

— Пахнет «Пармской фиалкой», — заметил он. — Д-дорогие духи. Так скромная, говорите, барышня?

— Очень славная, — подтвердил Тюльпанов. — И улыбается так застенчиво.

— Ну-ну. И что же, попадаются выигрыши?

— А как же! — оживился Анисий. — Я еще когда на лестнице в очереди стоял, вышел счастливый господин, по виду из профессоров. Весь красный, машет бумагой с печатями — выиграл имение в Богемии. Пятьсот десятин! А утром, говорят, одна чиновница вытянула доходный дом в самом Париже. В шесть этажей! Надо же, такое счастье! Ей, сказывали, плохо сделалось, нюхательную соль давали. А после этого профессора, которому имение выпало, многие стали по два, по три билета брать. Ради таких призов и по двадцати пяти рублей не жалко заплатить! Эх, не было у меня своих денег, а то б я тоже счастья попытал.

Анисий мечтательно прищурился на потолок, представляя, как раскрывает картонку, а там... Что бы такое? Ну, к примеру, шато на берегу Женевского озера (видел он знаменитое озеро на картинке — ох, красиво).

— Шесть этажей? — невпопад переспросил надворный советник. — В Париже? А имение — в Б-Богемии? Так-так. Знаете что, Тюльпанов, а поедемте-ка, сыграю и я в вашу лотерею. Успеем до закрытия?

Вот тебе и хладнокровный человек, вот тебе и небожитель. А еще говорил, азарт ему неведом.

Насилу поспели. Очередь на лестнице меньше не стала, лотерея работала до пяти с половиной, а уж пробило пять. Публика нервничала. Фандорин медленно поднялся по ступенькам, у двери учтиво произнес:

— Позвольте, господа, я только так, п-полюбопытствовать.

И — что вы думаете? — был безропотно пропущен внутрь. Меня-то, поди, турнули бы, почтительно подумал Анисий, а этакого и в голову никому не придет.

Дежуривший у входа городовой, подтянутый молодец с лихо подкрученными рыжими усами, отсалютовал, вскинув руку к серой смушковой шапке. Эраст Петрович прошелся по просторному помещению, перегороженному стойкой надвое. Анисий успел рассмотреть устройство лотереи еще в прошлый раз и потому сразу завистливо уставился на вертящийся барабан. Да еще поглядывал на милую барышню, которая как раз прикалывала цветок на лацкан расстроенному студенту, приговаривая что-то утешительное.

Надворный советник внимательнейшим образом осмотрел барабан и переключил внимание на председателя, благообразного бритого господина в кителе с белым стоячим воротником. Председатель явно скучал и разок даже зевнул, деликатно прикрыв рот ладошкой.

Зачем-то потрогав пальцем в белой перчатке табличку с объявлением «Господа, приобретающие розовый билет, пропускаются вне порядка очереди», Эраст Петрович спросил:

— Мадемуазель, нельзя ли мне один розовый?

— О да, конечно, ви настоящий кристианин. — Барышня одарила жертвователя лучистой улыбкой, поправила выбившийся из-под платка золотистый локон и приняла от Фандорина радужную пятидесятирублевую купюру.

Анисий, затаив дыхание, смотрел, как шеф небрежно, двумя пальцами, тянет из барабана первый попавшийся розовый билет и разворачивает его.

— Неужели пусто? — расстроилась барышня. — Ах, я была так уверена, что ви обязательно выиграйт! В прошлый раз господин, кто взял розовый билет, получил настоящий палаццо в Венеции! С собственным причал для гондол и подъездом для карет! Может быть, сударь, попробуете еще раз?

— Даже с подъездом, надо же, — поцокал языком Фандорин, разглядывая картинку на билете: крылатый ангел молитвенно сложил руки, накрытые тряпкой, очевидно, долженствовавшей изображать плащаницу.

Эраст Петрович обернулся к публике, почтительно приподнял цилиндр и громким, решительным голосом объявил:

— Дамы и господа, я — Эраст Петрович Фандорин, чиновник особых поручений при его сиятельстве генерал-губернаторе. Эта лотерея объявляется арестованной по подозрению в мошенничестве. Городовой, немедленно очистить помещение и более никого сюда не впускать!

— Слушаюсь, ваше высокоблагородие! — гаркнул рыжеусый полицейский, и не подумав усомниться в полномочиях решительного господина.

Городовой оказался малым расторопным. Замахал руками, будто сгонял гусей, и весьма споро выпроводил взволнованно галдящих клиентов за дверь. Только что рокотал: «Пожалуйте, пожалуйте, сами изволите видеть, какая оказия», — и вот уже помещение очистилось, а сам служитель порядка вытянулся в струнку при входе, готовый к исполнению следующего приказа.

Надворный советник удовлетворенно кивнул и обернулся к Анисию, который от неожиданного поворота событий так и застыл с отвисшей челюстью.

Пожилой господин — пастор или патер, кто его разберет — тоже был как бы не в себе: приподнялся над конторкой, да и обмер, хлопая выпученными глазами.

Зато скромная барышня повела себя совершенно удивительным образом.

Она внезапно подмигнула Анисию синим глазом из-под пенсне, легко пробежала через комнату и с возгласом «оп-ля!» вскочила на широкий подоконник. Щелкнула шпингалетом, толкнула раму, и с улицы пахнуло свежестью и морозцем.

— Держи ее! — отчаянным голосом крикнул Эраст Петрович.

Анисий рванулся с места вслед за шустрой девицей. Протянул руку ухватить за подол, но пальцы лишь скользнули по упругому шелку. Барышня прыгнула в окно, и Тюльпанов, упав животом на подоконник, увидел, как грациозно раздуваются в свободном падении ее юбки.

Бельэтаж был высокий, но отчаянная прыгунья приземлилась в снег с кошачьей ловкостью, даже не упала. Обернулась, помахала Анисию рукой и, высоко подобрав подол (под ним обнаружились точеные ножки в ботиках и черных чулках), помчалась по тротуару. Мгновение — и, выскользнув из освещенного фонарем круга, беглянка растворилась в быстро сгущающихся сумерках.

— Ой, мамочки, — Анисий, крестясь, вскарабкался на подоконник. Он совершенно определенно знал, что сейчас разобьется, и хорошо еще, если только ногу сломает, а то ведь можно и позвоночник. Хороши они тогда будут с Сонькой. Паралични братец и идиотка-сестричка, славная парочка.

Он зажмурился, готовясь прыгать, но крепкая рука шефа ухватила его за фалду.

— Пусть ее, — сказал Фандорин, глядя вслед резвой барышне с веселым недоумением. — Г-главный субъект у нас.

Надворный советник неспешно подошел к председателю лотереи. Тот вскинул руки, будто сдавался в плен, и, не дожидаясь расспросов, зачастил:

— Ваше... ваше высоко... Я что, за малое вознаграждение... И знать их не знаю, делаю, что велят... Вон тот господин, у него спросите... Который городовым представляется.

Эраст Петрович и Тюльпанов обернулись по направлению дрожащего пальца, однако никакого городового не увидели. Только на крючке, чуть покачиваясь, висела форменная шапка.

Шеф ринулся к двери, Анисий за ним. Увидели на лестнице густую взбудораженную толпу — попробуй-ка протиснись.

Скривившись, Фандорин постучал себя костяшками пальцев по лбу и захлопнул дверь.

Анисий же тем временем рассматривал смушковую шапку, зачем-то оставленную фальшивым полицейским. Шапка была как шапка, только с внутренней стороны к подкладке была прицеплена игральная карта: кокетливо улыбающийся паж в шляпе с пером и обозначение пиковой масти.

— Но как? Откуда? — пролепетал Анисий, потрясенно глядя на разъяренного Фандорина. — Как вы догадались? Шеф, вы — самый настоящий гений!

— Я не гений, а остолоп! — сердито огрызнулся Эраст Петрович. — Попался, как в три наперстка! К-клюнул на куклу, а главаря упустил. Ловок, мерзавец, ох ловок... Вы спросили, как я догадался? Тут нечего и догадываться. Я ведь говорил вам, что ни в какие игры, тем более основанные на везении, никогда не п-проигрываю. Когда билет оказался пустой, я сразу понял: это афера. — И, немного помедлив, добавил. — К тому же, где это видано, чтобы в венецианском палаццо был к-каретный подъезд? В Венеции и карет-то нет, одни лодки...

Анисий хотел спросить, откуда шеф понял, что тут замешан именно «Пиковый валет», но не успел — надворный советник в сердцах вскричал:

— Что вы все разглядываете эту чертову шапку? Что в ней такого интересного?!

Долг платежом красен

Чего он терпеть не мог — так этой загадок и необъяснимостей. У каждого события, даже у выскочившего на носу прыщика, есть своя предыстория и причина. Просто так, ни с того ни с сего, на белом свете ничего не происходит.

А тут вдруг — силь ву пле — отлично разработанная, красивая, да что там скромничать, *гениальная* операция лопнула, да еще безо всяких видимых резонов!

Дверь кабинета, противно скрипнув, приоткрылась, в щели показалась мордашка Мими. Момус сдернул с ноги кожаную туфлю и свирепо метнул, целя в золотистую челку — не лезь, не мешай думать, но створка проворно захлопнулась. Он яростно взъерошил волосы (во все стороны полетели папильотки) и, грызя чубук, заскрипел медным пером по бумаге.

Бухгалтерия выходила мерзостная.

По примерному подсчету выручка от лотереи к концу первого дня составила от семи до восьми тысяч. Касса арестована, так что это прямой убыток.

За неделю, разогнавшись и набрав скорость, лотерея должна была по самой скромной оценке дать тысяч шестьдесят. Дольше тянуть было нельзя — съездит какой-нибудь нетерпеливый обладатель парижской виллы полюбоваться на свой выигрыш и увидит, что под панталонами цвета «пылающее сердце», то бишь под плащаницей, совсем не то, что он думал. Но уж недельку-то точно можно было пыльцу пособирать.

Итак, упущенная прибыль — шестьдесят тысяч, это минимум миниморум.

А безвозвратные затраты на подготовку? Ерунда, конечно: аренда бельэтажа, печатание билетов, экипировка. Но тут дело принципа — Момус остался в минусе!

Опять же «болвана» взяли. Положим, знать он ничего не знает, но нехорошо, неаккуратно. Да и жалко старого дурака, спившегося актеришку из Малого театра, за несчастные тридцать рублей аванса будет теперь блох в каталажке кормить.

Жальчее всего было великолепной идеи. Моментальная лотерея — это же прелесть что такое! Чем нехороши надоевшие мошенничества, называемые лотереями? Клиент сначала платит деньги, а потом должен ждать тиража. Тиража, которого, заметьте, не увидит. Почему он должен верить на слово, что все честно и чисто? Да и много ли любителей ждать-то? Люди, как известно, нетерпеливы.

А тут на тебе — сам, своими руками достаешь красивенький, хрустящий билет в рай. Ангелочек манит тебя, соблазняет: не сомневайся, мол, Лопух Дуралеич. Что тут может быть, под этой заманчивой картиночкой, кроме полного для тебя удовольствия? Не повезло? А ничего, ты еще разок попробуй.

Ну и детали, конечно, важны. Чтоб не просто благотворительная лотерея, а европейская, евангелическая. Иноверцев православные не жалуют, но в денежных делах доверяют им больше, чем своим — это факт известный. Чтоб устроить не где-нибудь, а в Попечительском совете по призрению. Чтоб реклама в полицейской газете. Во-первых, москвичи ее любят и охотно читают, а во-вторых, кто ж тут нечистую игру заподозрит? Опять же городовой у входа.

Момус сорвал папильотку, потянул прядку со лба к глазам — рыжина почти сошла. Еще разок промыть, и отлично будет. Жалко, волосы на концах выцвели и секутся, это от частого перекрашивания. Ничего не поделаешь — такая профессия.

Снова скрипнула дверь, Мими быстро проговорила:

— Котик, не кидайся. Принесли то, что ты велел.

Момус встрепенулся.

— Кто? Слюньков?

— Не знаю, противный такой, с зачесом. Которого ты на Рождество в винт обчистил.

— Зови!

Первое, что делал Момус, подготавливаясь к освоению новой территории, — обзаводился полезными человечками. Это как на охоте. Приехал в богатое угодье — осмотрись, тропочки исследуй, удобные закуты пригляди, повадки зверья изучи. Вот и в Москве были у Момуса свои информанты в разных ключевых местах. Взять хоть Слюнькова. На малой должности человек, письмоводитель из секретного отделения губернаторской канцелярии, а сколько пользы. И в истории с англичанином пригодился, и теперь вот кстати. Окрутить письмоводителя было проще простого: подсел Слюньков в картишки на три с половиной тысячи, так теперь из кожи вон лезет, чтоб векселя вернуть.

Вошел прилизанный, плоскостопый, с папочкой подмышкой. Заговорил полушепотом, зачем-то оглядываясь на дверь:

— Антуан Бонифатьевич (знал Момуса как французского подданного), только Христом-Богом, ведь каторжное дело. Вы уж быстренько, не погубите. Поджилки трясутся!

Момус молча показал: клади, мол, папку на стол и так же молча махнул — за дверью жди.

Заголовок на папке был такой:

Чиновник для особых поручений
ЭРАСТ ПЕТРОВИЧ ФАНДОРИН

Слева вверху штамп:

Управление московского
генерал-губернатора.
Секретное делопроизводство

И еще от руки приписано: *Строго секретно.*

К внутренней стороне картонки приклеен перечень документов:

Формулярный список
Конфиденциальная характеристика
Сведения личного свойства

Ну, поглядим, что за Фандорин такой на нашу голову.

Полчаса спустя письмоводитель ушел на цыпочках с секретной папкой и с погашенным векселем на пятьсот рублей. Можно было бы ему, иуде, за такую услугу и все векселя вернуть, но еще пригодится воды напиться.

Момус задумчиво прошелся по кабинету, рассеянно поигрывая кистью халата. Ишь ты как. Разоблачитель заговоров, мастер по тайным расследованиям? Орденов и медалей у него как на бутылке шампанского. Кавалер Орденов Хризантем — это надо же. И в Турции отличился, и в Японии, и в Европу с особыми поручениями ездил. М-да, серьезный господин.

Как там в характеристике? «Незаурядных способностей к ведению деликатных и тайных дел, в особенности требующих сыскной дедукции». Хм. Узнать бы, как это господин надворный советник в первый же день лотерею раздедуктировал.

Ну да ничего, волчина японский, еще посмотрим, кто кому хвост прищемит, погрозил Момус невидимому оппоненту.

Но доверяться одним только официальным документам, хотя бы и сто раз секретным, не следовало. Сведения о господине Фандорине нужно было пополнить и «оживить».

На «оживление» сведений ушло еще три дня.

За это время Момус произвел следующие действия.

Превратившись в ищущего место лакея, подружился с Прокопом Кузьмичом, дворником фандоринского усадьбовладельца. Выпили вместе казенной, закусили солеными рыжиками, поговорили о том, о сем.

Побывал в театре Корша, понаблюдал за ложей, в которой сидели чиновник особых поручений и его дама сердца, беглая жена петербургского камергера Опраксина. Смотрел не на сцену, где как нарочно разыгрывали комедию господина Николаева «Особое поручение», а исключительно на надворного советника и его пассию. Отлично пригодился цейсовский бинокль, по виду как бы театральный, но с десятикратным увеличением. Графиня, конечно, была писаная красавица, но не в момусовом вкусе. Он этаких хорошо знал и предпочитал любоваться их красотой на расстоянии.

Мими тоже внесла свой вклад. Под видом модистки познакомилась с графининой горничной Наташей, продала ей новое саржевое платье по выгоднейшей цене. Заодно попили кофею с пирожными, поболтали о женском, посплетничали.

К концу третьего дня план ответного удара составился. Получится тонко, изящно — то, что надо.

* * *

Операция была назначена на субботу, 15 февраля.

Боевые действия развернулись согласно разработанной диспозиции. Без четверти одиннадцать утра, когда в окнах флигеля на Малой Никитской раздвинули сторы, почтальон доставил срочную телеграмму на имя графини Опраксиной.

Момус сидел в карете чуть наискосок от усадьбы, следил по часам. За окнами флигеля наметилось какое-то движение и вроде бы даже донеслись женские крики. Через тринадцать минут после доставки депеши из дома поспешно вышли сам господин Фандорин и графиня. Сзади семенила, завязывая платок, румяная молодка — вышеупомянутая горничная Наташа. Мадам Опраксина пребывала в несомненной ажитации, надворный советник ей что-то говорил — как видно, успокаивал, но графиня успокаиваться явно не желала. Что ж, ее сиятельство можно понять. Доставленная телеграмма гласила: «Адди, прибываю в Москву одиннадцатичасовым поездом и сразу к вам. Так более продолжаться не может. Вы или уедете со мной, или же я застрелюсь на ваших глазах. Ваш обезумевший Тони».

Именно так, по полученным от горничной сведениям, звала Ариадна Аркадьевна своего хоть и брошеного, но законного супруга, тайного советника и камергера графа Антона Аполлоновича Опраксина. Совершенно естественно, что месье Фандорин решит избавить даму от неприятной сцены. При эвакуации он, разумеется, будет ее сопровождать, поскольку нервы у Ариадны Аркадьевны тонкие и утешать ее придется долго.

Когда приметные фандоринские сани с пушистой полостью из американского медведя скрылись за углом, Момус не спеша выкурил сигару, проверил в зеркальце, в порядке ли маскарад, и ровно в двадцать минут двенадцатого выскочил из кареты. Он был в камергерском мундире с лентой, при звезде и шпаге, на голове треуголка с плюмажем. Для человека, который только что с поезда, наряд, конечно, странный, но слугу-азиата должен впечатлить. Главное — быстрота и натиск. Не давать опомниться.

Момус решительно вошел в ворота, полубегом пересек двор и громко заколотил в дверь флигеля, хотя отлично видел звонок.

Открыл камердинер Фандорина. Японский подданный, имя — Маса, хозяину беззаветно предан. Эти сведения, а также проштудированная накануне книга господина Гошкевича о японских нравах и обычаях помогли Момусу определить линию поведения.

— А-а, мосье Фандорин! — заорал Момус на косоглазого коротышку, кровожадно вращая глазами. — Похититель чужих жен! Где она? Где моя обожаемая Адди? Что вы с ней сделали?!

Если верить господину Гошкевичу (а почему бы не поверить уважаемому ученому?), для японца нет ничего хуже постыдной ситуации и публичного скандала. К тому же у них, желтолицых сынов микадо, очень развито чувство ответственности перед сюзереном, а надворный советник для этого кругломордого и есть сюзерен.

Камердинер и в самом деле переполошился. Закланялся в пояс, забормотал:

— Избиниче, избиниче. Я биновата. Вася дзина украра, адавачи нердзя.

Момус не понял, что бормочет азиат и при чем тут какой-то Вася, однако было ясно: как и положено японскому вассалу, камердинер готов взять вину господина на себя. Хороса Маса, да жаль, не наса.

— Убивачи меня, я биновата, — кланялся верный слуга и пятился внутрь, маня за собой грозного гостя.

Ага, хочет, чтоб соседи не слышали, догадался Момус. Что ж, это вполне совпадало с его собственными планами.

Войдя в прихожую, Момус как бы пригляделся получше и понял свое заблуждение:

— Да вы не Фандорин! Где он? И где она, моя ненаглядная?

Японец допятился до двери в гостиную, не переставая кланяться. Поняв, что за господина выдать себя не удастся, выпрямился, сложил руки на груди и отчеканил:

— Гаспадзин нету. Уехари. Сафсем.

— Ты лжешь, негодяй, — простонал Момус и рванулся вперед, оттолкнув фандоринского вассала.

В гостиной, испуганно вжав голову в плечи, сидел лопоухий, прыщавый заморыш в потертом сюртучке. Для Момуса его присутствие сюрпризом не было. Звать Анисий Тюльпанов, мелкий служащий из Жандармского управления. Таскается сюда каждое утро, да и в лотерее был.

— А-а, — хищно протянул Момус. — Так вот вы где, господин развратник.

Ушастый вскочил, судорожно сглотнул, залепетал:

— Ваше сиять... Ваше превосходительство... Я, собственно...

Ага, вычислил Момус, стало быть, мальчишка в курсе личных обстоятельств своего начальника — сразу понял, кто пожаловал.

— Чем, чем вы ее заманили? — простонал Момус. —

Боже, Адди!!! — заорал он во всю глотку, озираясь. — Чем этот урод тебя прельстил?

От «урода» заморыш побагровел и набычился, пришлось на ходу менять тактику.

— Неужто ты поддалась этому порочному взгляду и этим сладострастным губам! — завопил Момус, обращаясь к невидимой Адди. — Этому похотливому сатиру, этому «кавалеру хризантем» нужно только твое тело, а мне дорога твоя душа! Где ты?

Молокосос приосанился.

— Сударь, ваше превосходительство. Мне по чистой случайности известны деликатные обстоятельства этой истории. Я вовсе не Эраст Петрович Фандорин, как вы, кажется, подумали. Его высокоблагородия здесь нет. И Ариадны Аркадьевны тоже. Так что вы совершенно напрасно...

— Как нет?! — упавшим голосом перебил Момус и обессиленно рухнул на стул. — А где она, моя кошечка?

Когда ответа не последовало, вскричал:

— Нет, не верю! Мне доподлинно известно, что она здесь!

Вихрем пронесся по дому, распахивая двери. Мимоходом подумал: славная квартирка, и обставлена со вкусом. В комнате с туалетным столиком, сплошь заставленным баночками и хрустальными флаконами, замер.

Всхлипнул:

— Боже, это ее шкатулка. И веер ее.

Закрыл руками лицо.

— А я все надеялся, все верил, что это не так...

Следующий трюк посвящался японцу, сопевшему за спиной. Ему это должно было понравиться.

Момус вынул из ножен шпажонку и с искаженным лицом процедил:

— Нет, лучше смерть. Такого позора я не вынесу.

Прыщавый Тюльпанов ахнул от ужаса, зато камердинер взглянул на опозоренного мужа с нескрываемым уважением.

— Самоубийство — тяжкий грех, — заговорил агентик, прижимая руки к груди и очень волнуясь. — Вы погубите свою душу и обречете Ариадну Аркадьевну на вечные страдания. Ведь тут любовь, ваше превосходительство, что уж поделаешь. Надобно простить. Надо по-христиански.

— Простить? — растерянно пролепетал несчастный камергер. — По-христиански?

— Да! — горячо воскликнул мальчишка. — Я знаю, это тяжело, но потом у вас будто камень с души упадет, вот увидите!

Момус потрясенно смахнул слезу.

— И вправду простить, все забыть... Пусть смеются, пусть презирают. Браки заключаются на небесах. Увезу ее, мою душеньку. Спасу!

Он молитвенно возвел глаза к потолку, по щекам заструились качественные, крупные слезы — был у Момуса и такой чудесный дар.

Камердинер вдруг оживился:

— Да-да, увозич, увозич домой, сафсем домой, — закивал он. — Очень курасиво, очень брагародно. Зачем харакири, не нада харакири, не по-фрисчиански!

Момус стоял, смежив веки и страдальчески сдвинув брови. Те двое, затаив дыхание, ждали — какое чувство возьмет верх: уязвленное самолюбие или благородство.

Победило благородство.

Решительно тряхнув головой, Момус объявил:

— Ну, так тому и быть. Уберег Господь от смертного греха. — Он сунул шпажку обратно в ножны и размашисто перекрестился. — Спасибо тебе, добрый человек, что не дал пропасть душе христианской.

Протянул заморышу руку, тот со слезами на глазах стиснул Момусу пальцы и отпустил нескоро.

Японец нервно спросил:

— Везчи гаспадзя домой? Сафсем домой?

— Да-да, друг мой, — с благородной печалью кивнул Момус. — Я в карете. Тащи туда ее вещи, платья, без... без... безделушки. — Голос его дрогнул, плечи затряслись.

Камердинер с готовностью, будто боясь, что скорбный муж передумает, кинулся набивать сундуки и чемоданы. Прыщавый, кряхтя, таскал поклажу во двор. Момус снова прошелся по комнатам, полюбовался японскими гравюрками. Попадались и презанятные, со скабрезностями. Парочку попикантней сунул за пазуху — Мимочку повеселить. В кабинете хозяина прихватил со стола нефритовые четки — на память. Вместо них кое-что оставил, тоже на память.

Вся погрузка не заняла и десяти минут.

Оба — и камердинер, и агентик — провожали «графа» до кареты и даже подсадили на подножку. Карета изрядно осела под тяжестью Аддиного багажа.

— Трогай, — меланхолично кинул Момус кучеру и покатил прочь с поля брани.

Шкатулку с драгоценностями графини он держал в руках, ласково перебирая поблескивающие камешки. Добыча, между прочим, вышла недурная. Приятное удачнейшим образом совместилось с полезным. Одна диадемка сапфировая — та самая, которую он приметил еще в театре, — пожалуй, тысяч на тридцать потянет. Или подарить Мимочке, к синим глазкам?

Когда ехал по Тверскому, навстречу пронеслись знакомые сани. Надворный советник был один, шуба нараспашку, лицо бледное и решительное. Едет объясняться с грозным мужем. Похвально — смелый человек. Только объясняться тебе, голубчик, придется с мадам Адди, и, судя по имевшимся у Момуса сведениям и личным его впечатлениям, объяснение будет не из легких. Адди устроит тебе ад, не очень ловко скаламбурил Момус, но все равно расхохотался, довольный остротой.

Будете знать, господин Фандорин, как пакостить Момусу. Долг платежом красен.

Тетеревиная охота

Совещание по делу «Пикового валета» происходило в узком кругу: его сиятельство князь Долгорукой, Фрол Григорьевич Ведищев, Эраст Петрович и, тихой мышкой в углу, раб Божий Анисий.

Час был вечерний, лампа под шелковым зеленым абажуром освещала лишь губернаторов письменный стол и его непосредственные окрестности, так что кандидата на классный чин Тюльпанова, считай, было и не видно — по углам кабинета залегли мягкие тени.

Негромкий, сухой голос докладчика был монотонен, и его высокопревосходительство, кажется, начинал задремывать: прикрыл морщинистые веки, длинные усы подрагивали в такт мерному дыханию.

А между тем доклад приближался к самому интересному — к умозаключениям.

— Резонно было бы п-предположить, — излагал Фандорин, — что состав шайки таков: «Герцог», «Шпейер», «Нотариус», «Городовой», девица с незаурядными гимнастическими способностями, «граф Опраксин» и его кучер.

При словах «граф Опраксин» уголок рта надворного советника страдальчески изогнулся, и в кабинете повисло деликатное молчание. Однако же, приглядевшись, Анисий увидел, что деликатно молчал только он сам, а остальные, хоть и помалкивали, но безо всякой деликатности: Ведищев, тот ехидно улыбался в открытую, да и его сиятельство, приоткрыв один глаз, красноречиво крякнул.

А между тем вчера получилось куда как не смешно. После обнаружения пикового валета (в кабинете, на малахитовом пресс-папье, где прежде лежали нефритовые четки) шеф утратил свое всегдашнее хладнокровие: Анисия, правда, ни словом не попрекнул, но на камердинера грозно заругался по-японски. Несчастный Маса так убивался, что хотел руки на себя наложить и даже побежал на кухню за хлеборезным ножом. Эрасту Петровичу потом пришлось долго беднягу успокаивать.

Но то были еще цветочки, а самое светопреставление началось, когда вернулась Адди.

При воспоминании о вчерашнем Анисий содрогнулся. Ультиматум шефу был поставлен жесткий: до тех пор, пока он не вернет туалеты, духи и драгоценности, Ариадна Аркадьевна будет ходить в одном и том же платье, в одной и той же собольей ротонде, не будет душиться и останется в тех же самых жемчужных серьгах. И если она от этого заболеет, то виноват целиком и полностью будет Эраст Петрович. Дальнейшего Тюльпанов не слышал, потому что проявил малодушие и ретировался, но судя по тому, что сегодня с утра надворный советник был бледен и с синими полукружьями под глазами, спать ему ночью не довелось.

— А я вас предупреждал, голубчик, что добром эта ваша эскапада не кончится, — наставительно произнес князь. — Право, нехорошо. Приличная дама, из высшего света, муж на изрядной должности. Мне уж и из придворной канцелярии на вас пеняли. Будто мало незамужних или хотя бы званием поскромнее.

Эраст Петрович вспыхнул, и Анисий испугался, не скажет ли он высокому начальству что-нибудь непозволительно резкое, но надворный советник взял себя в руки и продолжил о деле, будто ничего такого и не было произнесено:

— Таким состав шайки мне представлялся еще вчера. Однако анализируя рассказ своего ассистента о вчерашнем ... п-происшествии, я переменил свое мнение. И все благодаря господину Тюльпанову, оказавшему следствию поистине неоценимую помощь.

Этому заявлению Анисий очень удивился, а Ведищев, вредный старик, ядовито вставил:

— Как же, он у нас помощник известный. Ты расскажи, Анисий, как чемоданы подтаскивал и «валета» под локоток в карету подсаживал, чтоб не дай бог не оступился.

Провалиться бы под землю и навсегда там остаться, вот о чем подумалось в эту минуту мучительно покрасневшему Тюльпанову.

— Фрол Григорьевич, — вступился за Анисия шеф. — Ваше злорадство неуместно. Мы все здесь, каждый по-своему, оставлены в дураках... Прошу п-прощения, ваше высокопревосходительство. — Снова заклевавший носом губернатор на извинение никак не откликнулся, и Фандорин продолжил. — Так что давайте будем друг к другу снисходительней. У нас на редкость сильный и дерзкий противник.

— Не противник, а противники. Цельная банда, — поправил Ведищев.

— Вот в этом рассказ Тюльпанова и заставил меня усомниться. — Шеф сунул руку в карман, но немедленно выдернул ее, будто обжегшись.

Хотел четки достать, догадался Анисий, а четок-то и нет.

— Мой п-помощник запомнил и подробно описал мне карету «графа», упомянув, в частности, о вензеле ЗГ на дверце. Это знак компании «Зиновий Годер», предоставляющей в наем кареты, сани и фиакры как с кучерами, так и без оных. Нынче утром я наведался в контору компании и без труда отыскал тот самый экипаж: царапина на левой д-дверце, сиденья малиновой кожи, на правом заднем колесе новый обод. Каково же было мое удивление, когда выяснилось, что вчерашний «важный господин» в мундире и при ленте брал карету с кучером!

— Ну и что с того? — спросил Ведищев.

— Как что! Стало быть, кучер был не сообщником, не членом шайки «валетов», а совершенно посторонним лицом! Я нашел этого кучера. Проку от разговора, правда, вышло немного: описание внешности «графа» у нас было и без него, а б-больше ничего полезного он сообщить не смог. Вещи были доставлены на Николаевский вокзал и помещены в камеру хранения, после чего кучер был отпущен.

— А что камера хранения? — спросил очнувшийся князь.

— Ничего. Час спустя приехал извозчик, забрал все по квитанции и отбыл в неизвестном направлении.

— Ну вот, а вы говорите от Анисия помощь, — махнул рукой Фрол Григорьевич. — Пшик получился.

— Отнюдь. — Эраст Петрович снова сунулся было за четками и досадливо поморщился. — Что же это получается? Вчерашний «граф» приехал один, без сообщников, хотя их у него целая шайка, и все незаурядные лицедеи. Уж с простой ролью к-кучера как-нибудь справились бы. Однако «граф» идет на усложнение плана, привлекая постороннего человека. Это раз. «Шпейера» Владимиру Андреевичу отрекомендовал «герцог», однако не лично, а письмом. То есть вместе «герцог» и его протеже не показывались. А, спрашивается, п-почему? Разве не проще было бы, если б один член шайки представил другого лично? Это два. Теперь объясните-ка мне, господа, почему англичанин был у «нотариуса» без «Шпейера»? Ведь естественнее было бы совершить сделку в присутствии обеих сторон. Это три. Идем дальше. В истории с лотереей «Пиковый валет» использовал подсадного председателя, который опять-таки членом шайки не является. Это просто жалкий пьянчужка, ни во что не посвященный и нанятый за малую мзду. Это ч-четыре. Таким образом, в каждом из этих эпизодов перед нами все время предстает только один член шайки: то это «герцог», то «инвалид», то «нотариус», то «городовой», то «граф». Отсюда я прихожу к выводу, что шайка «пиковых валетов» — это один субъект. Из постоянных помощников у него, вероятно, только выпрыгнувшая в окно девица.

— Никак невозможно, — пророкотал генерал-губернатор, который дремал как-то странно — ничего важного не упуская. — Я не видел «нотариуса», «городового» и «графа», однако же «герцог» и «Шпейер» никак не могут быть одним человеком. Судите сами, Эраст Петрович. Мой самозваный внучек был бледен, тщедушен, тонкоголос, узкогруд и сутул, с жидкими черными волосами и приметным носом уточкой. Саксен-Лимбургский же молодец молодцом: широк в плечах, с военной выправкой, с поставленным командирским голосом. Орлиный нос, густые песочные бакенбарды, заливистый смех. Ничего общего со «Шпейером»!

— А к-какого он был роста?

— На полголовы пониже меня. Стало быть, среднего.

— И «нотариус», по описанию д-долговязого лорда Питсбрука, был ему «чуть выше плеча», то есть опять-таки среднего роста. И «городовой». А как насчет «графа», Тюльпанов?

Анисия от смелой фандоринской гипотезы аж в жар бросило. Он вскочил на ноги и воскликнул:

— Так пожалуй что тоже среднего, Эраст Петрович! Он был немножко повыше моего, вершка на полтора.

— Рост — это единственное во внешности, что т-трудно изменить, — продолжил надворный советник. — Разве что при помощи высоких каблуков, но это слишком приметно. Правда, в Японии мне встретился один тип из тайной секты профессиональных убийц, который специально ампутировал себе ноги, чтобы п-произвольно менять рост. Бегал на деревянных ногах лучше, чем на настоящих. У него было три набора протезов — для высокого, среднего и малого роста. Однако подобная самоотверженность в профессии возможна только в Японии. Что же до нашего Пикового Валета, то я, пожалуй, теперь могу описать вам его внешность и дать примерный п-психологический портрет. Внешность, впрочем, значения не имеет, поскольку сей субъект ее с легкостью меняет. Это человек без лица, он все время в той или иной маске. Но все же п-попробую его изобразить.

Фандорин встал и прошелся по кабинету, сложив руки за спиной.

— Итак, рост этого человека... — Шеф мельком взглянул на стоящего Анисия. — ... Два аршина и шесть вершков. Природный цвет волос светлый — черные труднее поддавались бы маскировке. При этом волосы, вероятнее всего, ломкие и обесцвеченные на концах от частого употребления красителей. Глаза серо-голубые, довольно близко посаженные. Нос средний. Лицо неприметное, совершенно заурядное, такое трудно запомнить и выделить в толпе. Этого человека часто должны путать и п-принимать за кого-то другого. Теперь голос... Им Пиковый Валет владеет виртуозно. Судя по тому, что легко переходит и на бас, и на тенор с любыми модуляциями, природный его голос — звучный баритон. Возраст угадать трудно. Вряд ли юн, поскольку чувствуется жизненный опыт, но и не в летах — наш «городовой» скрылся в толпе весьма п-прытко. Очень важная деталь уши.

Как установлено криминологической наукой, они у каждого человека неповторимы и изменить их форму невозможно. К сожалению, я наблюдал Валета только в виде «городового», а тот был в шапке. Скажите, Тюльпанов, снимал ли «граф» треуголку?

— Нет, — коротко ответил Анисий, болезненно воспринимавший всяческое обращение к теме ушей, в особенности неповторимых.

— А вы, ваше высокопревосходительство, не обратили внимания, каковы были уши у «герцога» и «Шпейера»?

Долгорукой строго произнес:

— Эраст Петрович, я генерал-губернатор Москвы, и у меня хватает иных забот помимо разглядывания чьих-то ушей.

Надворный советник вздохнул:

— Жаль. Значит, из внешности многого мы не выжмем... Теперь черты личности преступника. Из хорошей семьи, даже английский язык знает. Превосходный психолог и талантливый актер — это очевидно. Редкостное обаяние, отлично умеет входить в д-доверие даже к малознакомым людям. Молниеносная реакция. Очень изобретателен. Своеобразное чувство юмора. — Эраст Петрович строго взглянул на Ведищева — не прыснет ли. — В общем, человек безусловно незаурядный и талантливый.

— Таких бы талантливых да на заселение Сибири, — буркнул князь. — Вы бы ближе к делу, голубчик, без похвальных аттестаций. Нам ведь господина Валета не к ордену представлять. Возможно ли его изловить, вот что главное.

— Почему же невозможно, все возможно, — задумчиво произнес Фандорин. — Давайте-ка прикинем. Какие у нашего героя уязвимые места? Не то чрезмерно алчен, не то фантастически расточителен — какой куш ни сорвет, ему все мало. Это раз. Тщеславен — жаждет восхищения. Это два. Третье, самое для нас ценное, — излишне самоуверен, склонен недооценивать оппонентов. Вот за что можно зацепиться. И еще четвертое. При всей ювелирности действий все же иногда допускает ошибки.

— Какие ошибки? — быстро спросил губернатор. — По-моему, скользок, как налим, не ухватишь.

— Ошибок по меньшей мере две. Зачем «граф» сказал вчера при Анисии про «кавалера Хризантем»? Я действительно являюсь кавалером японских орденов Большой и Малой Хризантем, однако в России их не ношу, ни перед кем ими не хвастаюсь, у п-прислуги про эти мои регалии тоже не выспросишь. Ну, настоящий граф Опраксин как человек государственный и вхожий в сферы еще мог бы выяснить подобные детали, но Пиковый Валет? Откуда? Только из моего личного дела и формулярного списка, где перечислены награды. Мне, ваше высокопревосходительство, понадобится перечень всех чиновников секретного отделения вашей канцелярии, в особенности тех, кто имеет д-доступ к личным делам. Таких ведь немного, правда? Кто-то из них связан с Валетом. Думаю, и в афере с лордом без внутреннего информанта не обошлось.

— Это невообразимо! — возмутился князь. — Чтобы кто-то из моих подложил мне такую свинью!

— И очень запросто, Владим Андреич, — встрял Ведищев. — Я вам сколько разов говорил: расплодили дармоедов, вертихвостов всяких.

Анисий, не утерпев, тихонько спросил:

— А какая вторая ошибка, шеф?

Эраст Петрович с металлом в голосе ответил:

— Та, что он здорово меня разозлил. Теперь к служебному у меня прибавилось личное.

Он пружинисто прошелся вдоль стола, внезапно напомнив Тюльпанову африканского леопарда, сидевшего в клетке по соседству с незабвенной чимпанзи.

Но вот Фандорин остановился, обхватил себя за локти и уже другим тоном, задумчивым и даже несколько мечтательным, произнес:

— А не сыграть ли нам с г-господином Пиковым Валетом, сиречь Момусом, в его собственную игру?

— Сыграть-то можно бы, — заметил Фрол Григорьевич. — Да только где его теперь сыщешь? Или имеете какую догадку?

— Не имею, — отрезал шеф. — И искать его не стану. Пускай сам меня разыщет. Это будет вроде тетеревиной охоты на чучелко. Упитанную тетерку из папье-маше сажают на видное место, тетерев п-подлетает, пиф-паф, и дело сделано.

— Кто же тетеркой будет? — приоткрыл острый глаз Долгорукой. — Неужто мой любимый чиновник для особых поручений? Вы ведь, Эраст Петрович, тоже мастер на маскарады.

До Тюльпанова вдруг дошло, что немногочисленные реплики старого князя почти всегда на редкость точны и к месту. Однако Эраста Петровича проницательность Долгорукого, кажется, ничуть не удивила.

— Кому как не мне в чучелки подряжаться, ваше высокопревосходительство. П-после вчерашнего никому эту честь не уступлю.

— А как он на тетерку выйдет? — с живейшим любопытством спросил Ведищев.

— Как положено на тетеревиной охоте — услышит зов манка. А в качестве манка мы используем его же, момусово, средство.

— Человека, который привык всех обводить вокруг пальца, не так уж трудно провести и самого, — сказал шеф Анисию, когда они вернулись на Малую Никитскую и уединились в кабинете для «разбора». — Ловкачу просто не приходит в г-голову, что у кого-то хватит наглости перехитрить хитреца и обокрасть вора. И уж особенно он не может ожидать подобного вероломства от официальной особы, да еще т-такого высокого ранга.

Благоговейно слушавший Анисий решил было, что под «официальной особой высокого ранга» надворный советник имеет в виду самого себя, однако, как показали дальнейшие события, Эраст Петрович метил куда выше.

Высказав первый, теоретический тезис, Фандорин на некоторое время замолчал. Анисий сидел неподвижно, чтобы не дай Бог не нарушить мыслительный процесс начальника.

— Нужно такое чучелко, чтоб у нашего Момуса слюнки п-потекли, а главное — взыграло честолюбие. Чтоб его манил не только большой куш, но и громкая слава. Неравнодушен он к славе.

И шеф снова замолчал, обдумывая следующее звено в логической цепи. Через семь с половиной минут (Анисий следил по огромным, видно, старинным часам в виде лондонской башни «Большой Бен») Эраст Петрович изрек:

— Какой-нибудь гигантский драгоценный камень... Скажем, из наследства Изумрудного Раджи. Не слыхали про т-такого?

Анисий отрицательно помотал головой, глядя на шефа во все глаза.

Надворный советник почему-то расстроился:

— Странно. Конечно, та история была сохранена в тайне от широкой публики, но кое-какие слухи в европейскую прессу все же просочились. Неужто до России не дошли?

Ах да, что ж это я. Когда я совершал д-достопамятное плавание на «Левиафане», вы были еще ребенком.

— На ком плавание, на левиафане?! — не поверил своим ушам Анисий, живо представив, как Эраст Петрович плывет по бурным волнам на широкой спине сказочной чудо-юдо-рыбы-кит.

— Неважно, — отмахнулся Фандорин. — Так, одно давнее расследование, к которому я имел некоторое отношение. Тут существенна идея: индийский раджа и огромный алмаз. Или сапфир, изумруд? Все равно. Это будет зависеть от минералогической коллекции, — пробормотал он нечто совсем уж невразумительное.

Анисий захлопал глазами, и шеф счел нужным добавить (только яснее от этого не стало):

— Конечно, грубовато, но для нашего Валета, п-пожалуй, в самый раз. Должен клюнуть. Всё, Тюльпанов, хватит глаза таращить. За работу!

* * *

Эраст Петрович развернул свежий номер «Русского слова», сразу нашел то, что искал, и стал читать вслух:

ИНДИЙСКИЙ ГОСТЬ

Воистину не счесть алмазов в каменных пещерах, в особенности если эти пещеры находятся во владениях Ахмад-хана, наследника одного из богатейших раджей Бенгалии. Принц прибыл в матушку-Москву проездом из Тегерана в Петербург и прогостит в златоглавой по меньшей мере неделю.

Князь Владимир Андреевич Долгорукой принимает высокого гостя со всеми подобающими почестями. Индийский царевич остановился на генерал-губернаторской вилле, что на Воробьевых горах, а завтра вечером Дворянское собрание устраивает в честь Ахмад-хана бал. Ожидается съезд всей лучшей московской публики, которой не терпится взглянуть на восточного принца, а еще более на знаменитый изумруд «Шах-Султан», украшающий Ахмадову чалму. Рассказывают, что этот гигантский камень некогда принадлежал самому Александру Македонскому. По нашим сведениям, принц путешествует неофициально и почти инкогнито — без свиты и помпы. Его сопровождают только преданная старая кормилица Зухра и личный секретарь Тарик-бей.

Надворный советник одобрительно кивнул и отложил газету.

— Владимир Андреевич так зол на Пикового Валета, что санкционировал устройство б-бала и будет лично участвовать в этом спектакле. По-моему, даже не без удовольствия. В качестве «Шах-Султана» нам выдан ограненный берилл из минералогической коллекции Московского университета. Без специальной лупы отличить его от изумруда невозможно, а рассматривать нашу чалму в специальную лупу мы вряд ли кому-нибудь позволим, не правда ли, Тюльпанов?

Эраст Петрович достал из шляпной коробки белую парчовую чалму с большущим зеленым камнем, повертел и так, и этак — грани засверкали ослепительными бликами.

Анисий восхищенно причмокнул — чалма и в самом деле была чистое заглядение.

— А где же мы возьмем Зухру? — спросил он. — И еще этот секретарь, как его, Тарик-бей. Кто же им-то будет?

Шеф посмотрел на своего ассистента не то с укоризной, не то с сожалением, и Анисий вдруг сообразил.

— Да что вы! — ахнул он. — Эраст Петрович, не погубите! Какой из меня индеец! Ни за что не соглашусь, хоть казните!

— Вы-то, Тюльпанов, положим, согласитесь, — вздохнул Фандорин, — а вот с Масой придется повозиться. Роль старой кормилицы вряд ли п-придется ему по вкусу...

Вечером 18 февраля в Дворянское собрание и в самом деле съехалась вся Москва. Время было веселое, бесшабашное — масленичная неделя. В притомившемся от долгой зимы городе праздновали чуть ли не каждый день, но сегодня устроители особенно расстарались. Вся белоснежная лестница дворца была в цветах, пудреные лакеи в фисташковых камзолах так и бросались подхватывать сброшенные с плеч шубы, ротонды и манто, из залы доносились чудесные звуки мазурки, а в столовой заманчиво позвякивали хрусталь и серебро — там накрывали столы к банкету.

Повелитель Москвы, князь Владимир Андреевич, исполнявший роль хозяина бала, был подтянут и свеж, с мужчинами ласков, с дамами галантен. Однако истинным центром притяжения в мраморной зале сегодня оказался не генерал-губернатор, а его индийский гость.

Ахмад-хан всем очень понравился, в особенности барышням и дамам. Был он в черном фраке и белом галстуке, однако голову набоба венчала белая чалма с преогромным изумрудом. Иссиня-черная борода восточного принца была подстрижена по последней французской моде, брови изогнуты стрелками, а эффектнее всего на смуглом лице смотрелись ярко-синие глаза (уже выяснилось, что мать его высочества — француженка).

Чуть сзади и сбоку скромно стоял секретарь царевича, тоже привлекавший к себе немалое внимание. Собою Тарик-бей был не так пригож, как его господин, и статью не вышел, но зато, в отличие от Ахмад-хана, он явился на бал в настоящем восточном костюме: в расшитом халате, белых шальварах и золоченых, с загнутыми носами туфлях без задников. Жаль только, ни на каком цивилизованном языке секретарь не говорил, а на все вопросы и обращения только прикладывал руку то к сердцу, то ко лбу и низко кланялся.

В общем, оба индейца были чудо как хороши.

Анисий, доселе не избалованный вниманием прекрасного пола, совсем одеревенел — такой вокруг него собрался цветник. Барышни щебетали, без стеснения обсуждая детали его туалета, а одна, премиленькая грузинская княжна Софико Чхартишвили, даже назвала Тюльпанова «хорошеньким арапчиком». Еще очень часто звучало слово «бедняжечка», от которого Анисий густо краснел (слава Богу, под ореховой мазью было не видно).

Но чтоб было понятно про ореховую мазь и «бедняжечку», придется вернуться на несколько часов назад, к тому моменту, когда Ахмад-хан и его верный секретарь готовились к первому выходу в свет.

Эраст Петрович, уже при смоляной бороде, но еще в домашнем халате, гримировал Анисия сам. Сначала взял какой-то пузырек с темно-шоколадной жидкостью. Пояснил — настой бразильского ореха. Втер густое пахучее масло в кожу лица, в уши, в веки. Потом приклеил густую бороду, отодрал. Прицепил другую, вроде козлиной, но тоже забраковал.

— Нет, Тюльпанов, мусульманина из вас не п-получается, — констатировал шеф. — Поторопился я с Тарик-беем. Надо было вас индусом объявить. Каким-нибудь Чандрагуптой.

— А можно мне один мусташ, без бороды? — спросил Анисий, давно мечтавший об усах, которые у него росли как-то неубедительно, пучками.

— Не полагается. По восточному этикету это для секретаря слишком большое щегольство. — Фандорин повертел Анисиеву голову влево, вправо и заявил. — Ничего не попишешь, придется сделать вас евнухом.

Подбавил желтой мази, стал втирать в щеки и под подбородком — «чтоб кожу разрыхлить и в складочку собрать». Осмотрел результат и теперь остался доволен:

— Настоящий евнух. То, что нужно.

Но на этом испытания Тюльпанова не закончились.

— Раз вы у нас мусульманин — волосы долой, — приговорил надворный советник.

Анисий, сраженный превращением в евнуха, обритие головы снес безропотно. Брил Маса — ловко, острейшим японским кинжалом. Эраст Петрович намазал коричневой дрянью голый Анисиев череп и сообщил:

— Сверкает, как п-пушечное ядро.

Поколдовал с кисточкой над бровями. Глаза одобрил: карие и слегка раскосые, в самый раз.

Заставил надеть широченные шелковые штаны, какую-то узорчатую кацавейку, потом халат, на лысую макушку и злосчастные уши нахлобучил тюрбан.

Медленно, на негнущихся ногах подошел Анисий к зеркалу, ожидая увидеть нечто чудовищное — и был приятно поражен: из бронзовой рамы на него смотрел живописный мавр — ни тебе прыщей, ни оттопыренных ушей. Жаль, нельзя всегда таким по Москве разгуливать.

— Готово, — сказал Фандорин. — Только намажьте мазью руки и шею. Да щиколотки не забудьте — вам ведь в шлепанцах ходить.

С раззолоченными сафьяновыми туфлями, которые Эраст Петрович неромантично обозвал шлепанцами, с непривычки было трудно. Из-за них-то Анисий на балу и стоял, будто истукан. Боялся, что если стронется, то какая-нибудь из них обязательно свалится, как это уже случилось на лестнице. Когда красавица-грузинка спросила по-французски, не станцует ли Тарик-бей с ней тур вальса, Анисий переполошился и вместо того, чтобы, согласно инструкции, молча отвесить восточный поклон, оплошал — тихонько пролепетал:

— Нон, мерси, жё не данс па[1].

Слава богу, другие девицы, кажется, его бормотания не разобрали, не то ситуация осложнилась бы. Ни одного человеческого языка Тарик-бею понимать не полагалось.

Анисий обеспокоенно обернулся к шефу. Тот уже несколько минут беседовал с опасным гостем, британским индологом сэром Марвеллом, скучнейшим джентльменом в очках с толстыми стеклами. Давеча, на верхней площадке лестницы, когда Ахмад-хан раскланивался с генерал-губернатором, тот взволнованно прошептал (Анисий слышал обрывки): «Принесла нелегкая... И как назло индолог... Не выставлять же — баронет... А ну как разоблачит?»

Однако судя по мирной беседе принца и баронета, разоблачение Фандорину не грозило. Хоть Анисий по-англий-

---

[1] Нет, спасибо, я не танцую *(фр.)*.

ски и не знал, но слышал часто повторяющееся «Gladstone» и «Her Britannic Majesty»[1]. Когда индолог, громко высморкавшись в клетчатый платок, отошел, царевич повелительно — коротким жестом смуглой, усыпанной перстнями руки — подозвал секретаря. Сказал сквозь зубы:

— Очнитесь, Тюльпанов. И поласковей с ней, не смотрите букой. Только не переборщите.

— С кем поласковей? — шепотом удивился Анисий.

— Да с грузинкой этой. Это же она, вы что, не видите? Ну та, попрыгунья.

Тюльпанов оглянулся и обмер. Точно! Как это он сразу не понял! Правда, из белокожей лотерейная барышня стала смуглянкой, волосы у нее теперь были не золотистые, а черные и сплетенные в две косы, брови прорисованы к вискам, вразлет, а на щеке откуда-то взялась очаровательная родинка. Но это была она, точно она! И искорка в глазах сверкнула точь-в-точь как тогда, из-под пенсне, перед отчаянным прыжком с подоконника.

Клюнуло! Кружит тетерев над фальшивой тетеркой!

Тихонько, Анисий, тихонько, не вспугни.

Он приложил руку ко лбу, потом к сердцу и со всей восточной церемонностью поклонился звездноглазой чаровнице.

---

[1] Гладстон, Ее британское величество *(англ.)*.

Платоническая любовь

Не шарлатан ли — вот что надо было проверить в первую очередь. Не хватало еще нарваться на коллегу, который тоже приехал на гастроли, жирных московских гусей пощипать. Индийский раджа, изумруд «Шах-Султан» — весь этот рахат-лукум несколько отдавал опереткой.

Проверил. Уж на кого на кого, а на проходимца его бенгальское высочество никак не походил. Во-первых, вблизи сразу было видно, что настоящих царских кровей: по осанке, по манерам, по ленивой благосклонности во взоре. Во-вторых, Ахмад-хан завел с «сэром Марвеллом», знаменитым индоведом, так кстати оказавшимся в Москве, столь высокоумную беседу о внутренней политике и религиозных верованиях Индийской империи, что Момус испугался, как бы себя не выдать. В ответ на вежливый вопрос принца — что думает уважаемый профессор об обычае *suttee* и его соответствии истинному духу индуизма, — пришлось перевести разговор на здоровье королевы Виктории, изобразить внезапный приступ чихания и насморка, а затем и вовсе ретироваться.

Ну а главное, изумруд сиял так убедительно и аппетитно, что от сомнений не осталось и следа. Снять бы этот славный зеленый булыжничек с чалмы благородного Ахмад-хана, распилить на восемь увесистых камешков, да загнать каждый тысяч этак по двадцать пять. Вот это было бы дело!

Мими тем временем обработала секретаря. Говорит, что Тарик-бей хоть и евнух, но в декольте глазенками постреливал исправно и вообще к женскому полу явно неравнодушен. Мимочке в таких делах можно верить, ее не обманешь. Кто их знает, как оно там у евнухов. Может, природные желания никуда и не деваются, даже когда утрачены возможности?

План предстоящей кампании, которую Момус про себя уже окрестил «Битвой за Изумруд», сложился сам собой.

Чалма все время у раджи на голове. Однако на ночь он ее, надо полагать, снимает?

Где раджа спит? В особняке на Воробьевых горах. Стало быть, туда Момусу и нужно.

Генерал-губернаторова вилла предназначена для почетных гостей. Оттуда, с гор, чудесный вид на Москву, и зеваки меньше досаждают. То, что дом на отшибе, это хорошо. Но виллу охраняет жандармский пост, а это плохо. Лазать по ночам через заборы и потом улепетывать под заливистый полицейский свист — дурной тон, не по Момусовой части.

Эх, вот если бы секретарь был не евнух, все получилось бы куда как просто. Влюбленная грузинская княжна, отчаянная головушка, нанесла бы Тарик-бею ночью потайной визит, а оказавшись в доме, уж нашла бы способ забрести в спальню к радже, проведать, не соскучился ли изумруд торчать на чалме. Дальнейшее — вопрос исключительно инженерный, а этакой инженерией Мими отлично владеет.

Но от такого поворота мыслей, хоть бы даже и совершенно умозрительного, у Момуса скрежетнула по сердцу когтистой лапой черная кошка. Он на миг представил Мимочку в объятьях пышноусого плечистого молодца, не евнуха, а совсем наоборот, и эта картина Момусу не понравилась. Ерунда, конечно, слюнтяйство, а вот поди ж ты — он вдруг понял, что не пошел бы этим, самым простым и естественным путем, даже если бы у секретаря возможности совпадали с желаниями.

Стоп! Момус вскочил с письменного стола, на котором до сей минуты сидел, болтая ногами (так оно ловчее думалось), и подошел к окну. Стоп-стоп-стоп...

По Тверской сплошным потоком катили экипажи — и сани, и кареты на шипованых зимних колесах. Скоро весна, слякоть, Великий пост, но сегодня яркое солнце светило, еще не грея, и вид у главной московской улицы был жизнерадостный и нарядный. Четвертый день, как Момус и Мими съехали из «Метрополя» и поселились в «Дрездене». Номер был поменьше, но зато с электрическим освещением и телефоном. В «Метрополе» задерживаться далее было никак нельзя. Туда захаживал Слюньков, а это опасно. Больно уж несолидный человечишка. На ответственной, можно сказать, секретной должности, а в картишки балуется, да еще меры не знает. А ну как возьмет его хитроумный господин Фандорин или кто другой из начальства за фалды, да как следует тряхнет? Нет уж, береженого Бог бережет.

Что ж, «Дрезден» гостиница славная и аккурат напротив губернаторского дворца, который после истории с англичанином был Момусу как родной. Посмотришь — душу греет.

Вчера видел на улице Слюнькова. Нарочно подошел поближе, даже плечом задел — нет, не признал письмоводитель в длинноволосом франте с нафабренными усищами марсельского коммерсанта Антуана Бонифатьевича Дарю. Пробормотал Слюньков «пардон» и засеменил себе дальше, согнувшись под порошей.

Стоп-стоп-стоп, повторил про себя Момус. А нельзя ли тут по обыкновению двух зайцев подстрелить — вот какая идея пришла ему в голову. То есть, если точнее, чужого зайца подстрелить, а своего под пулю не подставить. Или, выражаясь иначе, и рыбку съесть, и в воду не лезть. Нет, совсем уж точно будет так: невинность соблюсти и капитал приобрести.

А что, очень даже могло получиться! И складывалось удачно. Мими говорила, что Тарик-бей немножко понимает по-французски. «Немножко» — это как раз столько, сколько нужно.

С этой минуты операция изменила название. Стала называться «Платоническая любовь».

* * *

Из газет было известно, что после обеда его индийское высочество любит прогуливаться у стен Новодевичьего монастыря, где развернуты зимние аттракционы. Тут тебе и катание на коньках, и деревянные горы, и балаганы разные — есть на что посмотреть чужеземному гостю.

День, как уже было сказано, выдался настоящий, масленичный — яркий, светлый, с морозцем. Поэтому, погуляв вокруг замерзшего пруда с часок, Момус и Мими изрядно замерзли. Мимочке-то еще ничего. Поскольку изображала она княжну, то была в беличьей шубке, в куньем капоте и с муфтой — только щечки разрумянились, а вот Момуса пробирало до костей. Ради пользы дела он обрядился пожилой восточной дуэньей: прицепил густые, сросшиеся на переносице брови, верхнюю губу нарочно недобрил и подчернил, на нос посадил пришлепку — что твой бушприт у фрегата. Платок, из-под которого свисали фальшивые косы с проседью, и заячья кацавейка поверх длинного касторового салопа грели плохо, ноги в войлочных чувяках мерзли, а чертов раджа все не появлялся. Чтоб повеселить Мими и самому не скучать, Момус время от времени причитал певучим контральто: «Софико, питичка моя нэнаглядная, твоя старая ньянья савсем замерзла» или еще что-нибудь в этом роде. Мими прыскала, постукивала по земле зазябшими ножками в алых сапожках.

Наконец, его высочество соизволил прибыть. Момус еще издали заметил крытые, обитые синим бархатом сани. На облучке рядом с кучером сидел жандарм в шинели и парадной каске с плюмажем.

Укутанный в соболя принц неспешно прогуливался вдоль катка, белея высоким тюрбаном, и с любопытством поглядывал на забавы северян. За высочеством семенила низенькая коренастая фигура в бараньем тулупе до пят, круглой косматой шапке и чадре — надо полагать, преданная кормилица Зухра. Секретарь Тарик-бей, в драповом пальто, из-под которого белели шальвары, все время отставал: то засмотрится на цыгана с медведем, то остановится возле торговца горячим сбитнем. Сзади, изображая почетный караул, шествовал важный седоусый жандарм. Это было на руку — пусть присмотрится к будущим ночным посетительницам.

Публика проявляла к колоритной процессии изрядный интерес. Те, кто попроще, разинув рты, пялились на басурман, показывали пальцем на чалму, на изумруд, на закрытое лицо восточной старухи. Чистая публика вела себя тактичнее, но тоже любопытствовала вовсю. Подождав, пока москвичи вдоволь наглазеются на «индейцев» и вернутся к прежним забавам, Момус легонько толкнул Мимочку в бок — пора.

Двинулись навстречу. Мими сделала его высочеству легкий реверанс — тот милостиво кивнул. Секретарю она обрадованно улыбнулась и уронила муфту. Евнух, как и предполагалось, кинулся поднимать, Мими тоже присела на корточки и премило столкнулась с азиатом лбами. После этого маленького, вполне невинного инцидента процессия естественным образом удлинилась: впереди в царственном одиночестве по-прежнему вышагивал принц, за ним — секретарь и княжна, потом две пожилые восточные дамы, и замыкал шествие шмыгавший красным носом жандарм.

Княжна оживленно стрекотала по-французски и поминутно оскальзывалась, чтобы было основание почаще хвататься за руку секретаря. Момус попытался завязать дружбу с почтенной Зухрой и принялся выказывать ей жестами и междометиями всяческую симпатию — в конце концов у них много общего: обе старушки, жизнь прожили, чужих детей вскормили. Однако Зухра оказалась истинной фурией. На сближение не шла, только сердито квохтала из-под чадры и еще, стерва, короткопалой рукой махала — иди, мол, иди, я сама по себе. Одно слово, дикарка.

Зато у Мимочки с евнухом все шло как нельзя лучше. Подождав, пока отмякший азиат, наконец, предложит барышне постоянную опору в виде согнутой кренделем руки, Момус решил, что для первого раза хватит. Догнал свою подопечную и сурово пропел:

— Софико-о, голубка моя, домой пора чай пить, чурек кушить.

Назавтра «Софико» уже учила Тарик-бея ездить на коньках (к чему секретарь проявлял незаурядные способности). Евнух вообще оказался податлив: когда Мими заманила его за елки и как бы случайно подставила свои пухлые губки прямо к его коричневому носу, не шарахнулся, а послушно чмокнул. Она потом рассказывала: «Знаешь, Момочка, мне его так жалко. Я его за шею обняла, а он весь дрожит, бедняжечка. Все-таки зверство так людей уродовать». «Бодливой корове Господь рогов не выделил», —

легкомысленно ответил на это черствый Момус. Проведение операции было назначено на следующую ночь.

Днем все прошло как по маслу: безумно влюбленная княжна, совсем потеряв голову от страсти, пообещала своему платоническому обожателю, что ночью нанесет ему визит. Напирала при этом на возвышенность чувств и на союз любящих сердец в высшем смысле, без пошлости и грязи. Неизвестно, сколько из сказанного доходило до азиата, однако визиту он явно обрадовался и объяснил на ломаном французском, что ровно в полночь откроет садовую калитку. «Только я приду с няней, — предупредила Мими. — А то знаю я вас, мужчин».

На это Тарик-бей повесил голову и горько вздохнул. Мими чуть не прослезилась от жалости.

* * *

Ночь с субботы на воскресенье выдалась лунная, звездная, в самый раз для платонического романа. У ворот загородной губернаторской виллы Момус отпустил извозчика и огляделся по сторонам. Впереди, за особняком, крутой спуск к Москве-реке, сзади — ели Воробьевского парка, вправо и влево темные силуэты дорогих дач. Уходить потом придется пешком: через Акклиматический сад, к Живодерной слободе. Там, в трактире на Калужском шоссе, можно взять тройку в любое время дня и ночи. Эх, покатить с бубенчиками по Большой Калужской! Ничего, что приморозило — изумруд пазуху согреет.

Стукнули в калитку условным стуком, и дверца сразу открылась. Видно, нетерпеливый секретарь уж стоял, дожидался. Низко поклонившись, жестом поманил за собой. Прошли заснеженным садом к подъезду. В вестибюле дежурили трое жандармов: пили чай с баранками. На секретаря и его ночных гостий взглянули с любопытством, седоусый вахмистр крякнул и покачал головой, но ничего не сказал. А какое ему дело?

В темном коридоре Тарик-бей приложил палец к губам и показал куда-то наверх, потом сложил ладони, приставил к щеке и закрыл глаза. Ага, значит, высочество уже почивает, отлично.

В гостиной горела свеча и пахло какими-то восточными благовониями. Секретарь усадил дуэнью в кресло, пододвинул вазу со сладостями и фруктами, несколько раз поклонился и пробормотал что-то невразумительное, но о смысле просьбы, в общем, можно было догадаться.

— Ах, дэти, дэти, — благодушно промурлыкал Момус и погрозил пальцем. — Только бэз глупостей.

Влюбленные, взявшись за руки, скрылись за дверью секретаревой комнаты, чтобы предаться возвышенной, платонической страсти. Обслюнявит всю, мерин индийский, поморщился Момус. Посидел, подождал, чтобы евнух как следует увлекся. Съел сочную грушу, попробовал халвы. Ну-с, пожалуй, пора.

Надо полагать, господские покои вон там, за белой дверью с лепниной. Момус вышел в коридор, зажмурился и постоял так с минуту, чтобы глаза привыкли к темноте. Зато потом двигался быстро, беззвучно.

Приоткрыл одну дверь — музыкальный салон. Другую — столовая. Третью — опять не то.

Вспомнил, что Тарик-бей показывал наверх. Значит, надо на второй этаж.

Проскользнул в вестибюль, бесшумно взбежал по устланной ковром лестнице — жандармы не оглянулись. Снова длинный коридор, снова ряд дверей.

Спальня оказалась третьей слева. В окно светила луна, и Момус без труда разглядел постель, неподвижный силуэт под одеялом и — ура! — белый холмик на прикроватном столике. Лунное сияние коснулось чалмы, и камень послал в глаз Момусу мерцающий лучик.

Ступая на цыпочках, Момус приблизился к кровати. Ахмад-хан спал на спине, закрыв лицо краем одеяла — было видно только черный ежик стриженых волос.

— Баю-баюшки-баю, — нежно прошептал Момус, кладя его высочеству прямо на живот пикового валета.

Осторожненько потянулся к камню. Когда пальцы дотронулись до гладкой маслянистой поверхности изумруда, из-под одеяла вдруг высунулась коротколалая, странно знакомая рука и цепко схватила Момуса за запястье.

Взвизгнув от неожиданности, он дернулся назад, но куда там — рука держала крепко. Из-за края сползшего одеяла на Момуса немигающе смотрела толстощекая, косоглазая физиономия фандоринского камердинера.

— Д-давно мечтал о встрече, месье Момус, — раздался из-за спины негромкий, насмешливый голос. — Эраст Петрович Фандорин, к вашим услугам.

Момус затравленно обернулся и увидел, что в темном углу, в высоком вольтеровском кресле кто-то сидит, закинув ногу на ногу.

Шефу весело

— Дз-зь-зь-зь!

Пронзительный, неживой звук электрического звонка донесся до подтаявшего Анисиева сознания откуда-то издалека, из-за тридевять земель. Поначалу Тюльпанов даже не понял, что это за явление такое вдруг дополнило и без того неимоверно обогатившуюся картину Божьего мира. Однако встревоженный шепот из темноты привел блаженствующего агента в чувство:

— On sonne! Q'est que ce?[1]

Анисий дернулся, сразу все вспомнил и высвободился из мягких, но в то же время удивительно цепких объятий.

Условный сигнал! Капкан захлопнулся!

Ай, как нехорошо! Как можно было забыть о долге!

— Пардон, — пробормотал он, — ту де сюит[2].

В темноте нащупал свой индийский халат, нашарил ногами туфли и кинулся к двери, не оборачиваясь на настойчивый голос, все задававший какие-то вопросы.

Выскочив в коридор, запер дверь ключом на два оборота. Всё, теперь никуда не упорхнет. Комната непростая — со стальными решетками на окнах. Когда ключ скрипнул в замке, на сердце тоже противно скрежетнуло, но долг есть долг.

Анисий резво зашаркал шлепанцами по коридору. На верхней площадке лестницы заглянувшая в окно коридора

---

[1] Звонят! Что это? *(фр.)*.

[2] Извините, я сейчас *(фр.)*.

луна выхватила из темноты спешащую навстречу белую фигуру. Зеркало!

Тюльпанов на миг замер, пытаясь разглядеть в потемках свое лицо. Полно, он ли это, Анишка, дьяконов сын, брат идиотки Соньки? Судя по счастливому блеску глаз (больше все равно ничего видно не было) — никак не он, а совсем другой, незнакомый Анисию человек.

Открыв дверь в спальню «Ахмад-хана», он услышал голос Эраста Петровича:

— ...За все проказы ответите сполна, господин шутник. И за рысаков банкира Полякова, и за «золотую речку» купца Патрикеева, и за английского лорда, и за лотерею. А также за вашу циничную выходку в мой адрес и за то, что я по вашей милости пятый день ореховой настойкой мажусь и в дурацком тюрбане хожу.

Тюльпанов уже знал: когда надворный советник перестает заикаться, признак это нехороший — либо господин Фандорин пребывает в крайнем напряжении, либо чертовски зол. В данном случае, очевидно, последнее.

В спальне декорация была такая.

Пожилая грузинка сидела на полу возле кровати, ее монументальный нос странным образом съехал набок. Сзади, свирепо насупив редкие брови и воинственно уперев руки в бока, возвышался Маса, одетый в длинную ночную сорочку. Сам Эраст Петрович сидел в углу комнаты, в кресле, и постукивал по подлокотнику незажженной сигарой. Лицо его было бесстрастно, голос обманчиво-ленив, но с такими потаенными громовыми перекатами, что Анисий поежился.

Обернувшись на вошедшего помощника, шеф спросил:

— Ну, что птичка?

— В клетке, — молодецки отрапортовал Тюльпанов и помахал ключом с двойной бородкой.

«Дуэнья» посмотрела на триумфально поднятую руку агента и скептически покачала головой.

— А-а, господин евнух, — сказала кривоносая таким звучным, раскатистым баритоном, что Анисий вздрогнул. — Плешь вам к лицу. — И показала, гнусная карга, широкий красный язык.

— А вам бабский наряд, — огрызнулся уязвленный Тюльпанов, поневоле дотронувшись до своего голого скальпа.

— Б-браво, — оценил находчивость ассистента Фандорин. — Вам же, господин Валет, я бы посоветовал не бравировать. Дела ваши плохи, ибо на сей раз попались вы крепко, с поличным.

* * *

Третьего дня, когда на гулянии «княжна Чхартишвили» появилась в сопровождении дуэньи, Анисий поначалу растерялся:

— Вы говорили, шеф, их только двое, Пиковый Валет и девица, а тут вон еще старуха какая-то объявилась.

— Сами вы старуха, Тюльпанов, — процедил «принц», церемонно раскланиваясь с встречной дамой. — Это он, наш Момус, и есть. Виртуоз маскировки, ничего не скажешь. Только ноги для женщины великоваты, да и взгляд больно жесткий. Он это, он, голубчик. Больше некому.

— Берем? — азартно прошептал Анисий, делая вид, что отряхивает снег с плеча господина.

— За что? Ну, девица, положим, была на лотерее, и есть свидетели. А этого-то и в лицо никто не знает. За что его арестовывать? За то, что старухой нарядился? Нет уж, он мне, долгожданный, по всей форме должен попасться. На месте преступления, с поличным.

Честно говоря, Тюльпанов тогда счел, что надворный советник мудрит. Однако, как всегда, получилось по-фандорински: попался тетерев на чучелко, и попался по всей форме. Теперь не отопрется.

Эраст Петрович чиркнул спичкой, раскурил сигару. Заговорил сухо, жестко:

— Главная ваша ошибка, милостивый государь, состоит в том, что вы позволили себе шутить шутки с теми, кто насмешек не прощает.

Поскольку арестованный молчал и только сосредоточенно поправлял съехавший нос, Фандорин счел необходимым уточнить:

— Я имею в виду, во-первых, князя Долгорукого, а во-вторых, себя. Еще никто и никогда не позволял себе так нагло глумиться над моей частной жизнью. И со столь неприятными для меня последствиями.

Шеф страдальчески поморщился. Анисий сочувственно покивал, вспомнив, каково приходилось Эрасту Петровичу до тех пор, пока не появилась возможность переехать с Малой Никитской на Воробьевы горы.

— Что ж, провернуто было ловко, не спорю, — продолжил, взяв себя в руки, Фандорин. — Вещи графини вы, разумеется, вернете, причем незамедлительно, еще до начала процесса. Это обвинение я с вас снимаю. Чтобы не трепать в суде имя Ариадны Аркадьевны.

Здесь надворный советник о чем-то задумался, потом кивнул сам себе, словно принимая непростое решение, и обернулся к Анисию.

— Тюльпанов, если вас не затруднит, сверьте потом вещи по списку, составленному Ариадной Аркадьевной, и... отправьте их в Петербург. Адрес — Фонтанка, собственный дом графа и графини Опраксиных.

Анисий только вздохнул, никак более не посмев выразить своих чувств. А Эраст Петрович, видно, рассерженный решением, которое сам же и принял, снова обернулся к задержанному:

— Что ж, вы неплохо позабавились за мой счет. А за удовольствие, как известно, надо платить. Следующее пятилетие, которое вы проведёте на каторге, предоставит вам много досуга для извлечения полезных жизненных уроков. Впредь будете знать, с кем и как шутить.

По тусклости фандоринского тона Анисий понял, что шеф взбешен до самой последней степени.

— Па-азвольте, дорогой Эраст Петрович, — развязно протянула (то есть протянул) «дуэнья». — Спасибо, что в момент задержания представились, а то бы я так и считал вас индийским высочеством. Это откуда же у вас, спрашивается, набежало пять лет каторги? Давайте-ка сверим наши арифметики. Какие-то рысаки, какая-то золотая речка, лорд, лотерея — сплошные загадки. Какое все это ко мне имеет отношение? И потом, о каких вещах графини вы говорите? Если они принадлежат графу Опраксину, то почему оказались у вас? Вы что, сожительствуете с чужой женой? Нехорошо-с. Хотя, конечно, не мое дело. А ежели меня в чем обвиняют, требую очных ставок и доказательств. Уж доказательств всенепременно.

Анисий ахнул от подобной наглости и встревоженно оглянулся на шефа. Тот недобро усмехнулся:

— А что же вы тут, позвольте узнать, делаете? В этом странном наряде, в неурочный час?

— Да вот дурака свалял, — ответил Валет и жалостно шмыгнул носом. — Позарился на изумруд. Только ведь это, господа, называется «провокация». Вон и жандармы у вас внизу караулят. Тут целый полицейский заговор.

— Жандармы не знают, кто мы, — не удержавшись, похвастался Анисий. — И ни в каком заговоре не участвуют. Для них мы — азиаты.

— Неважно, — отмахнулся прощелыга. — Вон вас сколько, государственных слуг. И все против несчастного, бедного человека, которого вы сами же и вовлекли в соблазн. Хороший адвокат вас на суде так высечет, что долго чесаться будете. Да и камню вашему, насколько я понимаю, красная цена червонец. Месяц ареста — от силы. А вы, Эраст Петрович, говорите: пять лет каторги. Моя арифметика точнее.

— А как же пиковый валет, положенный вами на кровать при двух свидетелях? — надворный советник сердито ткнул недокуренную сигару в пепельницу.

— Да, это я некрасиво поступил. — Валет покаянно повесил голову. — Можно сказать, проявил цинизм. Хотел на шайку «пиковых валетов» подозрение перевести. Про них вся Москва говорит. Пожалуй, за это мне к месяцу ареста еще церковное покаяние подбавят. Ничего, отмолю грех.

Он набожно перекрестился и подмигнул Анисию.

Эраст Петрович дернул подбородком, словно ему давил воротник, а между тем ворот его белой, вышитой восточным орнаментом рубахи был широко расстегнут.

— Вы забыли о сообщнице. Она-то с лотереей попалась крепко. И не думаю, что согласится отправиться в тюрьму без вас.

— Да, Мими любит компанию, — не стал спорить арестант. — Только сомневаюсь я, что она станет смирно сидеть в вашей клетке. Позвольте-ка, господин евнух, еще раз на ключик взглянуть.

Анисий, посмотрев на шефа, взял ключ покрепче и издалека показал Валету.

— Да, я не ошибся, — кивнул тот. — Вульгарнейший и допотопнейший замок марки «бабушкин сундук». Мимочка этакий в секунду шпилькой откроет.

Надворный советник и его ассистент сорвались с места одновременно. Фандорин крикнул Масе что-то по-японски — верно, «глаз с него не спускать» или иное что в этом роде. Японец цепко взял Валета за плечи, а что было дальше, Тюльпанов не видел, потому что уже выскочил за дверь.

Они сбежали по лестнице вниз, пронеслись через вестибюль мимо ошалевших жандармов.

Увы, дверь в комнату «Тарик-бея» была нараспашку. Птичка упорхнула!

Застонав, словно от зубной боли, Эраст Петрович метнулся обратно к вестибюлю. Анисий за ним.

— Где она? — рявкнул надворный советник на вахмистра.

Тот разинул рот, потрясенный тем, что индейский принц вдруг заговорил на чистейшем русском языке.

— Живей отвечай! — прикрикнул на служивого Фандорин. — Где девица?

— Так что... — Вахмистр на всякий случай нахлобучил каску и взял под козырек. — Минут пять как вышли. А ихняя провожатая, сказали, еще побудут.

— Пять минут! — нервно повторил Эраст Петрович. — Тюльпанов, в погоню! А вы — смотреть в оба!

Сбежали по ступеням крыльца, промчались садом, выскочили за ворота.

— Я направо, вы налево! — приказал шеф.

Анисий заковылял вдоль ограды. Одна туфля сразу же застряла в снегу, пришлось скакать на одной ноге. Вот ограда кончилась, впереди белая лента дороги, черные деревья и кусты. Ни души. Тюльпанов закружился на месте, словно курица с оттяпанной башкой. Где искать? Куда бежать?

Под обрывом, на той стороне ледяной реки, в огромной черной чаше лежал гигантский город. Он был почти невидим, лишь кое-где протянулись редкие цепочки уличных фонарей, но чернота была не пустая, а явно живая — что-то там, внизу, сонно дышало, вздыхало, постанывало. Дунул ветер, погнал по земле белую труху, и Анисия в его тонком халате пробрало до костей.

Надо было возвращаться. Может, Эрасту Петровичу повезло больше?

Встретились у ворот. Шеф, увы, тоже вернулся в одиночестве.

Дрожа от холода, оба «индейца» забежали в дом.

Странно — жандармов на посту не было. Зато сверху, со второго этажа, доносились грохот, ругань и крики.

— Что за черт! — Фандорин с Анисием, не успев отдышаться после беготни по улице, со всех ног кинулись к лестнице.

В спальне все было вверх тормашками. Двое жандармов повисли на плечах у растерзанного, визжащего от ярости Масы, а вахмистр, утирая рукавом красную юшку, целил в японца из револьвера.

— Где он? — озираясь, спросил Эраст Петрович.

— Кто? — не понял вахмистр и выплюнул выбитый зуб.

— Валет! — крикнул Анисий. — Ну, в смысле, старуха эта!

Маса залопотал что-то по-своему, но седоусый жандарм ткнул его дулом в живот:

— Заткнись, нехристь! Так что, ваше .... — Служивый запнулся, не зная, как обращаться к странному начальству. —

Так что, ваше индейство, стоим внизу, смотрим в оба — как приказано. Вдруг сверху баба кричит. «Караул, кричит, убивают! Спасите!» Мы сюда. Глядим, этот косоглазый давешнюю старушку, что с барышней была, на пол повалил и, гад, за горло хватает. Она, бедная, «Спасите! — кричит. — Залез вор-китаец, напал!» Этот что-то по-своему бормочет: «Мусина-мусина!» Здоровый, черт. Мне вон зуб выбил, Терещенке скулу свернул.

— Где она, где старуха? — схватил вахмистра за плечи надворный советник, и, видно, сильно — жандарм стал белее мела.

— А тут она, — просипел он. — Куда ей деться. Напужалась да забилась куда-нибудь. Сыщется. Не извольте... Ой, больно!

Эраст Петрович и Анисий безмолвно переглянулись.

— Что, снова в погоню? — с готовностью спросил Тюльпанов, поглубже засовывая ноги в туфли.

— Хватит, побегали, повеселили господина Момуса, — упавшим голосом ответил надворный советник.

Он выпустил жандарма, сел в кресло и безвольно уронил руки. В лице шефа происходили какие-то непонятные перемены. На гладком лбу возникла поперечная складка, уголки губы поползли вниз, глаза зажмурились. Потом задрожали плечи, и Анисий напугался не на шутку — уж не собирается ли Эраст Петрович разрыдаться.

Но тут Фандорин хлопнул себя по колену и зашелся в беззвучном, неудержимом, легкомысленнейшем хохоте.

Гранд-операсьон

Подобрав подол платья, Момус несся мимо заборов, мимо пустых дач по направлению к Калужскому шоссе. То и дело оглядывался — нет ли погони, не нырнуть ли в кусты, которые, слава те Господи, произрастали в изобилии по обе стороны дороги.

Когда пробегал мимо заснеженного ельника, жалобный голосок окликнул:

— Момчик, ну наконец-то! Я уже замерзла.

Из-под разлапистой ели выглянула Мими, зябко потирая руки. От облегчения он сел прямо на обочину, зачерпнул ладонью снег и приложил к вспотевшему лбу. Чертов носище окончательно сполз набок. Момус оторвал нашлепку, швырнул в сугроб.

— Уф, — сказал он. — Давно так не бегал.

Мими села рядом, прислонила опущенную голову к его плечу.

— Момочка, я должна тебе признаться...

— В чем? — насторожился он.

— Я не виновата, честное слово... В общем... Он оказался не евнух.

— Знаю, — буркнул Момус и свирепо стряхнул хвойные иголки с ее рукава. — Это был наш знакомый месье Фандорин и его жандармский Лепорелло. Здорово они меня раскатали. По первому разряду.

— Мстить будешь? — робко спросила Мими, глядя снизу вверх.

Момус почесал подбородок.

— Ну их к черту. Надо из Москвы ноги уносить. И поскорее.

Но унести ноги из негостеприимной Москвы не сложилось, потому что на следующий день возникла идея грандиозной операции, которую Момус так и назвал: «Гранд-Операсьон».

Идея возникла по чистой случайности, по удивительнейшему стечению обстоятельств.

Из Москвы отступали в строгом порядке, со всеми мыслимыми предосторожностями. Как рассвело, Момус сходил на толкучку, закупил необходимой экипировки на общую сумму в три рубля семьдесят три с половиной копейки. Снял с лица всякий грим, надел картуз-пятиклинку, ватный телогрей, сапоги с калошами и превратился в неприметного мещанчика. С Мими было труднее, потому что ее личность полиции была известна. Подумав, он решил сделать ее мальчишкой. В овчинном треухе, засаленном полушубке и большущих валенках она стала неотличима от шустрых московских подростков вроде тех, что шныряют по Сухаревке — только за карман держись.

Впрочем, Мими и в самом деле могла пройтись по чужим карманам не хуже заправского щипача. Однажды в Самаре, когда сидели на мели, ловко вынула у купчины из жилета дедовские часы луковицей. Часы были дрянь, но Момус знал, что купчина ими дорожит. Безутешный Тит Титыч назначил за семейное достояние награду в тысячу рублей и долго благодарил студентика, нашедшего часы в придорожной канаве. Потом на эту тысячу Момус открыл в мирном городе китайскую аптеку и очень недурно поторговал чудодейственными травками и корешками от разных купеческих болезней.

Ну, да что былые удачи вспоминать. Из Москвы ретировались, как французы, — в унынии. Момус предполагал, что на вокзалах их будут стеречь агенты, и принял меры.

Первым делом, чтобы задобрить опасного господина Фандорина, отправил в Петербург все вещи графини Адди. Правда, не удержался и приписал в сопроводительной квитанции: «Пиковой даме от пикового валета». Нефритовые четки и занятные гравюрки отослал на Малую Никитскую с городской почтой и тут уж ничего приписывать не стал, поостерегся.

На вокзале решил не появляться. Свои чемоданы переправил на Брянский заранее, чтоб их погрузили на завтрашний поезд. Сами же с Мимочкой шли пешком. За Дорогомиловской заставой Момус собирался нанять ямщика, доехать на санях до первой железнодорожной станции, Можайска, и только там, уже завтра, воссоединиться с багажом.

Настроение было кислое. А между тем Москва гуляла Прощеное воскресенье, последний день бесшабашной Сырной недели. Завтра с рассвета начнутся говения и моления, снимут с уличных фонарей цветные шары, разберут расписные балаганы, сильно поубавится пьяных, но сегодня народ еще догуливал, допивал и доедал.

У Смоленского рынка катались на «дилижанах» с большущей деревянной горки: с гоготом, свистом, визгом. Всюду торговали горячими блинами — с сельдяными головами, с кашей, с медом, с икрой. Турецкий фокусник в красной феске засовывал в белозубую пасть кривые ятаганы. Скоморох ходил на руках и потешно дрыгал ногами. Какой-то чумазый, в кожаном фартуке, с голой грудью, изрыгал изо рта языки пламени.

Мими вертела головой во все стороны — ну чисто пострелёнок. Войдя в роль, потребовала купить ей ядовито-красного петушка на палочке и с удовольствием облизывала дрянное угощение острым розовым язычком, хотя в обычной жизни отдавала предпочтение швейцарскому шоколаду, которого могла умять до пяти плиток в день.

Но на пестрой площади не только веселились и обжирались блинами. У богатой, торговой церкви Смоленской Божьей Матери длинной вереницей сидели нищие, кланялись в землю, просили у православных прощения и сами прощали. День у убогих нынче был важный, добычливый. Многие подходили к ним с подношением — кто нес блинок, кто шкалик водки, кто копеечку.

Из церкви на паперть, грузно ступая, вышел какой-то туз в распахнутой горностаевой шубе, с непокрытой плешастой головой. Перекрестил одутловатую, небогоугодную физиономию, зычно крикнул:

— Прости, народ православный, если Самсон Еропкин в чем виноват!

Нищие засуетились, нестройно загалдели:

— И ты нас прости, батюшка! Прости, благодетель!

Видно, ожидали подношения, однако вперед никто не лез, все живехонько выстроились в два ряда, освободив проход к площади, где туза дожидались роскошные сани — лаковые, устланные мехом.

Момус остановился посмотреть, как этакий щекан станет царствие небесное выкупать. Ведь по роже видно, что паук и живодер, каких свет не видывал, а тоже нацеливается в рай попасть. Интересно, во сколько он входной билетик расценивает?

За спиной пузатого благодетеля, возвышаясь на полторы головы, вышагивал здоровенный чернобородый детина с лицом заплечных дел мастера. По правой руке, в обхват локтя, был у детины намотан длинный кожаный кнут, а в левой нес он холщовую мошну. Время от времени хозяин оборачивался к своему холую, зачерпывал из мошны и одаривал нищих — каждому по монетке. Когда один безногий старичок, не утерпев, сунулся за милостыней не в черед, борода грозно замычал, молниеносным движением развил кнут и ожег убогого самым кончиком по сивой макушке — дедок только ойкнул.

А горностаевый, суя в протянутые руки по денежке, всякий раз приговаривал:

— Не вам, не вам, пьянчужкам — Господу Богу Всеблагому и Матушке-Заступнице, на прощение грехов раба Божьего Самсона.

Приглядевшись, Момус удовлетворил свое любопытство: как и следовало полагать, от геенны огненной мордатый откупался незадорого, выдавал убогим по медной копейке.

— Невелики, видать, грехи у раба божьего Самсона, — пробормотал Момус вслух, готовясь идти дальше своей дорогой.

Сиплый, пропитой голос прогудел в самое ухо:

— Велики, паря, ох велики. Ты что, не московский, коли самого Еропкина не знаешь?

Рядом стоял тощий, жилистый оборванец с землистым, нервно дергающимся лицом. От оборванца несло сивушным перегаром, а взгляд, устремленный в обход Момуса, на скупердяя-дарителя, был полон жгучей, лютой ненависти.

— Почитай, с пол-Москвы кровянку сосет Самсон Харитоныч, — просветил Момуса дерганый. — Ночлежки на Хитровке, кабаки в Грачах, на Сухаревке, на той же Хитровке — чуть не все его. Краденое у «деловых» прикупает, деньги в рост под большущие проценты дает. Одно слово — упырь, аспид поганый.

Момус взглянул на несимпатичного толстяка, уже садившегося в сани, с новым интересом. Надо же, какие в Москве, оказывается, колоритные типажи есть.

— И полиция ему нипочем?

Оборванец сплюнул:

— Какая полиция! Он к самому губернатору, Долгорукому князю, в хоромы шастает. А как же, Еропкин нынче генерал! Когда Храм-то строили, кинул с барышей миллион, так ему за то от царя лента со звездой и должность по богоугодному обчеству. Был Самсошка-кровосос, а стал «превосходительство». Это вор-то, кат, убивец!

— Ну, убивец-то, я чай, навряд ли, — усомнился Момус.

— Навряд?! — впервые глянул на собеседника пропойца. — Сам-то Самсон Харитоныч, конечное дело, ручек своих не кровянит. А Кузьму немого ты видал? Что с кнутом-то? Это ж не человек, а зверюга, пес цепной. Он не то что душу погубить, живьем на кусочки изорвать может. И рвал, были случаи! Я те, парень, про ихние дела такого порассказать могу!

— А пойдем, расскажешь. Посидим, вина тебе налью, — пригласил Момус, потому что спешить было особенно некуда, а человечек, по всему видно, попался любопытный. От таких много чего полезного узнать можно. — Щас вот только мальчонке моему дам двугривенный на карусель.

Сели в трактире. Момус спросил чаю с баранками, пьющему человеку взял полштофа можжевеловой и соленого леща.

Рассказчик медленно, с достоинством, выпил, пососал рыбий хвост. Начал издалека:

— Ты вот Москвы не знаешь и про бани Сандуновские, поди, не слыхивал?

— Отчего же, бани известные, — ответил Момус, подливая.

— То-то, что известные. Я там, в господском отделении, самый первый человек был. Егора Тишкина всякий знал. И кровь отворить, и мозолю срезать, и побрить первостатейно, все мог. А знатнее всего по теломятному делу гремел. Руки у меня были умные. Так по жилкам кровь разгонял, так косточки разминал, что у меня графья да генералы будто котята мурлыкали. Мог и от хворей разных пользовать — отварами, декохтами всякими. Иной месяц до полутораста целковых выколачивал! Дом имел, сад. Вдова одна ко мне похаживала, из духовного звания.

Егор Тишкин выпил вторую уже без церемоний, залпом, и занюхивать не стал.

— Еропкин, гнида, меня отличал. Завсегда Тишкина требовал. Я и домой к нему скольки разов зван был. Считай, свой человек у него сделался. И брил его харю бугристую, и жировики сводил, и от немочи мужской лечил. А кто его, пузыря, от почечуя спасал?! Кто ему грыжу вправлял?! Эх, золотые пальцы были у Егора Тишкина. А ныне нищ, гол и бездомен. И все через него, через Еропкина! Ты вот что, паря, возьми мне еще вина. Душа огнем горит.

Малость успокоившись, бывший банный мастер продолжил:

— Суеверный он, Еропкин. Хуже бабки деревенской. Во все приметы верит — и в черного кота, и в петуший крик, и в молодой месяц. А надо тебе сказать, мил человек, что была у Самсон Харитоныча посередь бороды, ровнехонько в ямочке, чудна́я бородавка. Вся черная, и три рыжих волоска из ей растут. Очень он ее холил, говорил, что это его знак особенный. Нарочно на щеках волоса отращивал, а подбородок пробривал, чтоб бородавку виднее было. Вот этого-то знака я его и лишил... В тот день не в себе я был — вечор выпил много. Редко себе позволял, только по праздникам, а тут матушка преставилась, ну и поутешался, как положено. В общем, дрогнула рука, а бритва острая, дамасской стали. Срезал Еропкину бородавку к чертовой бабушке. Что кровищи-то, а крику! «Ты фортуну мою погубил, бес криворукий!» И давай Самсон Харитоныч рыдать, и давай обратно ее прилеплять, а она не держится, отпадает. Озверел совсем Еропкин, кликнул Кузьму. Тот сначала кнутом своим меня отходил, а Еропкину мало. Руки, грит, тебе оторвать, пальцы твои корявые поотрывать. Кузьма меня за правую руку хвать, в щель дверную просунул, да как захлопнет дверь-то! Только хрустнуло... Я кричу: «Отец, не погуби, без куска хлеба оставляешь, хоть левую пожалей». Куда там, сгубил мне и левую...

Пьяница махнул рукой, и Момус только теперь обратил внимание на его пальцы: неестественно растопыренные, негнущиеся.

Момус подлил бедняге еще, потрепал по плечу:

— Изрядная фигура этот Еропкин, — протянул он, вспоминая пухлую физиономию благотворителя. Очень уж не любил этаких. Если б из Москвы не уезжать, можно было бы поучить скотину уму-разуму. — И что, много денег ему кабаки да ночлежки дают?

— Да почитай тыщ по триста в месяц, — ответил Егор Тишкин, сердито утирая слезы.

— Ну уж. Это ты, брат, загнул.

Банщик вскинулся:

— Да мне ль не знать! Я ж те говорю, я у его в доме свой человек был. Кажный божий день евоный Кузьма ходит и в «Каторгу», и в «Сибирь», и в «Пересыльный», и в прочие питейные заведения, где Еропкин хозяином. В день тыщ до пяти собирает. По субботам ему из ночлежек приносят. В одной только «Скворешне» четыре ста семей проживают. А с девок гулящих навар? А слам, товар краденый? Самсон Харитоныч все деньги в простой рогожный мешок складает и под кроватью у себя держит. Обычай у него такой. Когда-то с энтим мешком в Москву лапотником пришел, вроде как ему через мешок рогожный богатство досталось. Одно слово — будто бабка старая, в любую дурь верует. Первого числа кажного месяца он барыши с-под кровати достает и в банк отвозит. Едет с грязным мешком в карете четверкой, важный такой, довольный. Самый энто главный евоный день. Деньжонки-то тайные, от беззаконных дел, так у него последний день счетоводы ученые сидят, на всю кумплекцию бумажки поддельные стряпают. Когда триста тыщ в банк свезет, а когда и больше — это уж сколько дней в месяце.

— Такие деньжищи в дому держит, и не грабили его? — удивился Момус, слушавший все с бо́льшим вниманием.

— Поди-ка, ограбь. Дом за стеной каменной, кобели по двору бегают, мужики дворовые, да еще Кузьма этот. У Кузьмы кнут страшней левольверта — он на спор мыша бегущего пополам перерубает. Из «деловых» к Еропкину никто не сунется. Себе дороже. Раз, уж лет пять тому, один залетный попробовал. Потом на живодерне нашли, Кузьма ему кнутом всю кожу по лоскутку снял. Вчистую. И молчок, ни гу-гу. Еропкин, почитай, всю полицию кормит. Денег-то у него немерено. Только не будет ему, ироду, от богатства проку, сгинет от каменной лихоманки. Почечник у него, а без Тишкина пользовать его некому. Дохтора, разве они камень растворить умеют? Приходили тут ко мне от Самсон Харитоныча. Иди, говорили, Егорушка, прощает. И денег даст, только вернись, попользуй. Не пошел! Он-то прощает, да от меня ему прощения нет!

— И что, часто он убогим милостыню раздает? — спросил Момус, чувствуя, как кровь начинает азартно разгоняться по жилам.

В трактир заглянула соскучившаяся Мими, и он подал ей знак: не суйся, тут дело.

Тишкин положил смурную голову на руку — неверный локоть пополз по грязной скатерти.

— Ча-асто. С завтрева, как великий пост пойдет, кажный день будет на Смоленку ходить. У его, гада, тут контора, на Плющихе. По дороге из саней вылезет, на рупь копеек раздаст и покатит в контору тыщи грести.

— Вот что, Егор Тишкин, — сказал Момус. — Жалко мне тебя. Пойдем со мной. Определю тебя на ночлег и на пропитие деньжонок выделю. Расскажи мне про свою горькую жизнь поподробнее. Так, говоришь, сильно суеверный, Еропкин-то?

Это ж просто свинство, думал Момус, ведя спотыкающегося страдальца к выходу. Ну что за невезение такое в последнее время! Февраль, самый куцый месячишка! Двадцать восемь дней всего! В мешке тысяч на тридцать меньше будет, чем в январе или, допустим, в марте. Хорошо хоть двадцать третье число. И ждать до конца месяца недолго, и подготовиться в аккурате времени хватит. А чемоданы с поезда возвращать придется.

Большущая наметилась операция: одним махом все московские конфузы покрыть.

* * *

Назавтра, в первый день Крестопоклонной недели, Смоленку было не узнать. Будто ночью пронесся над площадью колдун Черномор, тряхнул широким рукавом и сдул с лика земного всех грешных, нетрезвых, поющих да орущих, смахнул сбитенщиков, пирожников и блинщиков, унес разноцветные флажки, бумажные гирлянды и надувные шары, а оставил только пустые балаганы, только черных ворон на замаслившемся от солнца снегу, только нищих на паперти церкви Смоленской Богоматери.

В храме еще затемно отслужили утреню, и началось обстоятельное, чинное, с прицелом на семь седмиц говение. Церковный староста уже трижды прошелся средь говеющих, собирая подношения, и трижды унес в алтарь тяжелое от меди и серебра блюдо, когда пожаловал наиглавнейший из прихожан, сам его превосходительство Самсон Харитоныч Еропкин. Был он сегодня особенно благостен: большое, студенистое лицо чисто вымыто, жидкие волосы расчесаны на пробор, длинные бакенбарды смазаны маслом.

С четверть часа Самсон Харитоныч, встав прямо напротив Царских Врат, клал земные поклоны и широко крестился. Вышел батюшка со свечой, помахал на Еропкина кадилом, забормотал: «Господи, Владыко живота моего, очисти мя грешного...» А следом подкатился и староста с пустым блюдом. Богомолец поднялся с колен, отряхнул суконные полы шубы и положил старосте три сотенных — такой уж у Самсона Харитоныча был заведен обычай для Крестопоклонного понедельника.

Вышел щедрый человек на площадь, а нищие уж ждут. Руки тянут, блеют, толкаются. Но Кузьма чуть кнутом качнул, и сразу толкотня закончилась. Выстроились убогие в две шеренги, будто солдаты на смотру. Сплошь серая сермяга да рванье, только по левую руку, по самой середке, белеется что-то.

Самсон Харитоныч прищурил запухшие глазки, видит: стоит среди нищих прекрасный собой отрок. Глаза у отрока большие, лазоревые. Лицо тонкое, чистое. Золотые волосы острижены в кружок (ох, крику было — ни в какую не соглашалась Мимочка локоны обрезать). Одет чудный юноша в одну белоснежную рубаху — и ничего, не холодно ему (еще бы — под рубашкой тонкая фуфайка из первосортной ангоры, да и нежный Мимочкин бюст туго перетянут теплой фланелькой). Порточки у него плисовые, лапти липовые, а онучи светлые, незамаранные.

Раздавая копейки, Еропкин то и дело поглядывал на диковинного нищего, а когда приблизился, протянул отроку не одну монетку, а две. Приказал:

— На-ка вот, помолись за меня.

Золотоволосый денег не взял. Поднял ясные очи к небу и говорит звонким голоском:

— Мало даешь, раб Божий. Малой ценой от Матушки-Печальницы откупиться хочешь. — Глянул он Самсон Харитонычу прямо в глаза, и почтенному человеку не по себе сталоь — до того строг и немигающ был взгляд. — Вижу душу твою грешную. На сердце у тебя пятно кровавое, а в нутре гниль. Почи-истить, почи-стить надо, — пропел блаженный. — А не то изгниешь, изсмердишься. Болит брюхо-то, Самсон, почечник-то корчит? От грязи это, почиистить надо.

Еропкин так и замер. А еще бы ему не замереть! Почки у него и в самом деле ни к черту, а на левой груди имеется большое родимое пятно винного цвета. Сведения верные, от Егора Тишкина получены.

— Ты кто? — выдохнул его превосходительство с испугом.

Отрок не ответил. Снова возвел к небу синие очи, мелко зашевелил губами.

— Юродивый это, кормилец, — услужливо подсказали Самсону Харитонычу с обеих сторон. — Первый день он тут, батюшка. Невесть откуда взялся. Заговаривается. Звать его Паисием. Давеча у него падучая приключилась, изо рта пена полезла, а дух — райский. Божий человек.

— Ну на те рублевик, коли Божий человек. Отмоли грехи мои тяжкие.

Еропкин достал из портмоне бумажку, но блаженный снова не взял. Сказал голосом тихим, проникновенным:

— Не мне давай. Мне не надо, меня Матерь Божья пропитает. Вот ему дай. — И показал на старика-нищего, известного всему рынку безногого Зоську. — Его вчера твой холоп обидел. Дай убогому, а я за тя Матушке помолюсь.

Зоська с готовностью подкатился на тележке, протянул корявую, огромную лапищу. Еропкин брезгливо сунул в нее бумажку.

— Благослови тя Пресвятая Богородица, — звенящим голосом провозгласил отрок, протянул к Еропкину тонкую руку. Тут-то и случилось чудо, о котором еще долго вспоминали на Москве.

Невесть откуда на плечо юродивого слетел громадный ворон. В толпе нищих так и ахнули. А когда разглядели, что на лапке у черной птицы золотое кольцо, совсем стало тихо.

Еропкин стоял ни жив ни мертв: толстые губы трясутся, глаза выпучились. Поднял было руку перекреститься, да не донес.

Из глаз блаженного потекли слезы.

— Жалко мне тебя, Самсон, — сказал, снимая с птичьей лапки кольцо и протягивая Еропкину. — Бери, твое это. Не принимает твоего рублевика Богородица, отдаривается. А ворона послала, потому что душа твоя черная.

Повернулся Божий человек и тихо побрел прочь.

— Стой! — крикнул Самсон Харитоныч, растерянно глядя на сверкающее колечко. — Ты это, ты погоди! Кузьма! Бери в сани его! С собой возьмем!

Чернобородый верзила догнал мальчишку, взял за плечо.

— Поедем ко мне, слышь, как тебя, Паисий! — позвал Еропкин. — Поживи у меня, отогрейся.

— Нельзя мне в чертоге каменном, — строго ответил отрок, обернувшись. — Там душа слепнет. А ты, Самсон, вот что. Завтра, как утреню отпоют, приходи к Иверской. Там буду. Мошну принеси с червонцами золотыми, да чтоб полная была. Хочу за тебя снова Богородицу просить.

И ушел, провожаемый взглядами. На плече юродивого — черный ворон, поклевывает плечо да хрипло грыкает.

(Звали ворона Валтасаром. Был он ученый, купленный вчера на Птичьем. Умная птица нехитрый фокус усвоила быстро: Мими засовывала в плечевой шов зернышки проса, Момус спускал Валтасара, и тот летел на белую рубаху — сначала с пяти шагов, потом с пятнадцати, а после и с тридцати.)

* * *

Пришел, паук. Пришел как миленький. И мошну притащил. Ну мошну не мошну, но кошель кожаный, увесистый Кузьма за хозяином нес.

За ночь, как и следовало ожидать, одолели благотворительного генерала сомнения. Поди, Богоматерино колечко и на зуб попробовал, и даже кислотой потравил. Не сомневайтесь, ваше кровососие, колечко отменное, старинной работы.

Блаженный Паисий стоял в сторонке от часовни. Смирно стоял. На шее чашка для подаяний. Как туда денежек накидают — пойдет и калекам раздаст. Вокруг отрока, но на почтительном расстоянии толпа жаждущих чуда. После вчерашнего прошел слух по церквам и папертям о чудесном знамении, о вороне с златым перстнем в клюве (так уж в рассказах переиначилось).

Сегодня день выдался пасмурный и похолодало, но юродивый опять был в одной белой рубашке, только горло суконочкой обмотано. На подошедшего Еропкина не взглянул, не поздоровался.

Что ему такое сказал паук, с момусовой позиции было, конечно, не слышно, но предположительно — что-нибудь скептическое. Задание у Мими было — увести паучище с людного места. Хватит публичности, ни к чему это теперь.

Вот Божий человек повернулся, поманил за собой пузана и пошел вперед, через площадь, держа курс прямиком на Момуса. Еропкин, поколебавшись, двинулся за блаженным. Любопытствующие качнулись было следом, но чернобородый янычар пару раз щелкнул кнутом, и зеваки отстали.

— Нет, не этому, в нем благости нету, — послышался хрустальный голосок Мими, на миг задержавшейся подле увечного солдатика.

Возле скрюченного горбуна юродивый сказал:

— И не этому, у него душа снулая.

Зато перед Момусом, пристроившимся поодаль от других попрошаек, отрок остановился, перекрестился, поклонился в ноги. Повелел Еропкину:

— Вот ей, горемычной, мошну отдай. Муж у ней преставился, детки малые кушать просят. Ей дай. Богородица таких жалеет.

Момус забазарил пронзительным фальцетом из-под бабьего платка, натянутого с подбородка чуть не на самый нос:

— Чего «отдай»? Чего «отдай»? Ты, малый, чей? Откуда про меня знаешь?

— Кто такая? — наклонился к вдове Еропкин.

— Зюзина я Марфа, батюшка, — сладким голосом пропел Момус. — Вдова убогая. Кормилец мой преставился. Семеро у меня, мал мала меньше. Дал бы ты мне гривенничек, я бы им хлебушка купила.

Самсон Харитоныч шумно сопел, смотрел с подозрением.

— Ладно, Кузьма. Дай ей. Да смотри, чтоб Паисий не утек.

Чернобородый сунул Момусу кошель — не такой уж и тяжелый.

— Что это, батюшка? — испугалась вдовица.

— Ну? — обернулся Еропкин к блаженному, не отвечая. — Теперь чего?

Отрок забормотал непонятные слова. Бухнулся на колени, трижды ударился лбом о булыжную мостовую. Приложил к камню ухо, будто к чему-то прислушивался. Потом встал.

— Говорит Богоматерь, завтра чуть свет приходи в сад Нескучной. Рой землю под старым дубом, что поназади беседки каменной. Там рой, где дуб мохом порос. Будет тебе, раб Божий, ответ. — Юродивый тихо добавил. — Приходи туда, Самсон. И я тож приду.

— Эн нет! — встрепенулся Еропкин. — Нашел дурака! Ты, братец, со мной поедешь. Возьми-ка его, Кузьма. Ничего, переночуешь в «чертоге каменном», не растаешь. А ежели надул — пеняй на себя. Мои червонцы у тебя из глотки полезут.

Момус тихонько, не поднимаясь с коленок, отполз назад, распрямился и юркнул в охотнорядский лабиринт.

Развязал кошель, сунул руку. Империалов было негусто — всего тридцать. Пожадничал Самсон Харитоныч, поскаредничал много дать Богородице. Ну да ничего, зато она, Матушка, для раба своего верного не поскупится.

Еще затемно, как следует утеплившись и прихватив фляжечку с коньяком, Момус пристроился на заранее облюбованном месте: в кустиках, с хорошим видом на старый дуб. В сумерках смутно белела колоннами стройная ротонда. По рассветному времени не было в Нескучном саду ни единой души.

Боевая позиция была как следует обустроена и подготовлена. Момус скушал сандвич с бужениной (ну его, Пост Великий), отпил из крышечки «шустовского», а там по аллее и еропкинские сани подкатили.

Первым вылез немой Кузьма, настороженно позыркал по сторонам (Момус пригнулся), походил вокруг дуба, махнул рукой. Подошел Самсон Харитоныч, крепко держа за руку блаженного Паисия. На облучке остались сидеть еще двое.

Отрок подошел к дубу, поклонился ему в пояс, ткнул в условленное место:

— Тут копайте.

— Берите лопаты! — крикнул Еропкин, обернувшись к саням.

Подошли двое молодцов, поплевали на руки и давай долбить мерзлую землю. Земля поддавалась на диво легко, и очень скоро что-то там лязгнуло (поленился Момус глубоко закапывать).

— Есть, Самсон Харитоныч!

— Что есть?

— Чугунок какой-то.

Еропкин бухнулся на коленки, стал руками комья разгребать.

С трудом, кряхтя, вытянул из земли медный, зеленый от времени сосуд (это была старая, видно, еще допожарного времени кастрюля — куплена у старьевщика за полтинник). В полумраке, подхватив свет от санного фонаря, качнулось тусклое сияние.

— Золото! — ахнул Еропкин. — Много!

Сыпанул тяжелых кругляшков на ладонь, поднес к самым глазам.

— Не мои червонцы! Кузя, спичку зажги!

Прочел вслух:

— «Ан-на им-пе-ратри-ца само-дер-жица...» Клад старинный! Да тут золотых не мене тыщи!

Хотел Момус что-нибудь позаковыристей достать, с еврейскими буквами или хотя бы с арабской вязью, но больно дорого на круг выходило. Купил аннинских золотых двухрублевиков и екатерининских «лобанчиков», по двадцати целковых за штуку. Ну, тыщу не тыщу, но много купил, благо добра этого по сухаревским антикварным лавкам навалом. После пересчитает Самсон Харитоныч монеты, это уж беспременно, а число-то неслучайное, особенное, оно после сыграет.

— Плохи твои дела, Самсон, — всхлипнул отрок. — Не прощает тя Богородица, откупается.

— А? — переспросил одуревший от сияния Еропкин.

Отличная штука — когда сразу много золотых монет. На ассигнации не такая уж астрономическая сумма выходит, а завораживает. Жадного человека и вовсе разумения лишает. Момус уж не раз этим странным свойством золотишка пользовался. Сейчас главное было — не давать Еропкину передыха. Чтоб у него, живоглота, голова кругом пошла, мозга за мозгу заехала. Давай, Мими, твой бенефис!

— То ли сызнова мало дал, то ли нет тебе вобче прощения, — жалостливо произнес юродивый. — Гнить те, сироте убогому, заживо.

— Как это нет прощения? — забеспокоился Еропкин, и даже из кустов, за пять сажен, было видно, как на лбу у него заблестели капли. — Мало — дам еще. У меня денег без счета. Сколько дать-то, ты скажи!

Паисий не отвечал, раскачивался из стороны в сторону.

— Вижу. Вижу камору темну. Иконы по стенам, лампадка горит. Вижу перину пухову, подушки лебяжьи, много подушек... Под постелей темно, мрак египетский. Телец там золотой... Куль рогожный, весь бумажками набитый. От него все зло!

Немой Кузьма и мужики с лопатами придвинулись вплотную, лица у них были одурелые, а у Еропкина бритый подбородок заходил ходуном.

— Не надо Ма-атушке твоих де-енег, — странным, с подвываниями голосом пропел Божий человек (это она из «Баядерки» модуляции подпускает, сообразил Момус). — Надо ей, Заступнице, чтоб очи-истился ты. Чтоб деньги твои очистились. Грязные они, Самсон, вот и нет тебе от них счастья. Праведник их должен благословить, ручкой своей безгрешной осенить, и очистятся они. Праведник великий, человек святой, на один глаз кривой, на одну руку сухой, на одну ногу хромой.

— Где ж мне такого сыскать? — жалобно спросил Еропкин и тряхнул Паисия за тонкие плечи. — Где такой праведник?

Отрок наклонил голову, к чему-то прислушался и тихонько проговорил:

— Голос... Голос те будет... из земли... Его слушай.

А дальше Мими выкинула штуку — вдруг взяла и обычным своим сопрано затянула французскую шансонетку из оперетты «Секрет Жужу». Момус схватился за голову — увлеклась, заигралась, чертовка. Все испортила!

— Голосом ангельским запел! — ахнул один из мужиков и мелко закрестился. — На неземном языке поет, ангельском!

— По-французски это, дурак, — прохрипел Еропкин. — Я слыхал, бывает такое, что блаженные начинают на иноземных наречиях говорить, которых отродясь не знали. — И тоже перекрестился.

Паисий вдруг рухнул на землю и забился в конвульсиях, изо рта, пузырясь, полезла обильная пена.

— Эй! — испугался Самсон Харитоныч, нагибаясь. — Ты погоди с припадком-то! Что за голос? И в каком смысле святой мои деньги «очистит»? Пропадут деньги-то? Или опять вернутся с прибавкой?

Но отрок только выгибался дугой и бил ногами по холодной земле, выкрикивал:

— Голос... из земли... голос!

Еропкин обернулся к своим архаровцам, потрясенно сообщил:

— И вправду запах от него благостный, райский!

Еще бы не райский, усмехнулся Момус. Мыло парижское, «Л'аром дю паради»[1], по полтора рубля вот такусенький брикетик.

Однако паузу тянуть было нельзя — пора исполнять приготовленный аттракцион. Даром, что ли, вчера вечером битый час садовый шланг под палой листвой налаживал и землей сверху присыпал. Один конец с раструбом был сейчас у Момуса в руке, другой, тоже с раструбом, но пошире, располагался аккурат меж корней дуба. Для конспирации прикрыт сеточкой, на сеточке — мох. Система надежная, экспериментально проверенная, надо только побольше воздуху в грудь набрать.

---

[1] «Райский аромат» *(фр.)*.

И Момус расстарался — надулся, прижал трубку плотно к губам, загудел:

— В полночь... Приходи... В Варсонофьевскую часовню-ю-ю...

Убедительно получилось, эффектно, даже чересчур. От чрезмерного эффекта и вышла незадача. Когда из-под земли замогильно воззвал глухой голос, Еропкин взвизгнул и подпрыгнул, его подручные тоже шарахнулись, и самое главное было не слышно — куда деньги нести.

— ...Близ Новопименовской обители-и-и, — прогудел Момус для ясности, но одуревший Еропкин, пень тугоухий, опять недослышал.

— А? Какой обители? — боязливо спросил он у земли. Посмотрел вокруг, даже в дупло нос сунул.

Ну что ты будешь делать! Не станет же ему, глухарю, Высшая Сила по десять раз повторять. Это уж комедия какая-то получится. Момус был в затруднении.

Выручила Мими. Приподнялась с земли и тихо пролепетала:

— Варсонофьевская часовня, близ Новопименовской обители. Святой отшельник там. Ему мешок и неси. Нынче в полночь.

* * *

Про Варсонофьевскую часовню на Москве говорили нехорошее. Тому семь лет в малую завратную церковку близ въезда в Новопименовский монастырь ударила молния — крест святой своротила и колокол расколола. Ну что это, спрашивается, за храм Божий, ежели его молния поражает?

Заколотили часовню, стали обходить ее стороной и братия, и богомольцы, и просто обыватели. По ночам доносились из-за толстых стен крики и стоны жуткие, нечеловеческие. То ли кошки блудили, а каменное, подсводное эхо их визг множило, то ли происходило в часовне что похуже. Отец настоятель молебен отслужил и водой святой покропил — не помогло, только страшнее стало.

Момус это славное местечко еще перед Рождеством присмотрел, все думал — авось пригодится. И пригодилось, в самый раз.

Продумал декорацию, подготовил сценические эффекты. Гранд-Операсьон приближалась к финалу, и он обещал стать сногсшибательным.

«Пиковый валет» превзошел сам себя!» — вот как написали бы завтра все газеты, если б в России была настоящая гласность и свобода слова.

Когда малый колокол в монастыре глухо звякнул, отбивая полночь, за дверями часовни раздались осторожные шаги.

Момус представил, как Еропкин крестится и нерешительно тянет руку к заколоченной двери. Гвозди из досок вынуты, потяни — и дверь, душераздирающе заскрипев, откроется.

Вот она и открылась, но внутрь заглянул не Самсон Харитоныч, а немой Кузьма. Трусливый паук послал вперед своего преданного раба.

Чернобородый разинул рот, с плеча дохлой змеей соскользнул витой кнут.

Что ж, сказать без ложной скромности, тут было от чего рот разинуть.

Посреди четырехугольного помещения стоял грубый дощатый стол. На нем по углам, чуть подрагивая пламенем, горели четыре свечи. А на стуле, склонившись над старинной книгой в толстом кожаном переплете («Travels Into Several Remote Nations Of The World. In Four Parts. By Lemuel Gulliver, First A Surgeon, And Then A Captain Of Several Ships»[1], бристольское издание 1726 года — куплено на книжном развале за толщину и солидный вид) сидел старец в белой хламиде с длинной седой бородой и белыми, шелковистыми волосами, по лбу перехваченными вервием. Один глаз у отшельника был закрыт черной повязкой, левая рука на перевязи. Вошедшего старец будто и не заметил.

Кузьма замычал, оборачиваясь, и из-за его широченного плеча выглянула бледная физиономия Еропкина.

Тогда святой отшельник, не поднимая глаз, сказал голосом звучным и ясным:

— Иди-ка сюда, Самсон. Жду тебя. В тайной книге про тебя написано. — И ткнул пальцем в гравюру, изображавшую Гулливера в окружении гуигнгнмов.

Сторожко ступая, в часовню вошла вся честная компания: почтеннейший Самсон Харитоныч, крепко держащий за руку отрока Паисия, Кузьма и два давешних мужика, которые тащили пухлый рогожный мешок.

Старец пронзил Еропкина грозным взглядом единственного глаза из-под всклокоченной брови и вскинул десницу. Одна из свечей, повинуясь этому жесту, внезапно шикнула и погасла. Паук охнул и руку отрока выпустил — что и требовалось.

Со свечой трюк был простой, но впечатляющий. Момус сам его когда-то изобрел на случай затруднений при карточной игре: свечи с виду обычные, но фитилек внутри воска свободно скользит. Необычный фитилек, длинный, и вни-

---

[1] «Путешествия в некоторые отдаленные страны света Лемюэля Гулливера, сначала хирурга, а потом капитана нескольких кораблей, в 4 частях» *(англ.)*.

зу через щель стола продет. Левой рукой незаметно под столом дернешь, свеча и гаснет (на перевязи у Момуса, понятное дело, «кукла» висела).

— Знаю, знаю, кто ты и каков ты, — сказал отшельник с недоброй усмешкой. — Давай сюда мешок свой, кровью и слезами наполненный, клади... Да не на стол, не на книгу волшебную! — прикрикнул он на мужиков. — Под стол кидайте, чтоб я ногой хромою его попрал.

Тихонько потолкал мешок ногой — тяжелый, черт. Поди, все рублишки да трешницы. Пуда на полтора, не меньше. Но ничего, своя ноша не тянет.

Суеверен Еропкин и умом не больно востер, но мешок за здорово живешь не отдаст. Тут одних чудес мало. Психология нужна: натиск, скорость, неожиданные повороты. Не давать очухаться, задуматься, приглядеться. Эх, залетные!

Старец погрозил Еропкину пальцем, и тут же погасла вторая свеча.

Самсон Харитоныч перекрестился.

— Ты мне тут не крестись! — страшным голосом гаркнул на него Момус. — Руки отсохнут! Или не ведаешь, к кому пришел, дурень?

— Ве... ведаю, отче, — просипел Еропкин. — К отшельнику святому.

Момус, запрокинув голову, зловеще расхохотался — точь-в-точь Мефистофель в исполнении Джузеппе Бардини.

— Глуп ты, Самсон Еропкин. Ты монеты в кладе сосчитал?

— Сосчитал...

— И сколько их было?

— Шестьсот шестьдесят шесть.

— А голос тебе откуда был?

— Из-под земли...

— Кто из-под земли-то говорит, а? Не знаешь?

Еропкин в ужасе присел — видно, ноги подкосились. Хотел перекреститься, но побоялся, проворно спрятал руку за спину, да еще на мужиков оглянулся — не крестятся ли. Те не крестились, тоже тряслись.

— Нужен ты мне, Самсон. — Момус перешел на задушевный тон и чуть-чуть придвинул мешок ногой. — Мой будешь. Мне станешь служить.

Он хрустко щелкнул пальцами, погасла третья свеча, и сразу сгустилась тьма под мрачными сводами.

Еропкин попятился.

— Куда?! В камень превращу! — рыкнул Момус и опять, работая на контраст, перешел к вкрадчивости. — Да ты меня, Самсон, не бойся. Мне такие, как ты, нужны. Хочешь денег немерянных, против которых твой паршивый мешок — горстка праха? — Презрительно пнул рогожу ногой. — Мешок твой с тобой останется, не трясись. А я тебе сто таких дам, хочешь? Или мало тебе? Хочешь больше? Хочешь власти над человеками?

Еропкин сглотнул, но ничего не сказал.

— Произнеси слова Великой клятвы, и навсегда будешь мой! Согласен?!

Последнее слово Момус рявкнул так, чтоб оно как следует пометалось меж древних стен. Еропкин вжал голову в плечи и кивнул.

— Ты, Азаэль, стань от меня по левую руку, — приказал старец отроку, и тот перебежал за стол, встал рядышком.

— Как погаснет четвертая свеча, повторяйте за мной слово в слово, — наказал таинственный старец. — Да не на меня пяльтесь, вверх смотрите!

Убедившись, что все четверо будущих слуг Лукавого послушно задрали головы, Момус загасил последнюю свечу, зажмурился и толкнул Мими в бок: не смотри!

Еще раз ухнул из темноты:

— Вверх! Вверх!

Одной рукой подтянул к себе мешок, другой приготовился нажать на кнопочку.

Сверху, куда свет свечей не достигал, даже когда они еще горели, установил Момус магнезиевый «Блицлихт», новейшее германское изобретение для фотографирования. Как шандарахнет оно в кромешной тьме нестерпимым белым сиянием, так Еропкин и его головорезы минут на пять вчистую ослепнут. А тем временем веселая троица — Момочка, Мимочка и Мешочек — выскользнут в заднюю, заранее смазанную дверку.

А за ней саночки-американка, и резвый конек уж, поди, застоялся. Как рванут санки с места — ищи потом, Самсон Харитоныч, ветра в поле.

Не операция, а произведение искусства.

Пора!

Момус нажал кнопку. Что-то пшикнуло, но из-за зажмуренных век никакой вспышки не угляделось.

Надо же, чтобы именно в такой момент осечка! Вот он, хваленый технический прогресс! На репетиции все было идеально, а на премьере конфуз!

Мысленно чертыхнувшись, Момус приподнял мешок, дернул Мими за рукав. Стараясь не шуметь, попятились к выходу.

И тут треклятый «Блицлихт» проснулся: зашипел, неярко полыхнул, исторг облако белого дыма, и внутренность часовни озарилась слабеньким, подрагивающим светом. Явственно можно было разглядеть четыре застывшие фигуры по одну сторону стола, две крадущиеся по другую.

— Стой! Куда? — взвизгнул фистулой Еропкин. — Отдай мешок! Держи их, ребята, это фармазонщики! Ах, паскуды!

Момус рванулся к двери, благо и свет померк, но тут в воздухе что-то свистнуло, и тугая петля стянула горло. Чертов Кузьма со своим гнусным кнутом! Момус выпустил мешок, схватился за горло, захрипел.

— Момчик, ты что? — вцепилась в него ничего не понимающая Мими. — Бежим!

Но было поздно, грубые руки из темноты схватили за шиворот, швырнули на пол. От ужаса и невозможности глотнуть воздух Момус лишился чувств.

Когда вернулось сознание, первое, что увидел — багровые тени, мечущиеся по черному потолку, по закопченным фрескам. На полу, помигивая, горел фонарь, должно быть, принесенный из саней.

Момус сообразил, что лежит на полу, руки стянуты за спиной. Повертел головой туда-сюда, оценил обстановку. Обстановка была паршивая, хуже некуда.

Сжавшаяся в комок Мими сидела на корточках, над ней горой возвышался немой урод Кузьма, любовно поглаживал свой кнут, от одного вида которого Момуса передернуло. Саднила содранная кожа на горле.

Сам Еропкин сидел на стуле весь багровый, потный. Видно, сильно пошумел его превосходительство, пока Момус в блаженном забвении пребывал. Двое шестерок стояли на столе и что-то там прилаживали, приподнявшись на цыпочки. Момус пригляделся, усмотрел две свисающие веревки, и очень это приспособление ему не понравилось.

— Что, голуби, — душевно сказал Самсон Харитоныч, видя, что Момус очнулся, — самого Еропкина обчистить задумали? Хитры, бестии, хитры. Только Еропкин ловчее. На посмешище всей Москве меня хотели выставить? Ничего-о, — смачно протянул он. — Щас вы у меня посмеетесь.

Кто на Еропкина пасть скалит, того лютая судьба ждет, страшная. Чтоб другим неповадно было.

— Что за мелодрама, ваше превосходительство, — храбрясь, оскалился Момус. — Вам как-то даже и не к лицу. Действительный статский советник, столп благочестия. Есть ведь суд, полиция. Пусть они карают, что ж вам-то пачкаться? Да и потом, вы ведь, любезнейший, не в убытке. Кольцо старинное, золотое, вам досталось? Досталось. Клад опять же. Оставьте себе, в виде, так сказать, компенсации за обиду.

— Я те дам компенсацию, — улыбнулся Самсон Харитоныч одними губами. Глаза у него блестели неживым, пугающим блеском. — Ну что, готово? — крикнул он мужичкам.

Те спрыгнули на пол.

— Готово, Самсон Харитоныч.

— Ну так давайте, подвешивайте.

— Позвольте, в каком смысле «подвешивайте»? — возмутился Момус, когда его подняли с пола вверх ногами. — Это переходит все... Караул! Помогите! Полиция!

— Покричи, покричи, — разрешил Еропкин. — Если кто среди ночи и проходит мимо, то перекрестится да припустит со всех ног.

Мими вдруг пронзительно заверещала:

— Пожар! Горим! Люди добрые, горим!

Это она правильно рассудила — от такого крика прохожий не напугается, а на помощь прибежит или в монастырь кинется, чтоб в набат ударили. И Момус подхватил:

— Пожар! Горим! Пожар!

Но долго покричать не довелось. Мимочку чернобородый легонько стукнул кулачищем по темечку, и она, ласточка, обмякла, ткнулась лицом в пол. А Момусу вокруг горла снова обвилась обжигающая змея кнута, и вопль перешел в хрип.

Мучители подхватили связанного, заволокли на стол. Одну щиколотку привязали к одной веревке, другую к другой, потянули, и через минуту Момус буквой Y заболтался над струганными досками. Седая борода свесилась, щекоча лицо, хламида сползла вниз, обнажив ноги в узких чикчирах и сапогах со шпорами. Собирался Момус на улице сорвать седину, скинуть рубище и преобразиться в лихого гусара — поди-ка распознай в таком «отшельника».

Сидеть бы сейчас в троечке, чтоб Мимочка с одной стороны, а мешок с большими деньжищами с другой, но вместо этого, погубленный подлым германским изобретением, болтался он теперь лицом к близкой, но, увы, недосягаемой дверке, за которой были снежная ночь, спасительные санки, фортуна и жизнь.

Сзади донесся голос Еропкина:

— А скажи-ка, Кузя, за сколько ударов ты можешь его надвое развалить?

Момус завертелся на веревках, потому что ответ на этот вопрос его тоже интересовал. Извернулся и увидел, как немой показывает четыре пальца. Подумав, добавляет пятый.

— Ну, в пять-то не надо, — высказал пожелание Самсон Харитоныч. — Нам поспешать некуда. Лучше полегоньку, по чуть-чуть.

— Право слово, ваше превосходительство, — зачастил Момус. — Я уже усвоил урок и здорово напуган, честное слово. У меня есть кое-какие сбережения. Двадцать девять тысяч. Охотно внесу в виде штрафа. Вы же деловой человек. К чему отдаваться эмоциям?

— А с мальцом я после разберусь, — задумчиво и с явным удовольствием произнес Еропкин, как бы разговаривая сам с собой.

Момус содрогнулся, поняв, что участь Мими будет еще ужасней его собственной.

— Семьдесят четыре тысячи! — крикнул он, ибо ровно столько у него на самом деле и оставалось от предыдущих московских операций. — А мальчишка не виноват, он малахольный!

— Давай-ка, покажи мастерство, — велел Навуходоносор.

Хищно свистнул кнут. Момус истошно завопил, потому что между растянутых ног что-то лопнуло и хрустнуло. Но боли не было.

— Ловко портки распорол, — одобрил Еропкин. — Теперь давай малость поглубже. На полвершочка. Чтоб взвыл. И дальше валяй по стольку же, покуда на веревках две половинки не заболтаются.

Самую уязвимую, деликатную часть тела обдавало холодом, и Момус понял, что Кузьма первым, виртуозным ударом рассек рейтузы по шву, не задев тела.

Господи, если Ты есть, взмолился отроду не молившийся человек, которого когда-то звали Митенькой Саввиным. Пошли архангела или хотя бы самого захудалого ангела. Спаси, Господи. Клянусь, что впредь буду потрошить только гадов подколодных вроде Еропкина, и боле никого. Честное благородное слово, Господи.

Тут дверца отворилась. В проеме Момус сначала увидел ночь с косой штриховкой мокрого снегопада. Потом ночь отодвинулась и стала фоном — ее заслонил стройный силуэт в длинной приталенной шубе, в высоком цилиндре, с тросточкой.

По закону или по справедливости?

Уж Анисий физиономию и мылом, и пемзой, и даже песком драл — а все равно смуглота до конца не сошла. У Эраста Петровича тоже, но ему, писаному красавцу, это даже шло, получилось навроде густого загара. А у Тюльпанова ореховая мазь, полиняв, расположилась по личности островками, и стал он теперь похож на африканскую жирафу — пятнистый, тонкошеий, только вот малого росточка. Зато, нет худа без добра, начисто сошли прыщи. Совсем, будто их и не было никогда. Ну, а кожа через две-три недельки просветлится — шеф обещал. И стриженые волоса тоже отрастут, никуда не денутся.

Наутро после того, как взяли с поличным, а после упустили Валета и его сообщницу (о которой Анисий вспоминал не иначе как со вздохом и сладким замиранием в разных частях души и тела), состоялся у них с надворным советником недлинный, но важный разговор.

— Что ж, — сказал Фандорин со вздохом. — Мы с вами, Тюльпанов, опозорились, но московские г-гастроли Пикового Валета, надо полагать, на этом закончены. Что думаете делать дальше? Хотите вернуться в управление?

Анисий ничего на это не ответил и только смертельно побледнел, хоть под смуглотой было и не видно. Мысль о возвращении к жалкому курьерскому поприщу после всех удивительных приключений последних двух недель предстала перед ним во всей своей невыносимости.

— Я, разумеется, аттестую вас обер-полицеймейстеру и Сверчинскому самым лестным образом. Вы ведь не виноваты, что я оказался не на д-должной высоте. Порекомендую перевести вас в следственную или в оперативную часть — как пожелаете. Но есть у меня для вас, Тюльпанов, и другое предложение...

Шеф сделал паузу, и Анисий весь подался вперед, с одной стороны, потрясенный блестящей перспективой триумфального возвращения в жандармское, а с другой, предчувствуя, что сейчас будет высказано и нечто, еще более головокружительное.

— ...Если, конечно, вы не против того, чтобы п-постоянно работать со мной, я могу предложить вам место моего помощника. Постоянный ассистент полагается мне по должности, однако до сих пор я этим правом не пользовался, предпочитал обходиться один. Но вы меня, пожалуй, устроили бы. Вам не хватает знания людей, вы чрезмерно склонны к рефлексированию и недостаточно верите в свои силы. Но те же самые качества могут в нашем деле быть весьма полезны, если п-повернуть их в нужном направлении. Незнание людей избавляет от стереотипических оценок, да и вообще недостаток этот восполним. Колебаться перед принятием решения тоже полезно. Лишь бы потом, уже решившись, не медлить. А неверие в свои силы оберегает от шапкозакидательства и небрежностей, оно может развиться в благотворную п-предусмотрительность. Главное же ваше достоинство, Тюльпанов, состоит в том, что страх попасть в постыдное положение у вас сильнее физической боязни, а значит, в любой ситуации вы будете стараться вести себя д-достойным образом. Это меня устраивает. Да и соображаете вы совсем недурно для пяти классов реального училища. Что скажете?

Анисий молчал, утратив дар речи, и ужасно боялся шевельнуться — вдруг сейчас чудесный сон кончится, он протрет глаза и увидит свою убогую комнатенку, и мокрая Сонька хнычет, а за окном дождь со снегом, и пора бежать на службу бумажки разносить.

Как бы спохватившись, надворный советник виновато сказал:

— Ах да, я не назвал условий, покорнейше прошу извинить. Вы немедленно получите чин коллежского регистратора. Должность ваша будет называться длинно: «личный помощник чиновника для особых поручений при московском генерал-губернаторе». Жалованье — 50 рублей в месяц и какие-то там еще квартальные выплаты, точно не п-помню. Получите подъемные и казенную квартиру, ибо мне понадобится, чтоб вы жили неподалеку. Конечно, п-переезд вам может оказаться некстати, но обещаю, что квартира будет удобной и хорошо приспособленной для ваших семейных обстоятельств.

Это про Соньку, догадался Анисий и не ошибся.

— Поскольку я ...м-м... возвращаюсь к холостяцкой жизни. — Шеф сделал неопределенный жест. — Масе велено найти новую прислугу: кухарку и г-горничную. Раз уж вы будете жить по соседству, они могут обслуживать и вас.

Только бы не разреветься, в панике подумал Тюльпанов, это будет полный и окончательный конфуз.

Фандорин развел руками:

— Ну, я не знаю, чем вас еще соблазнить. Хотите...

— Нет, ваше высокоблагородие! — очнувшись, завопил Анисий. — Я ничего больше не хочу! Мне и так более чем достаточно! Я молчал не в том смысле... — Он запнулся, не зная, как закончить.

— Отлично, — кивнул Эраст Петрович. — Стало быть, мы договорились. И первое задание вам будет такое: на всякий случай, ибо береженого Бог бережет... Последите-ка недельку-другую за газетами. И еще я распоряжусь, чтобы от полицеймейстера вам ежедневно присылали на просмотр «Полицейскую сводку городских происшествий». Обращайте внимание на все примечательное, необычное, подозрительное и докладывайте мне. А вдруг этот самый Момус еще нахальнее, чем нам п-представляется?

* * *

Денька через два после этой исторической беседы, ознаменовавшей решительный поворот в Анисиевой жизни, Тюльпанов сидел за письменным столом в домашнем кабинете начальника, просматривал свои пометки в газетах и «Полицейской сводке», готовился к отчету. Был уже двенадцатый час, но Эраст Петрович еще не выходил из спальни. В последнее время он вообще что-то хандрил, был неразговорчив и интереса к тюльпановским находкам не проявлял. Молча выслушает, махнет рукой, скажет:

— Идите, Тюльпанов. На сегодня п-присутствие окончено.

Нынче к Анисию заглянул Маса — пошептаться.

— Сафсем прохо, — сказал. — Ноть не спит, дзень не кусяет, дзадзэн и рэнсю не дзерает.

— Чего не делает? — тоже шепотом спросил Анисий.

— «Рэнсю» — это... — Японец изобразил руками какие-то быстрые, рубленые движения и одним махом вскинул ногу выше плеча.

— А, японскую гимнастику, — сообразил Тюльпанов, вспомнив, что раньше по утрам, пока он читал в кабинете газеты, надворный советник и камердинер удалялись в гостиную, сдвигали столы и стулья, а после долго топали и грохотали, то и дело издавая резкие, клекочущие звуки.

— «Дзадзэн» — это вот, — объяснил далее Маса, плюхнулся на пол, подобрал под себя ноги, уставился на ножку стула и сделал бессмысленное лицо. — Поняр, Тюри-сан?

Когда Анисий отрицательно помотал головой, японец ничего больше объяснять не стал. Сказал озабоченно:

— Баба надо. С баба прохо, без баба есё худзе. Думаю, хоросий бордерь ходичь, с мадама говоричь.

Тюльпанову тоже казалось, что меланхолия Эраста Петровича связана с исчезновением из флигеля графини Адди, однако от столь радикальной меры, как обращение за помощью к хозяйке борделя, по его мнению, следовало воздержаться.

В разгар консилиума в кабинет вошел Фандорин. Был он в халате, с дымящейся сигарой в зубах. Масу послал за кофеем, у Анисия скучливо спросил:

— Ну что там у вас, Тюльпанов? Опять будете мне рекламу новых технических чудес з-зачитывать? Или, как вчера, про кражу бронзовой лиры с гробницы графа Хвостова?

Анисий стушевался, потому что и в самом деле отчеркнул в «Неделе» подозрительную рекламу, превозносившую достоинства «самоходного чудо-велосипеда» с каким-то мифическим «двигателем внутреннего сгорания».

— Отчего же, Эраст Петрович, — с достоинством возразил он, подыскивая что-нибудь повнушительней. — Вот в «Сводке» за вчерашнее число имеется любопытное сообщение. Докладывают, что по Москве ходят странные слухи о какой-то волшебной черной птице, которая слетела с небес к действительному статскому советнику Еропкину, вручила ему златое кольцо и говорила с ним человеческим голосом. При этом поминают Божьего человека, чудесного отрока, которого называют то Паисием, то Пафнутием. Тут приписка полицеймейстера: «Сообщить в Консисторию, дабы приходские священники разъяснили пастве вред суетных верований».

— К Еропкину? Черная п-птица? — удивился шеф. — К тому самому, к Самсону Харитоновичу? Странно. Очень странно. И что же, упорный слух?

— Да, тут написано, что все поминают Смоленский рынок.

— Еропкин — человек очень богатый и очень суеверный, — задумчиво произнес Эраст Петрович. — Я бы заподозрил здесь какую-нибудь аферу, но у Еропкина такая репутация, что никто из московских с ним связываться не осмелился бы. Это з-злодей и мерзавец, каких свет не видывал. Давно на него зуб точу, да жаль, Владимир Андреевич трогать не велел. Говорит, злодеев много, всех не пересажаешь, а этот щедро в городскую казну дает и на благотворительность. Так человеческим голосом птица с ним говорила? И золотое кольцо в клюве? Дайте-ка взглянуть.

Взял у Тюльпанова «Полицейскую сводку городских происшествий», стал читать отчеркнутое.

— Хм. «Во всех слухах поминается «блаженный отрок, лицом чист, златоволос и в рубахе белее снега». Где это видано, чтобы юродивый был лицом чист и в рубахе б-белее снега? И, смотрите-ка, тут еще написано: «Отнестись к сему слуху как к полной выдумке препятствует удивительное подробство деталей, обычно досужим вымыслам не свойственное». Вот что, Тюльпанов, возьмите-ка у Сверчинского пару-тройку филеров и установите негласное наблюдение за домом и выездом Еропкина. Причин не объясняйте, скажите — распоряжение его сиятельства. Валет не Валет, а какая-то хитроумная интрига здесь угадывается. Разберемся в этих святых чудесах.

Последнюю фразу надворный советник произнес на явно мажорной ноте. Известие о волшебной черной птице подействовало на Эраста Петровича чудодейственным образом. Он загасил сигару, бодро потянулся, а когда Маса внес поднос с кофейными принадлежностями, сказал:

— Ты кофей вон Тюльпанову подай. А мы с тобой что-то давненько на мечах не т-тренировались.

Японец весь просветлел, грохнул поднос на стол, так что черные брызги полетели, и опрометью кинулся вон из кабинета.

Пять минут спустя Анисий стоял у окна и, ежась, наблюдал, как во дворе, хищно переступая на чуть согнутых ногах, топчут снег две обнаженные фигуры в одних набедренных повязках. Надворный советник был строен и мускулист, Маса плотен, как бочонок, но без единой жиринки. Оба противоборца держали в руках по крепкой бамбуковой палке с круглой гардой на рукояти. Убить такой штуковиной, конечно, не убьешь, но покалечить очень даже можно.

Маса выставил вперед руки, устремив «меч» вверх, истошно завопил и скакнул вперед. Звонкий щелчок дерева о дерево, и противники опять закружили по снегу. Бр-р-р, — передернулся Анисий, отхлебнул горячего кофею.

Шеф ринулся на коротышку, и стук дубинок слился в сплошной треск, а мелькание затеялось такое, что у Тюльпанова зарябило в глазах.

Впрочем, схватка длилась недолго. Маса плюхнулся на зад, схватившись за макушку, а Фандорин стоял над ним, потирая ушибленное плечо.

— Эй, Тюльпанов! — весело крикнул он, обернувшись к флигелю. — Не хотите п-присоединиться? Я научу вас японскому фехтованию!

Нет уж, подумал Анисий, прячась за стору. Как-нибудь в другой раз.

— Не желаете? — Эраст Петрович зачерпнул пригоршню снега и с видимым наслаждением принялся втирать его в поджарый живот. — Тогда ступайте, займитесь заданием. Хватит бездельничать!

Каково, а? Как будто это Тюльпанов два дня кряду в халате просидел!

* * *

Его высокоблагородию
г-ну Фандорину

26 февраля, 2-й день наблюдения

Прошу извинения за почерк — пишу карандашом, а листок на спине агента Федорова. Доставит записку агент Сидорчук, а третьего, Лазица, я посадил дежурить в сани на случай внезапного отъезда объекта.

С объектом творится что-то непонятное.

В конторе не был ни вчера, ни сегодня. От повара известно, что со вчерашнего утра в доме живет блаженный отрок Паисий. Ест много шоколаду, говорит, что можно, что шоколад нескоромный. Нынче рано утром, еще затемно, объект куда-то ездил на санях в сопровождении Паисия и трех слуг. На Якиманке оторвался от нас и ушел в сторону Калужской заставы —

очень уж у него тройка хороша. Где был, неизвестно. Вернулся в восьмом часу, с медной старой кастрюлей, которую нес сам, на вытянутых руках. Вес, похоже, был немалый. Объект выглядел взволнованным и даже испуганным. По сведениям, полученным от повара, завтракать не стал, а заперся у себя в спальне и долго чем-то звенел. В доме шепчутся про какой-то «агромадный клад», якобы найденный хозяином. И совсем несусветное: будто бы явилась Е. не то сама Пресвятая Дева, не то неопалимая купина с ним разговаривала.

С полудня объект здесь, в церкви Смоленской Божьей Матери. Истово молится, бьет земные поклоны у Пресвятой иконы. Отрок Паисий с ним. Блаженный выглядит точно, как описано в сводке. Добавлю только, что взгляд живой, острый, не такой, как у юродивых. Приезжайте, шеф, тут что-то затевается. Сейчас отправлю Сидорчука и вернусь в церковь говеть.

Писано в пять часов сорок шесть
с половиною минут пополудни

А.Т.

Эраст Петрович появился в храме вскоре после семи, когда бесконечная «преосвященная» уже подходила к концу. До плеча уставшего от тяжелой наблюдательной службы

Тюльпанова (был он в синих очках и рыжем парике, чтоб не приняли по бритой башке за татарина) дотронулся смуглый цыган — кудреватый, в меховой поддевке и с серьгой в ухе.

— Нутко, малый, передай огонек Божий, — сказал цыган, а когда покоробленный фамильярностью Анисий принял у него свечку, шепнул голосом Фандорина:

— Еропкина вижу, а где отрок?

Тюльпанов похлопал глазами, пришел в себя и осторожно показал пальцем.

Объект стоял на коленях, бормоча молитвы и неустанно кланяясь. За ним на коленях же торчал чернобородый мужичина разбойничьего вида, но не крестился, а просто скучал, и раза два даже широко зевнул, сверкнув изрядными белыми зубами. По правую руку от Еропкина, сложив руки крестом и воздев очи горе, что-то тоненько напевал миловидный юноша. Он был в белой рубашке, но, впрочем, не такой уж белоснежной, как гласила молва — видно, давно ее не менял. Однажды Анисий углядел, как блаженный, упав на пол ничком якобы в молитвенном экстазе, быстро сунул за щеку шоколадку. Тюльпанов и сам ужасно проголодался, но служба есть служба. Даже когда отлучался донесение писать, и то не позволил себе на площади пирожка с тешой купить, а уж как хотелось.

— Вы что это цыганом? — шепотом спросил он у шефа.

— А кем, по-вашему, я могу нарядиться, когда ореховая настойка с п-портрета не сошла? Арапом что ли? Арапу у Смоленской Богоматери делать нечего.

Эраст Петрович посмотрел на Анисия с укоризной и вдруг без малейшего заикания сказал такое, что бедный Тюльпанов обмер:

— Я забыл один ваш существенный недостаток, который трудно превратить в достоинство. У вас слабая зрительная память. Вы что, не видите: этот блаженный — ваша хорошая и даже, можно сказать, интимная знакомая?

— Нет! — схватился за сердце Анисий. — Не может быть!

— Да вы на ухо взгляните. Я же вас учил, что уши у каждого человека неповторимы. Видите, такая же укороченная розовая мочка, тот же общий контур — идеальный овал, это редко бывает, и самая характерная деталь — чуть выпирающий противокозелок. Она это, Тюльпанов, она. Грузинская княжна. Значит, Валет и в самом деле еще нахальнее, чем я думал.

Надворный советник покачал головой, словно удивляясь загадкам человеческой природы. После заговорил коротко, обрывками:

— Самых лучших агентов. Непременно Михеева, Субботина, Сейфуллина и еще семерых. Шесть саней и таких лошадей, чтоб от еропкинской тройки больше не отставали. Строжайшее конспирирование по системе «кругом враги» — чтоб не только объекту, но и посторонним слежка была незаметна. Вполне вероятно, что здесь где-то болтается и сам Валет. В лицо-то ведь мы его так и не знаем, да и ушей он нам не показывал. Марш на Никитскую. Живо!

Анисий, как зачарованный, смотрел на тонкую шею «отрока», на идеально овальное ухо с каким-то там «противокозелком», и лезли в голову кандидата на классный чин мысли, для церкви и тем более для Великого Поста вовсе непозволительные.

Он встрепенулся, закрестился и стал пробираться к выходу.

Еропкин говел в церкви допоздна и домой вернулся уже после десяти. С крыши соседнего дома, где мерз филер Лацис, было видно, как во дворе стали запрягать крытый возок. Похоже, что, несмотря на ночное время, почивать Самсон Харитонович не собирался.

Но у Фандорина и Анисия все уж было готово. От дома Еропкина в Мертвом переулке выезд был в три стороны — к Успению-на-Могилках, к Староконюшенному переулку и на Пречистенку, и на каждом из перекрестков стояло по двое неприметных саней.

Возок действительного статского советника — приземистый, обитый темным сукном, — выехал из крепких дубовых ворот в одиннадцать с четвертью и двинулся в сторону Пречистенки. На козлах сидели двое крепких парней в полушубках, сзади, на запятках, расположился чернобородый.

Первые из двух саней, что дежурили у выезда на Пречистенку, не спеша тронулись следом. Сзади цепочкой пристроились остальные пять и на почтительном отдалении покатили за «нумером первым» — так на специальном жаргоне назывался передний эшелон визуального наблюдения. Сзади на «нумере первом» горел красный фонарь, который задним было видно издалека.

Эраст Петрович и Анисий ехали в легких санках, отстав от красного фонаря на полсотни саженей. Остальные «нумера» растянулись сзади вереницей. Были тут и крестьянские сани, и ямщицкая тройка, и иерейская пара, но даже самые затрапезные дровни были крепко сколочены, на стальных ободах, да и лошадки подобраны одна к одной — хоть и неказистые, но ходкие и выносливые.

Через один поворот (на набережную Москвы-реки), согласно инструкции, «нумер первый» отстал, и вперед, по сигналу Фандорина, вышел «нумер второй», а «первый» пристроился в самый хвост. Ровно десять минут по часам «второй» вел объекта, а потом свернул налево, уступив позицию «нумеру третьему».

Строгое следование инструкции в данном случае оказалось не лишним, потому что чернобородый разбойник на запятках не клевал носом, а покуривал цыгарку, и непогода ему, толстокожему, была нипочем, даже шапкой не покрыл свою косматую голову, хоть поднялся ветер и с небес лепило крупными мокрыми хлопьями.

За Яузой возок свернул влево, а «нумер третий» покатил дальше по прямой, уступив место «четвертому». Сани надворного советника при этом в чередовании «нумеров» не участвовали, держались все время на второй позиции.

Так и довели объекта до пункта следования — к стенам Новопименовского монастыря, белевшего в ночи приземистыми башнями.

Издали было видно, как от возка отделились одна, две, три, четыре, пять фигур. Последние двое что-то несли — не то мешок, не то человеческое тело.

— Труп! — ахнул Анисий. — Может, пора брать?

— Не так быстро, — ответил шеф. — Нужно разобраться.

Он расположил сани с агентами по всем стратегическим направлениям, и лишь потом поманил Тюльпанова — марш за мной.

Они осторожно приблизились к заброшенной часовне, обошли ее кругом. С противоположной стороны, у неприметной, ржавой двери обнаружились сани и привязанная к дереву лошадь. Она потянулась к Анисию мохнатой мордой и тихо, жалобно заржала — видно, застоялась на месте, соскучилась.

Эраст Петрович приложил ухо к двери, потом на всякий случай слегка потянул за скобу. Неожиданно створка приоткрылась, не издав ни единого звука. Из узкой щели забрезжило тусклым светом, и чей-то звучный голос произнес странные слова:

— Куда? В камень превращу!

— Любопытно, — прошептал шеф, поспешно прикрывая дверь. — Петли ржавые, а смазаны недавно. Ладно, подождем, что будет.

Минут через пять внутри зашумело, загрохотало, но почти сразу же снова стало тихо. Фандорин положил Анисию руку на плечо: не сейчас, рано.

Прошло еще минут десять, и вдруг женский голос истошно закричал:

— Пожар! Горим! Люди добрые, горим!

Тут же подхватил и мужской:

— Пожар! Горим! Пожар!

Анисий азартно рванулся к двери, но стальные пальцы ухватили его за хлястик шинели и притянули назад.

— Я полагаю, это пока спектакль, главное впереди, — негромко сказал шеф. — Надо дождаться финала. Дверь смазана неспроста, и лошадка томится не случайно. Мы с вами, Тюльпанов, заняли ключевую позицию. А спешить надо только в тех случаях, когда медлить никак невозможно.

Эраст Петрович наставительно поднял палец, и Анисий поневоле залюбовался бархатной перчаткой с серебряными кнопочками.

На ночную операцию надворный советник оделся франтом: длинная бобровая шуба с суконным верхом, белый шарф, шелковый цилиндр, в руке трость с набалдашником слоновой кости. Анисий был хоть и в рыжем парике, но впервые вырядился в чиновничью шинель с гербовыми пуговицами и надел новую фуражку с лаковым козырьком. Однако до Фандорина ему, что и говорить, было как воробью до селезня.

Шеф хотел сказать еще что-то, не менее поучительное, но тут из-за двери раздался такой душераздирающий, полный неподдельного страдания вопль, что Тюльпанов от неожиданности тоже вскрикнул.

Лицо Эраста Петровича напряглось, он явно не знал, ждать ли еще или это как раз тот случай, когда медлить невозможно. Он нервно дернул уголком рта и склонил голову набок, словно прислушивался к какому-то неслышному Анисию голосу. Очевидно, голос велел шефу действовать, потому что Фандорин решительно распахнул дверь и шагнул вперед.

Картина, открывшаяся взору Анисия, была поистине поразительна.

Над голым деревянным столом, раскорячив ноги, висел на двух веревках какой-то седобородый старик в гусарском мундире и сбившемся вниз белом халате. За его спиной, покачивая длинным, витым кнутом, стоял еропкинский чернобородый головорез. Сам Еропкин сидел чуть дальше, на стуле. Возле его ног лежал набитый мешок, а у стены, присев на корточки, курили двое давешних молодцов, что ехали на облучке.

Но все это Тюльпанов отметил лишь попутно, краем зрения, потому что в глаза ему сразу же бросилась хрупкая фигурка, безжизненно лежавшая вниз лицом. В три прыжка Анисий обежал стол, споткнулся о какой-то увесистый фолиант, но удержался на ногах и опустился на колени возле лежащей.

Когда он дрожащими руками перевернул ее на спину, синие глаза на бледном личике открылись, и розовые губы пробормотали:

— Какой рыжий...

Слава Богу, жива!

— Это что еще здесь за пытошный застенок? — донесся сзади спокойный голос Эраста Петровича, и Анисий выпрямился, вспомнив о долге.

Еропкин с недоумением смотрел то на щеголя в цилиндре, то на прыткого чиновничка.

— Вы кто такие? — грозно спросил он. — Сообщники? Ну-ка, Кузьма.

Чернобородый сделал рукой неуловимое движение, и к горлу надворного советника, рассекая воздух, метнулась стремительная тень. Фандорин вскинул трость, и конец кнута, неистово вращаясь, обмотался вокруг лакированного дерева. Одно короткое движение, и кнут, выдернутый из лапищи медведеобразного Кузьмы, оказался у Эраста Петровича. Тот не спеша размотал тугой кожаный хвост, бросил тросточку на стол и без видимого усилия, одними пальцами, стал рвать кнут на мелкие кусочки. По мере того как на пол отлетали все новые и новые обрывки, из Кузьмы будто воздух выходил. Он вжал лохматую башку в широченные плечи, попятился к стене.

— Часовня окружена агентами полиции, — сказал Фандорин, окончательно расправившись с кнутом. — На сей раз, Еропкин, вы ответите за произвол.

Однако сидевшего на стуле это сообщение не испугало:

— Ништо, — осклабился он. — Мошна ответит.

Надворный советник вздохнул и дунул в серебряный свисток. Раздалась высокая, режущая уши трель, и в ту же минуту в часовню с топотом ворвались агенты.

— Этих — в участок, — показал шеф на Еропкина и его подручных. — Составить протокол. Что в мешке?

— Мой мешочек, — быстро произнес Самсон Харитонович.

— Что в нем?

— Деньги, двести восемьдесят три тысячи пятьсот два рубля. Мои денежки, доход от торговли.

— Такая солидная сумма и в мешке? — холодно спросил Эраст Петрович. — Имеете под нее финансовые документы? Источники поступления? Уплачены ли подати?

— Вы, сударь, того, на минутку... В сторонку бы отойти... — Еропкин вскочил со стула и проворно подбежал к надворному советнику. — Я ведь что, без понятия разве... — И перешел на шепот. — Пускай там будет ровно двести тысяч, а остальные на ваше усмотрение.

— Увести, — приказал Фандорин, отворачиваясь. — Составить протокол. Деньги пересчитать, оприходовать, как положено. Пусть акцизное ведомство разбирается.

Когда четверых задержанных вывели, вдруг раздался бодрый, разве что чуть-чуть подсевший голос:

— Это, конечно, благородно — от взяток отказываться, но долго ли мне еще кулем висеть? У меня уж круги перед глазами.

Анисий и Эраст Петрович взяли висящего за плечи, а полностью воскресшая барышня — ее ведь, кажется, звали «Мими»? — залезла на стол и распутала веревки.

Страдальца усадили на пол. Фандорин сдернул фальшивую бороду, седой парик, и открылось ничем не примечательное, самое что ни на есть заурядное лицо: серо-голубые, близко посаженные глаза; светлые, белесые на концах волосы; невыразительный нос; чуть скошенный подбородок — все, как описывал Эраст Петрович. От прилившей крови лицо было багровым, но губы немедленно расползлись в улыбке.

— Познакомимся? — весело спросил Пиковый Валет. — Я, кажется, не имею чести...

— Стало быть, на Воробьевых горах были не вы, — понимающе кивнул шеф. — Так-так.

— На каких таких горах? — нахально удивился прохиндей. — Я — отставной гусарский корнет Курицын. Вид на жительство показать?

— П-потом, — покачав головой, молвил надворный советник. — Что ж, представлюсь снова. Я — Эраст Петрович Фандорин, чиновник особых поручений при московском генерал-губернаторе, и не большой любитель дерзких шуток. А сие мой п-помощник, Анисий Тюльпанов.

Из того, что в речи шефа вновь появилось заикание, Анисий сделал вывод, что самое напряженное позади, и позволил себе расслабиться — украдкой взглянул на Мими.

Она, оказывается, тоже на него смотрела. Легонько вздохнула и мечтательно повторила:

— Анисий Тюльпанов. Красиво. Хоть в театре выступай.

Неожиданно Валет — а это, конечно же, несмотря на казуистику, был он — развязнейшим образом подмигнул Анисию и высунул широкий, как лопата, и удивительно красный язык.

— Ну-с, господин Момус, и как же мне с вами поступить? — спросил Эраст Петрович, наблюдая, как Мими вытирает соучастнику лоб, покрытый мелкими капельками пота. — По закону или по с-справедливости?

Валет немного подумал и сказал:

— Ежели бы мы с вами, господин Фандорин, сегодня встречались не впервые, а уже имели бы некоторый опыт знакомства, я, разумеется, целиком и полностью положился бы на ваше милосердие, ибо сразу видно человека чувствительного и благородного. Вы, несомненно, учли бы перенесенные мною нравственные и физические терзания, а также неаппетитный облик субъекта, над которым я столь неудачно подшутил. Однако же обстоятельства сложились так, что я могу не злоупотреблять вашей человечностью. Сдается мне, что суровых объятий закона я могу не опасаться. Вряд ли его свинячье превосходительство Самсон Харитоныч станет подавать на меня в суд за эту невинную шалость. Не в его интересах.

— В Москве закон — его сиятельство князь Долгорукой, — в тон наглецу ответил Эраст Петрович. — Или вы, месье Валет, всерьез верите в независимость судебных инстанций? П-позвольте вам напомнить, что генерал-губернатора вы жестоко оскорбили. Да и как быть с англичанином? Город ему должен вернуть сто тысяч.

— Право не знаю, дорогой Эраст Петрович, о каком англичанине вы говорите, — развел руками спасенный. — А к его сиятельству я отношусь с искренним почтением. Глубоко чту его крашеные седины. Если же Москве нужны деньги, то вон сколько я их добыл для городской казны — целый мешок. Это Еропкин от жадности ляпнул, что денежки его, а когда поостынет — отопрется. Скажет, знать не знаю, ведать не ведаю. И пойдет сумма неизвестного происхождения на московские нужды. По-хорошему, так мне процентик полагался бы.

— Что ж, это резонно, — задумчиво произнес надворный советник. — Опять же вещи Ариадне Аркадьевне вы вернули. Да и о четках моих не забыли... Ладно. По закону, так по закону. Не пожалеете, что моей справедливостью пренебрегли?

На лице неприметного господина отразилось некоторое колебание.

— Покорнейше благодарю, но я, знаете ли, привык больше на самого себя полагаться.

— Ну, как угодно, — пожал плечами Фандорин и безо всякой паузы обронил: — Можете к-катиться к черту.

Анисий остолбенел, а Пиковый Валет поспешно вскочил на ноги, очевидно, боясь, что чиновник передумает.

— Вот спасибо! Клянусь, ноги моей в этом городе больше не будет. Да и отечество православное мне порядком прискучило. Идем, Мими, не будем надоедать господину Фандорину.

Эраст Петрович развел руками:

— А вот вашу спутницу, увы, отпустить не могу. По закону так по закону. На ней — афера с лотереей. Есть пострадавшие, есть свидетели. Тут уж встречи с судьей не избежать.

— Ой! — вскрикнула стриженая девица, и так жалобно, что у Анисия сердце защемило. — Момчик, я не хочу в тюрьму!

— Что поделаешь, девочка, закон есть закон, — легкомысленно ответил бессердечный мошенник, потихоньку отступая к двери. — Ты не бойся, я о тебе позабочусь. Пришлю самого дорогого адвоката, вот увидишь. Так я пойду, Эраст Петрович?

— Мерзавец! — простонала Мими. — Стой! Куда ты?

— Думаю в Гватемалу податься, — жизнерадостно сообщил «Момчик». — Читал в газетах, что там снова переворот. Надоела гватемальцам республика, ищут немецкого принца на престол. Может, и я пригожусь?

И, махнув на прощанье рукой, скрылся за дверью.

* * *

Суд над девицей Марьей Николаевной Масленниковой, бывшей актрисой петербургских театров, обвиняемой в мошенничестве, преступном сговоре и бегстве из-под ареста, состоялся в самом конце апреля, в ту блаженную послепасхальную пору, когда ветки пузырятся сочными почками, а по обочинам еще нестойких, но уже начавших подсыхать дорог нестройно лезет свежая травка.

Интереса у широкой публики процесс не вызвал, ибо дело было не из крупных, однако в зале заседаний все ж таки сидело с полдюжины репортеров — ходили смутные, но упорные слухи о том, что неудавшаяся лотерейная афера каким-то образом связана со знаменитыми «Пиковыми валетами», вот редакции на всякий случай и прислали своих представителей.

Анисий пришел одним из первых и занял место поближе к скамье подсудимых. Был он в изрядной ажитации, поскольку за минувшие два месяца частенько думал о веселой барышне Мими и ее несчастной судьбе. А теперь, стало быть, подошла и развязка.

Между тем, в жизни бывшего рассыльного произошло немало перемен. После того как Эраст Петрович отпустил Валета на все четыре стороны, было неприятное объяснение у губернатора. Князь пришел в неописуемую ярость, не желал ничего слушать и даже накричал на надворного советника, обозвав его «мальчишкой» и «самоуправцем». Шеф немедленно написал прошение об отставке, однако оной не получил, потому что Владимир Андреевич, охолонув, понял, от какого конфуза спасла его предусмотрительность чиновника для особых поручений. Показания Пикового Валета по делу о лорде Питсбруке выставили бы князя в неприличном свете не только перед москвичами, но и перед Высшими Сферами, где у строптивого наместника имелось немало врагов, только дожидавшихся какого-нибудь промаха с его стороны. А попасть в смешное положение — это еще хуже, чем промах, особенно если тебе семьдесят шестой год и есть охотники занять твое место.

В общем, приехал губернатор во флигель на Малую Никитскую, попросил у Эраста Петровича прощения и даже представил его к очередному Владимиру — не за Пикового Валета, конечно, а за «отлично-усердную службу и особые труды». От князевых щедрот перепало и Анисию — получил он нешуточные наградные. Хватило и обустроиться на новой квартире, и Соньку побаловать, и полный комплект обмундирования справить. Был просто Анисий, а стал его благородие, коллежский регистратор Анисий Питиримович Тюльпанов.

Вот и сегодня, на суд, явился он в новеньком, первый раз надеванном летнем вицмундире. До лета было еще далековато, но очень уж эффектно смотрелся Анисий в белом кителе с золотым кантиком на петлицах.

Когда ввели подсудимую, она сразу же обратила внимание на белый мундир, печально так улыбнулась, как старому знакомому, и села, потупив голову. Волосы у Мимочки (так про себя звал ее Анисий) еще толком не отросли и были собраны на затылке в маленький немудрящий узел. Оделась обвиняемая в простое коричневое платье и была похожа на маленькую гимназистку, угодившую на строгий педагогический совет.

Увидев, что присяжные поглядывают на скромную девушку с сочувствием, Анисий немного воспрял духом. Может, приговор будет не так уж суров?

Однако выступление прокурора повергло его в ужас. Обвинитель — розовощекий честолюбец, безжалостный карьерист — обрисовал личность Мимочки в самых безобразных красках, подробно описал всю циничную омерзительность «благотворительной лотереи» и потребовал для девицы Масленниковой трех лет каторжных работ и плюс к тому еще пяти лет поселения в не столь отдаленных местах Сибири.

Спившийся актеришка, изображавший в лотерее председателя, от суда был освобожден за малостью вины и выступал свидетелем обвинения. Похоже было, что Мимочке суждено отдуваться одной за всех. Она уронила золотую головку на скрещенные руки, беззвучно заплакала.

И Анисий принял решение. Он поедет за ней в Сибирь, найдет там какое-нибудь место и станет духовно укреплять бедняжку своей верностью и любовью. Потом, когда ее досрочно выпустят, они поженятся, и тогда... И тогда все будет очень хорошо.

А Сонька? — спросила совесть. В дом призрения сдашь родную сестру, никому не нужную инвалидку?

Нет, — ответил совести Анисий. Брошусь в ноги Эрасту Петровичу, он благородный человек, он поймет.

С Сонькой-то пока устроилось неплохо. Фандоринская новая горничная, грудастая Палаша, прикипела сердцем к убогой. Ухаживала за ней, присматривала, заплетала ей косы. Сонька даже слова стала выговаривать: «лента» и «гребешок». Авось, не покинет шеф сироту, а после Анисий ее к себе заберет, как обустроится...

Тут судья дал слово адвокату, и Тюльпанов от отчаянных мыслей временно отошел, воззрился с надеждой на присяжного поверенного.

Тот, по правде говоря, был неказист. Чернявый, с длиннющим хлюпающим носом, сутулый. Говорили, нанят неизвестным лицом в знаменитой петербургской фирме «Рубинштейн и Рубинштейн» и будто бы даже слывет докой по уголовным делам. Однако внешность защитника к себе не располагала. Когда он вышел вперед, громко чихнул в розовый платок, да еще и икнул, Анисия охватило недоброе предчувствие. Ох, поскупился подлый Момус на хорошего адвоката, прислал какого-то замухрышку, да еще еврея евреевича. Вон как юдофобы-присяжные на него набычились, ни единому слову не поверят.

Тюльпановский сосед слева, калмыцкого вида бородатый господин с кустистой бородой и в золотых очках, оглядев адвоката, покачал головой и заговорщически шепнул Анисию:

— Этот все дело провалит, вот увидите.

Защитник встал лицом к присяжным, упер руки в бока и с певучим акцентом заявил:

— Ай, господин судья и господа присяжные, вы мне можете объяснить, о чем тут толковал битый час этот человек? — он пренебрежительно ткнул большим пальцем в сторону прокурора. — Я интересуюсь узнать, из-за чего сыр-бор? На что тратятся деньги честных налогоплательщиков, таких, как мы с вами?

«Честные налогоплательщики» смотрели на развязного болтуна с явным отвращением, но поверенного это ничуть не смутило.

— Что имеет обвинение? — скептически поинтересовался он. — Некий мошенник, которого наша доблестная полиция, между нами говоря, так и не нашла, устроил аферу. Нанял эту милую, скромную барышню раздавать билеты, сказал, что деньги пойдут на благое дело. Посмотрите на эту девушку, господа присяжные. Я вас умоляю, разве можно заподозрить такое невинное существо в злодействе?

Присяжные посмотрели на обвиняемую. Анисий тоже — и вздохнул. Дело представлялось гиблым. Кто другой, может, и разжалобил бы суд, но только не этот носатый.

— Бросьте, — взмахнул рукой защитник, — она такая же пострадавшая, как остальные. Даже больше, чем остальные, потому что касса так называемой лотереи была арестована и всем, предъявившим билеты, деньги возвращены. Не портите жизнь этому юному созданию, господа присяжные, не обрекайте ее на жизнь среди преступников.

Адвокат снова чихнул и потянул из портфеля ворох каких-то бумажек.

— Слабовато, — хладнокровно прокомментировал бородатый сосед. — Засудят девчонку. Хотите на пари? — И подмигнул из-под очков.

Нашел забаву! Анисий сердито отодвинулся, готовясь к худшему.

Но защитник еще не закончил. Он ущипнул себя за козлиную, а-ля граф Биконсфильд, бороденку и добродушно приложил руку к не очень свежей рубашке:

— Примерно такую речь я произнес бы перед вами, господа присяжные, если б тут вообще было о чем говорить. Но говорить не о чем, потому что вот здесь у меня, — он потряс бумажками, — заявления от всех истцов. Они отзывают свои иски. Закрывайте процесс, господин судья. Судиться не из-за чего.

Адвокат подошел к судье и шлепнул перед ним на стол заявления.

— А вот это ловко, — азартно прошептал сосед. — Ну-ка, что прокурор?

Прокурор вскочил и закричал срывающимся от праведного негодования голосом:

— Это прямой подкуп! И я это докажу! Процесс закрывать нельзя! Это дело общественной важности!

Адвокат обернулся к кричавшему и передразнил его:

— «Прямой подкуп»! Скажите, какой Катон выискался. Да дешевле было бы вас купить, господин обвинитель. Все знают, что такса у вас невелика. У меня тут, кстати, и расписочка ваша имеется. Где она? А, вот! — Он вытащил из портфеля еще какую-то бумаженцию и сунул под нос судье. — Всего за полторы тысячи наш прокурор изменил меру пресечения брачному аферисту Брутяну, а тот взял и сбежал.

Прокурор схватился за сердце и осел на стул. В зале загалдели, а корреспонденты, до сей минуты явно скучавшие, встрепенулись и застрочили в блокнотах.

Судья зазвонил в колокольчик, растерянно глядя в компрометажную расписку, а неприятный адвокат неловко повернулся, и из его неистощимого портфеля на стол просыпалось несколько фотографических снимков.

Что там было, на этих снимках, Анисий видеть не мог, но судья вдруг сделался белее мела и уставился на карточки расширенными от ужаса глазами.

— Я прямо-таки извиняюсь, — сказал защитник, не торопясь, однако, собирать фотографии со стола. — Это к нашему сегодняшнему делу совершенно не относится. Это совсем из другого дела, о растлении мальчиков.

Анисию показалось, что слова «сегодняшнему» и «другого» присяжный поверенный странным образом подчеркнул, но, впрочем, выговор у него был своеобразный — могло и примерещиться.

— Так что, закрываем дело? — спросил адвокат, глядя судье прямо в глаза и медленно собирая снимки. — За отсутствием события преступления, а?

И через минуту процесс был объявлен завершенным.

Анисий стоял на крыльце в ужасном волнении и ждал, когда чудо-адвокат выведет оправданную.

А вот и они: Мимочка улыбается направо и налево, несчастной и жалостной более не выглядит. Адвокат, сутулясь, ведет ее под руку, а другой рукой, в которой портфель, отмахивается от репортеров.

— Ай, вы мне надоели! — сердито воскликнул он, подсаживая спутницу в фаэтон.

Анисий хотел было подойти к Мимочке, но вперед вылез давешний сосед, заинтересованный комментатор судебного процесса.

— Далеко пойдете, коллега, — сказал он носатому мимочкину спасителю, покровительственно похлопал его по плечу и зашагал прочь, увесисто постукивая тростью.

— Кто это был? — спросил Анисий у служителя.

— Как же-с, — ответил тот с безмерным почтением. — Сам Федор Никифорыч, господин Плевако.

В этот миг Мими, уже плюхнувшаяся на пружинистое сиденье, обернулась и послала Анисию воздушный поцелуй. Обернулся и адвокат. Сурово посмотрел на молодого лопоухого чиновника в белом кителе и вдруг учудил — скорчил рожу и высунул широкий ярко-красный язык.

Коляска, разгоняясь, весело загрохотала по булыжной мостовой.

— Стой! Стой!— крикнул Анисий и ринулся следом, но разве догонишь?

Да и к чему?

Декоратор

Повесть

Скверное начало

4 апреля, великий вторник, утро

Эраста Петровича Фандорина, чиновника особых поручений при московском генерал-губернаторе, особу 6 класса, кавалера российских и иностранных орденов, выворачивало наизнанку.

Тонкое, бледное до голубизны лицо коллежского советника страдальчески кривилось, одна рука, в белой лайковой с серебряными кнопочками перчатке была прижата к груди, другая судорожно рассекала воздух — этой неубедительной жестикуляцией Эраст Петрович хотел успокоить своего помощника: ничего, мол, ерунда, сейчас пройдет. Однако судя по продолжительности и мучительности спазмов это была очень даже не ерунда.

Помощнику Фандорина, губернскому секретарю Анисию Питиримовичу Тюльпанову, тощему, невзрачному молодому человеку 23 лет, никогда еще не доводилось видеть шефа в столь жалком состоянии. Тюльпанов и сам, впрочем, был несколько зелен лицом, но перед рвотным соблазном устоял и теперь втайне этим гордился. Впрочем, недостойное чувство было мимолетным и потому внимания не заслуживающим, а вот нежданная чувствительность обожаемого шефа, всегда такого хладнокровного и к сантиментам не расположенного, встревожила Анисия не на шутку.

— П-подите... — морщась и вытирая перчаткой лиловые губы, выдавил Эраст Петрович. Всегдашнее легкое заикание, память о давней контузии, от нервного расстройства заметно усилилось. — Т-туда подите... Пусть п-протокол, п-подробный... Фотографические с-снимки во всех ракурсах. И следы чтоб не за...за...затоптали...

Его снова согнуло в три погибели, но на сей раз вытянутая рука не дрогнула — перст непреклонно указывал на кривую дверь дощатого сарайчика, откуда несколькими минутами ранее коллежский советник вышел весь бледный, на подгибающихся ногах.

Идти назад, в серый полумрак, где вязко пахло кровью и требухой, Анисию не хотелось. Но служба есть служба.

Набрал в грудь побольше сырого апрельского воздуху (эх, самого бы не замутило), перекрестился и — как головой в омут.

В лачуге, использовавшейся для хранения дров, а ныне по случаю скорого окончания холодов почти опустевшей, собралось изрядное количество народу: следователь, агенты из сыскной, частный пристав, квартальный надзиратель, судебный врач, фотограф, городовые и еще дворник Климук, обнаруживший место чудовищного злодеяния — утром сунулся за дровишками, узрел, поорал сколько положено, да и побежал за полицией.

Горело два масляных фонаря, по низкому потолку колыхались неспешные тени. Было тихо, только в углу тонко всхлипывал и шмыгал носом молоденький городовой.

— Ну-с, а это у нас что? — с любопытством промурлыкал судебно-медицинский эксперт Егор Виллемович Захаров, поднимая с пола рукой в каучуковой перчатке нечто ноздреватое, иссиня-багровое. — Никак селезеночка. Вот и она, родимая. Отлично-с. В пакетик ее, в пакетик. Еще утроба, левая почка, и будет полный комплект, не считая всякой мелочи... Что это у вас, месье Тюльпанов, под сапогом? Не брыжейка?

Анисий глянул вниз, в ужасе шарахнулся в сторону и чуть не споткнулся о распростертое тело девицы Андреичкиной, Степаниды Ивановны, 39 лет. Эти сведения, равно как и дефиниция ремесла покойной, были почерпнуты из желтого билета, аккуратно лежавшего на вспоротой груди. Более ничего аккуратного в посмертном обличье девицы Андреичкиной не наблюдалось.

Лицо у ней, надо полагать, и при жизни собой не видное, в смерти стало кошмарным: синюшное, в пятнах слипшейся пудры, глаза вылезли из орбит, рот застыл в беззвучном вопле. Ниже смотреть было еще страшней. Кто-то располосовал бедное тело гулящей вдоль и поперек, вынул из него всю начинку и разложил на земле причудливым узором. Правда, Егор Виллемович успел уже почти всю эту выставку собрать и по нумерованным пакетам разложить. Осталось только черное пятно привольно растекшейся крови да мелкие лоскуты не то искромсанного, не то изорванного платья.

Леонтий Андреевич Ижицын, следователь по важнейшим делам при окружном прокуроре, присел на корточки подле врача, деловито спросил:

— Следы соития?

— Это я вам, голуба, после обрисую. Отчетец составлю и все как есть отображу. Тут, сами видите, тьма египетская и стон кромешный.

Как всякий инородец, в совершенстве овладевший русским языком, Егор Виллемович любил вставлять в свою речь разные заковыристые обороты. Несмотря на вполне обычную фамилию, был эксперт британских кровей. В царствие покойного государя приехал докторов батюшка, тоже лекарь, в Россию, прижился, а трудную для русского уха фамилию Зэкарайэс приспособил к местным условиям —

Егор Виллемович по дороге, как в пролетке ехали, сам рассказывал. По нему и видно, что не свой брат русак: долговязый, мосластый, волоса песочные, рот широкий, безгубый, подвижный, беспрестанно перегоняющий из угла в угол дрянную пеньковую трубку.

Следователь Ижицын с показным интересом, явно бравируя, посмотрел, как эксперт вертит в цепких пальцах очередной комок истерзанной плоти и саркастически поинтересовался:

— Что, господин Тюльпанов, ваш начальник все воздухом дышит? А я говорил, преотлично обошлись бы и без губернаторского надзора. Не для утонченных глаз картинка, а мы люди ко всему привычные.

Понятное дело — недоволен Леонтий Андреевич, ревнует. Шутка ли — самого Фандорина за расследованием глядеть приставили. Какому ж следователю такое понравится.

— Да что ты, Линьков, как девка! — рыкнул Ижицын на всхлипывающего полицейского. — Привыкай. Ты не для «особых поручений», стало быть, всякого еще насмотришься.

— Не приведи Господь к такому привыкнуть, — вполголоса пробурчал старший городовой Приблудько, служака старый и опытный, Анисию известный по одному третьегоднишному делу.

Так ведь и с Леонтием Андреевичем не в первый раз вместе работать приходилось. Неприятный господин — дерганый весь, беспрестанно посмеивается, а глаза колючие. Одет с иголочки, воротнички будто из алебастра, манжеты и того белее, сам всё по плечам щелкает, соринки сбивает. Честолюбец, большую карьеру делает. Только вот на минувшее Крещение у него с расследованием по духовной купца Ситникова заминка вышла. Дело было шумное, отчасти даже затрагивающее интересы влиятельных особ и потому проволочки не терпящее, ну его сиятельство князь Долгорукой и попросил Эраста Петровича помочь прокуратуре. А из шефа известно какой помощник — взял да все дело в один день распутал. Не зря Ижицын бесится. Предчувствует, что сызнова ему без лавров оставаться.

— Вроде всё, — объявил следователь. — Стало быть, так. Труп в полицейский морг, на Божедомку. Сарай опечатать и городового поставить. Агентам опросить всех окрестных жителей, да построже. Не слыхали ли, не видали ли чего подозрительного. Ты, Климук, в последний раз за дровами в одиннадцатом часу заходил, так? — спросил Леонтий Андреевич дворника. — А смерть наступила не позднее двух ночи? (Это уже эксперту Захарову). Стало быть, интересоваться промежутком с начала одиннадцатого часа до двух пополуночи. — И снова Климуку. — Ты, может, с кем говорил уже из тутошних? Не рассказывали чего?

Дворник (пегая борода веником, кустистые брови, шишковатый череп, рост два аршина четыре вершка, особая примета — бородавка посередь лба, упражнялся в составлении словесного портрета Анисий) стоял, комкал и без того до невозможности мятый картуз.

— Никак нет, ваше высокоблагородие. Нешто мы не понимаем. Дверь сарая подпер и побег к господину Приблудько. А из околотка меня уж не пущали, пока начальники не прибудут. Обыватели, они и знать ничего не знают. То есть, конечно, видеть-то видют, что полиции понаехало... Что господа полицейские прибыть изволили. А про страсть эту (дворник боязливо покосился в сторону трупа) жителям неведомо.

— Вот это мы и проверим, — усмехнулся Ижицын. — Стало быть, агенты — за работу. А вы, господин Захаров, увозите свои сокровища. И чтоб к полудню полное заключение, по всей форме.

— Господ агентов п-прошу оставаться на месте, — раздался сзади негромкий голос Эраста Петровича. Все обернулись.

Как вошел коллежский советник, когда? И дверь-то не скрипнула. Даже в полумраке было видно, что шеф бледен и расстроен, однако голос ровный и манера говорить всегдашняя — сдержанная, учтивая, но такая, что возражать не захочешь.

— Господин Ижицын, даже дворник понял, что б-болтать о происшествии не следует, — сухо сказал Эраст Петрович следователю. — Я, собственно, для того и прислан, чтобы обеспечить строжайшую секретность. Никаких опросов. Более того, всех присутствующих прошу и даже обязываю хранить об обстоятельствах дела полное молчание. Жителям объяснить, что... п-повесилась гулящая, наложила на себя руки, обычное дело. Если по Москве поползут слухи о произошедшем, каждый из вас попадет под служебное расследование, и тот, кто окажется виновен в разглашении, понесет суровое наказание. Извините, господа, но т-таковы полученные мною инструкции, и на то есть свои причины.

Городовые по знаку доктора взяли было стоявшие у стены носилки, чтобы положить на них труп, но коллежский советник поднял руку:

— П-погодите.

Он присел над убитой.

— Что это у нее на щеке?

Ижицын, уязвленный репримандом, пожал узкими плечами:

— Пятно крови. Тут, как вы могли заметить, крови в изобилии.

— Но не на лице.

Эраст Петрович осторожно потер овальное пятно пальцем — на белой перчаточной лайке остался след. С чрезвычайным, как показалось Анисию, волнением коллежский советник (а для Тюльпанова просто «шеф») пробормотал:

— Ни пореза, ни укуса.

Следователь наблюдал за манипуляциями чиновника с недоумением, эксперт Захаров с интересом.

Достав из кармана лупу, Фандорин прильнул к самому лицу жертвы, всмотрелся и ахнул:

— След губ! Господи, это след поцелуя! Не может быть никаких сомнений!

— Что же так убиваться-то? — съязвил Леонтий Андреевич. — Тут есть метки и пострашнее. — Он качнул носком штиблета в сторону раскрытой грудной клетки и зияющей ямы живота. — Мало ли что взбредет в голову полоумному.

— Ах как скверно, — пробормотал коллежский советник, ни к кому не обращаясь.

Быстрым движением сорвал запачканную перчатку, отшвырнул в сторону. Выпрямился, прикрыл глаза — и совсем тихо:

— Боже, неужели это начнется в Москве...

* * *

What a piece of work is man! how noble in reason! how infinite in faculty! in form and moving how express and admirable! in action how like an angel! in apprehension how like a god! the beauty of the world! the paragon of animals! And yet, to me, what is this quintessence of dust![1]

---

[1] Что за созданье человек! Сколь благороден рассудком! Сколь безграничен в дарованьях! Сколь выразителен и дивен в форме и движеньях! В деяньях сколь подобен ангелу, а в разуменьи Всевышнему ! Краса творенья! Всего живущего высочайший образец! И все же что за дело мне до этой квинтэссенции праха? *(англ.).*

Пускай. Пускай Принцу Датскому, существу праздному и блазированному, до человека дела нет, а мне есть! Бард прав наполовину: в людских деяниях мало ангельского, и кощунство — уподоблять разумение человека Божьему, но прекрасней человека нет ничего на свете. Да что такое дела и разумение — обман, химера, суета, воистину квинтэссенция праха. Человек — это не дело, а Тело. Даже ласкающие взор растения, самые пышные и затейливые из цветов, не идут ни в какое сравнение с великолепным устройством человеческого тела. Цветы примитивны и просты, одинаковы внутри и снаружи: что так поверни лепесток, что этак. Смотреть на цветы скучно. Где их алчным стебелькам, убого-геометричным соцветьям и жалким тычинкам до пурпура упругих мышц, эластика шелковистой кожи, серебристого перламутра желудка, грациозных извивов кишечника и таинственной асимметричности печени!

Разве сравнится монотонность окраски цветущего мака с многообразием оттенков человеческой крови — от пронзительно-алого артериального тока до царственного венозного порфира? Куда там вульгарной синеве колокольчика до нежно-голубого рисунка капилляров или осенней раскраске клена до багрянца месячных истечений! Женское тело изысканней и во сто крат интереснее мужского. Функция женского тела — не грубый труд и разрушение, а созидание и пестование. Упругая матка похожа на драгоценную раковину-жемчужницу. Идея! Надо будет как-нибудь вскрыть оплодотворенную утробу, чтобы внутри жемчужницы обнаружить созревающую жемчужину — да-да, непременно! Завтра же!

Слишком долго пришлось мне поститься, с самой масленицы. Мои губы иссохли, повторяя: «Оживи окаянное сердце мое постом страстоубийственным!» Господь добр и милостив, Он не рассердится на меня за то, что не хватило сил дотерпеть шести дней до Светлого Воскресения. В конце концов 3 апреля — не просто день, это годовщина Озарения. Тогда тоже было 3 апреля. Что по другому стилю — неважно. Главное звук, музыка слов: тре-тье ап-ре-ля.

У меня свой пост, своя и Пасха. Уж разговление, так разговление. Нет, не стану ждать до завтра. Сегодня! Да-да, устроить пир. Не насытиться, а пресытиться. Не ради себя — во славу Божию.

Ведь это Он разверз мне глаза — научил видеть и понимать истинную красоту. Больше того, раскрывать ее и являть миру. А раскрыть это все равно что сотворить. Я — подмастерье Творца.

Как сладостно разговеться после долгого воздержания. Я вспоминаю каждый сладостный миг, я знаю, что память сохранит всё вплоть до мельчайших деталей, не растеряв ни одного из зрительных, вкусовых, осязательных, слуховых и обонятельных ощущений.

Я закрываю глаза и вижу.

Поздний вечер. Мне не спится. Волнение и восторг ведут меня по грязным улицам, по пустырям, меж кривых домишек и покосившихся заборов. Я не сплю уже много ночей подряд. Давит грудь, сжимает виски. Днем я забываюсь на полчаса, на час и просыпаюсь от страшных видений, которых наяву не помню.

Я иду и мечтаю о смерти, о встрече с Ним, но знаю: умирать мне нельзя, еще рано, моя миссия не исполнена.

Голос из темноты: «Па-азвольте на полштофчика». Дребезжащий, пропитой. Оборачиваюсь и вижу гнуснейшее и безобразнейшее из человеческих существ: опустившуюся шлюху — пьяную, оборванную, но при этом гротескно размалеванную белилами и помадой.

Я брезгливо отворачиваюсь, но внезапно знакомая острая жалость пронзает мое сердце. Бедное создание, что ты с собой сделала! И это женщина, шедевр Божьего искусства! Так надругаться над собой, осквернить и опошлить дар Божий, так унизить свою драгоценную репродуктивную систему!

Ты, конечно, не виновата. Бездушное, жестокое общество вываляло тебя в грязи. Но я тебя отчищу и спасу. На душе светло и радостно.

Кто знал, что так выйдет. У меня не было намерения нарушать пост — иначе путь мой лежал бы не через эти жалкие трущобы, а через зловонные закоулки Хитровки или Грачевки, где гнездятся мерзость и порок. Но великодушие и щедрость переполняют меня, совсем немного подцвеченные нетерпеливой жаждой.

«Я тебя сейчас обрадую, милая, — говорю я. — Идем со мной».

Я в мужском платье, и ведьма думает, что нашелся покупатель на ее гнилой товар. Она хрипло смеется, пожимает плечами: «Куды идем-то? Слышь, у тебя деньга-то есть? Покорми хоть, а лучше поднеси». Бедная, заблудшая овечка.

Я веду ее за собой через темный двор, к сараям. Нетерпеливо дергаю одну дверь, другую, третья незаперта.

Счастливица дышит мне в затылок самогонным

перегаром, подхихикивает: «Ишь ты, в сарай ведет. Ишь ты, приспичило-то».

Взмах скальпеля, и я отворяю ее душе двери свободы.

Освобождение не дается без мук, это как роды. Той, кого я сейчас люблю всем сердцем, очень больно, она хрипит и грызет кляп, а я глажу ее по голове и утешаю: «Потерпи». Руки споро и чисто делают свое дело. Свет мне не нужен, мои глаза видят ночью не хуже, чем днем.

Я раскрываю оскверненную, грязную оболочку тела, душа возлюбленной сестры моей взмывает вверх, я же замираю в благоговении перед совершенством божественного механизма.

Когда я с ласковой улыбкой подношу к лицу горячий колобок сердца, оно еще трепещет, еще бьется пойманной золотой рыбкой, и я нежно целую чудесную рыбку в распахнутые губки аорты.

Место выбрано удачно, никто не мешает мне, и на сей раз гимн Красоте пропет до конца, завершенный лобзанием щеки. Спи, сестра, твоя жизнь была гадка и ужасна, твой облик оскорблял взоры, но благодаря мне ты стала прекрасной.

Взять тот же цветок. Истинная его красота видна не на лужайке и не на клумбе, о нет! Роза царственна в корсаже, гвоздика в петлице, фиалка в волосах прелестницы. Триумф цветка наступает, когда он уже срезан, настоящая его жизнь неотрывна от смерти. То же и с человеческим телом. Пока оно живет, ему не дано явить себя во всем великолепии своего восхитительного устройства. Я помогаю телу царствовать. Я садовник.

Хотя нет, садовник лишь срезает цветы, а я еще и создаю из телесных органов пьянящей красоты панно, величественную декорацию. В Англии входит в моду небывалая прежде профессия — decorator, специалист по украшению дома, витрины, праздничной улицы.

Я не садовник, я decorator.

Чем дальше, тем хуже

4 апреля, великий вторник, полдень

На чрезвычайном совещании у московского генерал-губернатора князя Владимира Андреевича Долгорукого присутствовали:

обер-полицеймейстер генерал-майор свиты его императорского величества Юровский;

прокурор московской судебной палаты действительный статский советник камергер Козлятников;

начальник сыскной полиции статский советник Эйхман;

чиновник особых поручений при генерал-губернаторе коллежский советник Фандорин;

следователь по важнейшим делам при прокуроре московской судебной палаты надворный советник Ижицын.

— Погода-то, погода какова, мерзавка, — такими словами открыл Владимир Андреевич секретное заседание. — Ведь это свинство, господа. Пасмурно, ветер, слякоть, грязь, а хуже всего, что Москва-река больше обычного разлилась. Я ездил в Замоскворечье — кошмар и ужас. На три с половиной сажени вода поднялась! Залило все аж до Пятницкой. Да и на левом берегу непорядок. По Неглинному не проехать. Ох, осрамимся, господа. Опозорится Долгорукой на старости лет!

Все присутствующие озабоченно завздыхали, у одного лишь следователя по важнейшим делам на лице отразилось некоторое изумление, и князь, отличавшийся редкостной наблюдательностью, счел возможным пояснить:

— Я вижу, вы, молодой человек... э-э... кажется, Глаголев? Нет, Букин.

— Ижицын, ваше высокопревосходительство, — подсказал прокурор, но недостаточно громко — на семьдесят девятом году жизни стал московский вице-король (называли всесильного Владимира Андреевича и так) туговат на ухо.

— Извините старика, — добродушно развел руками губернатор. — Так вот, господин Пыжицын, я вижу, вы в неведении... Вероятно, вам и по должности не положено. Но уж раз совещание... Так вот, — длинное, с вислыми каштановыми усами лицо князя обрело торжественность, — на светлую Пасху Христову первопрестольную осчастливит приездом его императорское величество. Прибудут без помпы, без церемоний — поклониться московским святыням. Велено москвичей заранее не извещать, ибо визит замыслен словно бы impromptu[1]. Что, однако же, не снимает с нас ответственности за уровень встречи и общее состояние города. Вот, к примеру, господа, получаю нынче утром послание от высокопреосвященного Иоанникия, митрополита московского. Жалуется владыка, пишет, что в кондитерских магазинах перед Святой Пасхой наблюдается форменное безобразие: витрины и прилавки сплошь уставлены конфетными коробками и бонбоньерками с изображением Тайной Вечери, Крестного Пути, Голгофы и прочего подобного. Это же кощунство, господа! Извольте-ка, милостивый государь, — обратился князь к обер-полицеймейстеру, — сегодня же издать приказ по полиции, чтобы подобные непотребства строжайше пресекались. Коробки уничтожать, содержимое передавать в Воспитательный дом. Пусть сиротки на праздник полакомятся. А лавочников еще

---

[1] Импровизированный *(фр.)*.

и штрафовать, чтоб не подводили меня под монастырь перед высочайшим прибытием!

Генерал-губернатор взволнованно поправил чуть съехавший набок кудреватый паричок, хотел еще что-то сказать, да закашлялся.

Неприметная дверца, ведшая во внутренние покои, немедленно отворилась, и оттуда, неслышно переступая полусогнутыми ногами в войлочных ботах, выкатился худущий старик с ослепительно сияющим лысым черепом и преогромными бакенбардами — личный камердинер его сиятельства Фрол Григорьевич Ведищев. Это внезапное явление никого не удивило. Все присутствующие сочли необходимым поприветствовать вошедшего поклоном или хотя бы кивком, ибо Фрол Григорьевич, невзирая на скромное свое положение, почитался в древнем городе особой влиятельной и в некотором смысле даже всемогущей.

Ведищев быстренько накапал из склянки в серебряный стаканчик какой-то микстуры, дал князю выпить и столь же стремительно исчез в обратном направлении, так ни на кого и не взглянув.

— Шпашибо, Фрол, шпашибо, голубщик, — прошамкал вслед наперснику генерал-губернатор, подвигал подбородком, чтобы челюсти встали на место, и продолжил уже безо всякого пришепетывания. — Так что пусть Эраст Петрович изволит объяснить, чем вызвана срочность настоящего совещания. Вы ведь, душа моя, отлично знаете, у меня нынче каждая минута на счету. Ну, что там у вас стряслось? Вы позаботились о том, чтобы слухи об этой пакости с расчленением не распространились среди обывателей? Этого только не хватало накануне высочайшего приезда...

Эраст Петрович встал, и взоры высших блюстителей московского правопорядка обратились на бледное, решительное лицо коллежского советника.

— Меры по сохранению т-тайны приняты, ваше сиятельство, — стал докладывать Фандорин. — Все, кто был причастен к осмотру места преступления, предупреждены об ответственности, с них взята роспись в неразглашении. Обнаруживший тело дворник как лицо склонное к неумеренному питью и за себя не ручающееся временно помещен в особую к-камеру Жандармского управления.

— Хорошо, — одобрил губернатор. — Так что ж тогда за надобность в совещании? Зачем вы просили собрать начальников следственного и полицейского ведомств? Решили бы все вдвоем с Пыжицыным.

Эраст Петрович невольно взглянул на следователя, которому удивительно шла изобретенная князем фамилия, однако в настоящую минуту коллежскому советнику было не до веселья.

— Ваше высокопревосходительство, я не п-просил вызвать господина начальника сыскной полиции. Дело настолько тревожное, что его следует отнести к разряду преступлений государственной важности, и заниматься им помимо прокуратуры должен оперативный отдел жандармерии под личным контролем господина обер-полицмейстера. Сыскную же полицию я не подключал бы вовсе, там слишком много случайных людей. Это раз.

И Фандорин сделал многозначительную паузу. Статский советник Эйхман встрепенулся было протестовать, но князь жестом велел ему молчать.

— Выходит, зря я вас обеспокоил, голубчик, — ласково сказал Долгорукой. — Вы уж идите и прижмите там своих карманников и фармазонщиков, чтоб в Светлое Воскресенье разговлялись у себя на Хитровке и упаси Боже носа оттуда не казали. Очень я на вас, Петр Рейнгардович, надеюсь.

Эйхман встал, молча поклонился, улыбнулся одними губами Эрасту Петровичу и вышел.

Коллежский советник вздохнул, отлично понимая, что отныне приобрел в начальнике московского сыска вечного врага, но дело и вправду было страшное, лишнего риска не терпящее.

— Знаю я вас, — сказал губернатор, с беспокойством глядя на своего доверенного помощника. — Если сказали «раз», значит, будет и «два». Говорите же, не томите.

— Мне очень жаль, Владимир Андреевич, но визит государя придется отменить, — произнес Фандорин весьма тихо, однако на сей раз князь отлично расслышал.

— Как «отменить»? — ахнул он.

Прочие присутствующие встретили возмутительное заявление вконец зарвавшегося чиновника более бурно.

— Да вы с ума сошли! — вскричал обер-полицеймейстер Юровский.

— Это неслыханно! — проблеял прокурор.

А следователь по важнейшим делам сказать вслух ничего не осмелился, ибо был для такой вольности недостаточного звания, но зато поджал пухлогубый рот, как бы возмущаясь безумной фандоринской выходкой.

— Как отменить? — упавшим голосом повторил Долгорукой.

Дверца, ведущая во внутренние покои, приоткрылась, и из-за створки до половины высунулась физиономия камердинера.

Губернатор с чрезвычайным волнением заговорил, торопясь и оттого глотая слоги и целые слова:

— Эраспетрович, не первый год... Вы слов на ветер... Но отменить высочайший? Ведь это скандал неслыханный! Вы же знаете, сколько я добивался... Это же для меня, для всех нас...

Фандорин нахмурил высокий чистый лоб. Ему было отлично известно, как долго и изворотливо интриговал Владимир Андреевич, добиваясь высочайшего посещения. А какие козни строила враждебная петербургская «камарилья», уже двадцать лет пытающаяся согнать старого хитреца с завидного места! Пасхальный impromptu его величества был для князя триумфом, верным свидетельством несокрушимости его положения. На следующей неделе у его сиятельства большущий юбилей — шестьдесят лет службы в офицерских чинах. По такому случаю можно и на Андрея Первозванного надеяться. И вдруг взять и самому просить об отмене!

— Все п-понимаю, ваше сиятельство, но если не отменить, будет еще хуже. Это расчленение не последнее. — Лицо коллежского советника с каждым словом делалось все мрачней. — Боюсь, что в Москву перебрался Джек Потрошитель.

И опять, как несколькими минутами ранее, заявление Эраста Петровича заставило присутствующих заговорить хором.

— Как это не последнее? — возмутился генерал-губернатор.

Обер-полицеймейстер и прокурор почти в один голос переспросили:

— Джек Потрошитель?

А Ижицын, осмелев, фыркнул:

— Бред!

— Какой такой потрошитель? — проскрипел из-за своей дверки Фрол Григорьевич Ведищев, когда естественным манером образовалась пауза.

— Да-да, что еще за Джек такой! — Его сиятельство воззрился на подчиненных с явным неудовольствием. — Все знают, один я не посвящен. И вечно у вас так!

— Это, ваше сиятельство, известный английский душегуб, который режет в Лондоне гулящих девок, — пояснил важнейший следователь.

— Если позволите, Владимир Андреевич, я расскажу п-подробно.

Эраст Петрович достал из кармана блокнот, перелистнул несколько страничек.

Князь приложил к уху ладонь, Ведищев нацепил очки с толстыми стеклами, а Ижицын иронически улыбнулся.

— Как помнит ваше сиятельство, в минувшем году я провел несколько месяцев в Англии, в связи с известным вам д-делом о пропавшей переписке Екатерины Великой. Вы, Владимир Андреевич, еще выражали неудовольствие моей затянувшейся отлучкой. Я задержался в Лондоне сверх необходимого, ибо внимательно следил за тем, как местная полиция пытается разыскать чудовищного убийцу, который в течение восьми месяцев, с апреля по декабрь минувшего года, совершил в Ист-Энде восемь зверских убийств. Убийца держался пренагло. Писал полиции записки, в которых именовал себя Jack the Ripper, то есть «Джек Потрошитель», а один раз даже прислал комиссару, ведшему расследование, половину почки, что была вырезана у жертвы.

— Вырезана? Но зачем? — удивился князь.

— Злодеяния Потрошителя п-произвели на публику столь тягостное впечатление не из-за самого факта убийств. В таком большом и неблагополучном городе как Лондон преступлений, в том числе и с кровопролитием, разумеется, хватает. Но манера, с которой Потрошитель расправлялся со своими жертвами, была поистине монструозна.

Обычно он перерезал бедным женщинам горло, а после потрошил их, как куропаток, и раскладывал вынутые внутренности наподобие кошмарного натюрморта.

— Царица небесная! — охнул Ведищев и перекрестился.

Губернатор с чувством произнес:

— Что за мерзость вы рассказываете. И что же, так негодяя и не сыскали?

— Нет, но с декабря характерные убийства прекратились. Полиция пришла к выводу, что преступник либо покончил с собой, либо... покинул пределы Англии.

— И делать ему нечего кроме как отправляться к нам в Москву, — скептически покачал головой обер-полицеймейстер. — А ежели и так, то головореза-англичанина выследить и выловить — пара пустяков.

— С чего вы взяли, что он англичанин? — обернулся к генералу Фандорин. — Все убийства совершены в лондонских трущобах, где проживает множество выходцев с европейского к-континента, в том числе и русских. Кстати говоря, английская полиция подозревала в первую очередь иммигрантов-медиков

— Отчего ж непременно медиков? — поинтересовался Ижицын.

— А оттого, что изъятие внутренних органов у жертв всякий раз п-производилось весьма искусно, с отличным знанием анатомии и к тому же, вероятнее всего, хирургическим скальпелем. Лондонская полиция была совершенно уверена, что Джек Потрошитель — врач или студент-медик.

Прокурор Козлятников поднял ухоженный белый палец, сверкнул бриллиантовым перстнем:

— Но с чего вы взяли, что девицу Андреичкину убил и расчленил непременно лондонский Потрошитель? Будто у нас своих душегубов мало! Надрался какой-нибудь сукин сын до белой горячки да и вообразил, будто с зеленым змием воюет. Сколько угодно-с.

Коллежский советник вздохнул, терпеливо ответил:

— Федор Каллистратович, вы ведь прочли отчет судебного врача. С белой г-горячки так аккуратно не препарируют, да еще «режущим предметом хирургической остроты». Это раз. Так же, как и в Ист-Энде, отсутствуют обычные для преступлений подобного рода признаки полового беспутства. Это два. Самое же зловещее — следы окровавленного поцелуя на щеке убитой, и это — три. У всех жертв Потрошителя такая кровавая печать непременно присутствовала — на лбу, на щеке, однажды на виске. Инспектор Джилсон, от которого я узнал эту подробность, не склонен был придавать ей з-значение, ибо причуд у Потрошителя было предостаточно, и куда менее невинных. Однако из тех немногих сведений, которыми криминалистика располагает о маниакальных убийцах, известно, какое значение эти злодеи придают ритуалу. В основе сериальных убийств с чертами маниакальности всегда лежит некая «идея», толкающая монстра на многократное умерщвление незнакомых людей. Я еще в Лондоне п-пытался втолковать руководителям следствия, что главная их задача — разгадать «идею» маньяка. Остальное — дело сыскной техники. То, что типические черты ритуала у Джека Потрошителя и нашего московского душегуба полностью совпадают, не вызывает ни малейших сомнений.

— И все же больно уж чудно́, — покачал головой генерал Юровский. — Чтоб Джек Потрошитель, исчезнув из Лондона, объявился в дровяном сарае на Самотеке... И потом, согласитесь, из-за смерти какой-то там проститутки отменять высочайший приезд...

Терпение у Эраста Петровича, видно, было на исходе, потому что он довольно резко сказал:

— Напомню вашему превосходительству, что дело Джека Потрошителя стоило места начальнику лондонской полиции и самому министру внутренних дел, которые слишком д-долго отказывались придавать убийствам «каких-то там проституток» должное значение. Если даже предположить, что у нас объявился свой собственный, доморощенный Ванька Потрошитель, так и от этого не легче. Раз вкусив крови, он уж не остановится. Представьте, каково это будет, если во время визита его величества убийца подкинет нам новый подарочек вроде сегодняшнего? Да еще выяснится, что это преступление не первое? Хорошенькое выйдет Светлое Воскресенье в древней столице.

Князь испуганно перекрестился, да и генерал потянулся расстегивать шитый золотом воротник.

— Истинное чудо, что нынче-то удалось замолчать этакую небывальщину. — Коллежский советник озабоченно провел рукой по щегольским черным усикам. — Да и удалось ли?

Воцарилось гробовое молчание.

— Воля ваша, Владим Андреич, — проговорила из-за дверной створки голова Ведищева, — а прав он. Пишите царю-батюшке. Так, мол, и так, конфузия у нас вышла. Себе во вред, заради вашего государева спокойствия покорнейше просим к нам в Москву не приезжать.

— Ой, Господи. — Голос губернатора жалобно дрогнул.

Ижицын поднялся и, преданно глядя на высокое начальство, подал спасительную идею:

— Ваше сиятельство, а не сослаться ли на редкостной силы половодье? Тут уж, как говорится, один Владыка Небесный виноват.

— Молодцом, Пыжицын, молодцом, — просветлел князь. — Умная голова. Так и напишу. Только б газетчики про расчленение не разнюхали.

Следователь снисходительно взглянул на Эраста Петровича и сел, но уж не так, как прежде — половинкой ягодицы на четверть стула, а вольготно, как равный среди равных.

Но облегчение, отразившееся было на лице его высокопревосходительства, почти сразу же вновь сменилось унынием.

— Не поможет! Все равно правда выплывет. Раз Эраст Петрович сказал, что это злодейство не последнее, значит, так и будет. Он у нас редко ошибается.

Фандорин бросил на губернатора подчеркнуто недоумевающий взгляд и приподнял соболиную бровь: ах вот как, стало быть, все же бывает, что и ошибаюсь?

Тут обер-полицеймейстер засопел, виновато опустил голову и пробасил:

— Не знаю, последнее ли, нет ли, а только, пожалуй, что и не первое. Мой грех, Владимир Андреевич, не придал значения, не хотел тревожить по пустякам. Сегодняшнее убийство выглядело слишком уж вызывающе, вот и решился доложить ввиду высочайшего приезда. Однако ж вспоминается мне, что в последнее время случаи зверского убиения гулящих и бродяжек женского пола пожалуй что участились. На масленой, что ли, помню, докладывали, будто на Селезневской нашли нищенку с брюхом, располосованным в лоскутья. И перед тем, на Сухаревке, гулящую обнаружили с вырезанной утробой. По нищенке и следствия не проводили — бесполезное дело, а с гулящей рассудили, что это ее «кот» по пьянке искромсал. Засадили молодца, до сих пор не признался, отпирается.

— Ах, Антон Дмитриевич, как же так! — всплеснул руками губернатор. — Если б сразу расследование учинить да Эраста Петровича нацелить, может, уж и выловили бы мерзавца! И государев визит не пришлось бы отменять!

— Так кто ж знал, ваше сиятельство, не по злому ведь умыслу. Город-то, сами знаете, какой, и народишко подлец, каждый божий день такое творит! Что ж, из-за мелочи всякой ваше высокопревосходительство беспокоить! — чуть не плачущим голосом стал оправдываться генерал и в поисках поддержки оглянулся на прокурорских, но Козлятников смотрел на полицмейстера сурово, а Ижицын укоризненно покачал головой: нехорошо-с.

Коллежский советник прервал генераловы причитания коротким вопросом:

— Где трупы?

— Где ж им быть, на Божедомке. Там всех беспутных, праздношатающихся и беспашпортных закапывают. Сначала, если есть признаки насилия, в полицейский морг везут, к Егору Виллемовичу, а после на тамошнее кладбище оттаскивают. Такой порядок.

— Эксгумацию нужно произвести, — с гримасой отвращения сказал Фандорин. — И немедленно. Проверить по спискам морга, кто из особ женского пола в последнее время — д-допустим, с Нового года — поступал со следами насильственной смерти. И эксгумировать. Проверить сходство рисунка преступления. Поискать, не было ли других сходных случаев. Земля еще не оттаяла, т-трупы должны быть в полной сохранности.

Прокурор кивнул:

— Распоряжусь. Займитесь этим, Леонтий Андреевич. — И почтительно осведомился. — А вы, Эраст Петрович, не соизволите ли поприсутствовать? Очень желательно бы и ваше участие.

Ижицын смотрел кисло — ему, кажется, участие коллежского советника было не так уж и желательно.

Фандорин же вдруг сделался бледен — вспомнил давешний постыдный приступ дурноты. Немного поборолся с собой и не совладал, проявил слабость:

— Я отряжу в помощь Леонтию Андреевичу м-моего ассистента Тюльпанова. Думаю, этого будет достаточно.

* * *

Тяжкую работу заканчивали в девятом часу вечера, уже при свете факелов.

Напоследок чернильное небо засочилось холодным, тягучим дождиком. Кладбищенский ландшафт, и без того унылый, стал до того безотраден, что впору упасть ничком в одну из раскопанных могилок, да и засыпаться матушкой-землей, только б не видеть этих грязных луж, раскисших холмиков, покосившихся крестов.

Распоряжался Ижицын. Копали шестеро: двое давешних городовых, оставленных при дознании дабы не расширять круг посвященных, двое старослужащих жандармов и двое божедомских могильщиков, без которых все равно было не обойтись. Сначала раскидывали топкую грязь лопатами, а потом, когда железо тыкалось в неоттаявшую землю, брались за кирки. Где рыть указывал кладбищенский сторож.

Согласно списку, с января нынешнего 1889 года в полицейский морг поступило 14 женских трупов с пометкой «смерть от колюще-режущих орудий». Теперь покойниц извлекали из убогих могилок и волокли обратно в морг, где их осматривали доктор Захаров и его ассистент Грумов, чахоточного вида молодой человек с козлиной, будто приклеенной бородкой и очень идущим к ней жиденьким, блеющим голосом.

Анисий Тюльпанов заглянул туда разок и решил, что больше не будет — лучше уж на ветру, под серой апрельской моросью. Однако через часок-другой, подмерзнув и отсырев, а заодно и несколько одеревенев чувствами, Анисий снова укрылся в прозекторской, сел в углу на скамеечку. Там и нашел его сторож Пахоменко, пожалел, отвел к себе чаем поить.

Славный был дядька этот сторож. Лицо доброе, бритое, от ясных, детских глаз к вискам — лучики веселых морщин. Говорил Пахоменко хорошим народным языком — заслушаешься, только частенько вставлял малороссийские словечки.

— На погосте работать — сердце надо мозолистое, — негромко говорил он, сердобольно глядя на истомившегося Тюльпанова. — Тэж всяка людына затоскует, кады ей кажный день ейный конец казать: гляди, раб божий, и тоби этак гнить. Но милостив Господь, дает копающему мозолю на длани, чтоб мясо до костей не стереть, а кто к человечьим горестям приставлен, тому сердце мозолей укрывает. Чтоб не стерлось сердце-то. И ты, паныч, попривыкнешь. Поначалу-то, я бачив, вовсе зеленый быв як лопух, а тута вон чаек пьешь и сайку снедаешь. Ништо, пообвыкнешься. Ты кушай, кушай...

Посидел Анисий с Пахоменкой, много где на своем веку побывавшим и много что повидавшим, послушал его неторопливый рассказ — про богомолье в святые места, про добрых и злых людей, и вроде как оттаял душой, укрепился волей. Можно и назад, к черным ямам, дощатым гробам, серым саванам.

Через словоохотливого сторожа, доморощенного философа, Анисию и идея открылась, которой он свое бесполезное пребывание на кладбище с лихвой окупил.

А вышло так.

Под вечер, часу в седьмом, в морг сволокли последний из четырнадцати трупов. Бодрый Ижицын, предусмотрительно нарядившийся в охотничьи сапоги и прорезиненный балахон с капюшоном, позвал вымокшего Анисия результировать эксгумацию.

В прозекторской Тюльпанов зубы стиснул, сердце мозолями укрепил и ничего, ходил от стола к столу, смотрел на нехороших покойниц, слушал резюме эксперта.

— Этих трех красоток пускай волокут обратно: нумера второй, восьмой, десятый, — небрежно тыкал пальцем Захаров. — Напутали тут, работнички. Претензии не ко мне. Я ведь сам только тех анатомирую, кто на особом контроле, а так Грумов ковыряется. Паки с зеленым змием дружен, аспид. Пишет в заключении с пьяных глаз что Бог на душу положит.

— Что вы такое говорите, Егор Виллемович, — обиженно заблеял козлобородый ассистент. — Если и позволяю себе принять горячительных напитков, то самую малость, для укрепления здоровья и расшатанных нервов. Грех вам, ей-богу.

— Да ну вас, — махнул на помощника грубый доктор и продолжил отчет. — Нумера первый, третий, седьмой, двенадцатый и тринадцатый тоже не по вашей части. Классика: «пером в бок» либо «чиркалом по сопелке». Чистая работа, никакого изуверства. Пожалуй, волоките отсюда и их. — Егор Виллемович пыхнул крепким табаком из трубки, любовно похлопал жуткую синюю бабищу по распоротому брюху. — А эту вот Василису Прекрасную и еще четверых я оставлю. Надо проверить, насколько аккуратно их шинковали, остер ли был ножик и прочее. На первый взгляд рискну предположить, что нумера четвертый и четырнадцатый — дело рук нашего знакомого. Только, видно, торопился он или спугнул кто, помешал человеку любимое дело до конца довести.

Доктор осклабился, не разжимая зубов, меж которых торчала трубка.

Анисий сверил по списку. Все точно: четвертая — это нищенка Марья Косая с Малого Трехсвятского, четырнадцатая — проститутка Зотова из Свиньинского переулка. Те самые, про кого обер-полицеймейстер говорил.

Ижицын, бесстрашный человек, словами эксперта не удовлетворился, зачем-то затеял перепроверять. Чуть не носом в зияющие раны тыкался, дотошные вопросы задавал. Анисий такому самообладанию позавидовал, никчемности своей устыдился, но дела никакого придумать для себя не смог.

Вышел на свежий воздух, где перекуривали копальщики.

— Что, паныч, не зря копали-то? — спросил Пахоменко. — Аль еще копать будем?

— Да где ж еще? — охотно откликнулся Анисий. — Уж выкопали всех. Даже странно. По всей Москве за три месяца всего десяток гулящих зарезали. А в газетах пишут, город у нас опасный.

— Тю, десяток, — фыркнул сторож. — Кажете тоже. Це ж тильки которые с хвамилиями. А которых без хвамилий привозят, тех мы в рвы складаем.

Анисий встрепенулся:

— Какие такие рвы?

— А як же, — удивился Пахоменко. — Нешто господин дохтур не казав? Пидемо, сам побачишь.

Он повел Анисия в дальний край кладбища, показал длинную яму, поверху чуть присыпанную землей.

— Це апрельский. Тильки началы. А вон мартовский, вже зарытый. — Он показал на продолговатый холмик. —

Тама вон февральский, тама январский. А допреж того не знаю, бо я тут ще не працовал. Я тута с Крещенья служу — як с Оптиной Пустыни прийшов, с богомолья. До меня тут Кузьма такой був. Сам я его не бачив. Он, Кузьма этот, на Рождество разговелся штофиком-другим, в могилку незакрытую сверзся и шею поломал. Вон каку смертю ему Господь подгадал. Мол, сторожил раб Божий могилки, от могилки и конец свой прими. Любит Он пошутить над нашим братом кладбищенским, Господь-то. Навроде дворников мы у Его. Вот могильщик наш Тишка на средн окрестную...

— И что, много безымянных во рвы закапывают? — перебил говоруна Анисий, разом забывший и про волглые сапоги, и про холод.

— Та богато. В один прошлый месяц, почитай, с дюжину, а то и поболе. Человек без имени что псина без ошейника. Хучь на живодерню тащи — никому дела немае. Кто имя потерял — вроде как вже и не людына.

— А было, чтоб среди безымянных сильно порезанные попадались?

Сторож печально покривил мягкое лицо:

— Кто ж их сердешных разглядывать-то будет? Хорошо если дьячок с Иоанна-Воина молитовку протарабанит, а то, бывает, что я, грешный, «Вечную память» спою. Ох люды, люды...

Вот тебе и следователь по особо важным, вот тебе и дотошный человек, злорадно подумал Анисий. Такое обстоятельство упустил.

Махнул сторожу рукой: извини, дядя, дело. Припустил к кладбищенской конторе бегом.

— Ну-ка, ребята, — закричал еще издалека. — Еще работа есть! Бери кирки, лопаты и давай все сюда!

Вскочил только молоденький Линьков. Старший городовой Приблудько остался сидеть, а жандармы и вовсе отвернулись. Намахались, наломались на непривычной, невместной работе, опять же начальство не свое, да и не шибко солидное. Но Тюльпанов уж ощущал себя при исполнении и заставил служивых пошевеливаться.

Не зря, как выяснилось, заставил.

* * *

Совсем поздним вечером, а можно сказать, что уже и ночью, потому как время было к полуночи, сидел Тюльпанов у шефа на Малой Никитской (славный такой флигель в шесть комнаток, с изразцовыми голландскими печами, с электрическим освещением, при телефоне), ужинал и отогревался грогом.

Грог был особенный, из японской водки сакэ, красного вина и чернослива, изготовлен по рецепту восточного человека Масахиро Сибаты, если коротко — Масы, фандоринского лакея. Впрочем, поведением и разговором японец на лакея никак не походил. С Эрастом Петровичем держался запросто, а уж Анисия и вовсе за важную персону не держал. По линии физических экзерциций Тюльпанов у Масы ходил в учениках и терпел от строгого учителя немало поношений, издевательств, а то и молотьбы, замаскированной под обучение японскому мордобою. Как только Анисий ни хитрил, как ни отлынивал от постылой басурманской премудрости, но с шефом не поспоришь. Велел Эраст Петрович овладеть приемами дзюдзюцу, так хоть в лепешку расшибись, но овладей. Только неважнецкий выходил из Тюльпанова спортсмен, преуспевал он все больше по части расшибания в лепешку.

— Утром сто раз приседаесь? — грозно спросил Маса, когда Анисий малость поел и разрозовелся от грога. — Радоська по зерезка стутись? Покази радоськи.

Ладошки Тюльпанов спрятал за спину, потому что стучать ими до тысячи раз в день по «зерезке», специальной железной палке, ленился, да и больно, знаете ли. Жесткие мозоли на ладонных ребрах никак не нарастали, и Маса за это сильно на Анисия ругался.

— Покушали? Ну вот теперь можете Эрасту Петровичу и о деле доложить, — разрешила Ангелина и прибор со стола убрала, оставила только серебряный кувшин с грогом и кружки.

Хороша Ангелина, просто загляденье: светло-русые волосы сплетены в пышную косу, уложенную на затылке сдобным кренделем, лицо чистое, белое, большие серые глаза смотрят серьезно, и будто бы свет из них некий на окружающий мир изливается. Особенная женщина, нечасто такую встретишь. Уж на Тюльпанова-то, плюгавца лопоухого, этакая лебедь ни в жизнь не взглянет. Эраст Петрович во всех отношениях кавалер хоть куда, и женщины его любят. За три года тюльпановского ассистентства уже несколько пассий одна краше другой поцарствовали-поцарствовали во флигеле на Малой Никитской да сгинули, но такой простой, ясной, светлой, как Ангелина, еще не бывало. Хорошо бы задержалась подольше. А еще лучше — осталась бы навсегда.

— Благодарствую, Ангелина Самсоновна, — сказал Анисий, провожая взглядом ее статную, высокую фигуру.

Царевна, право слово царевна, хоть и простого мещанского сословия. И вечно у шефа то царевны, то королевны. Что ж удивляться — такой уж человек.

Ангелина Крашенинникова на Малой Никитской появилась с год назад. Помог ей, сироте, Эраст Петрович в одном трудном деле, вот она и прильнула к нему. Видно, хотела отблагодарить чем могла, а кроме любви ничего у ней и не было. Теперь не очень и понятно, как тут без нее раньше обходились. Уютно стало в холостяцком жилище коллежского советника, тепло, душевно. Анисий и прежде любил здесь бывать, а теперь подавно. И шеф при Ангелине вроде как мягче стал, проще. Ему это на пользу.

— Ладно, Тюльпанов. Сыты, пьяны, т-теперь рассказывайте, что вы там с Ижицыным накопали.

Вид у Эраста Петровича был непривычно сконфуженный — совестится, понял Тюльпанов, что на эксгумацию не поехал, меня послал. Что ж, Анисий только рад, что в кои-то веки сгодился и уберег обожаемого начальника от лишних потрясений.

И то сказать, облагодетельствован шефом со всех сторон: обеспечен казенной квартирой, приличным жалованием, интересной службой. Самый большой, неоплатный долг — за сестру Соньку, убогую идиотку. Спокойна за нее Анисиева душа, потому что сам он на службе, а Сонька обихожена, обласкана, накормлена. Фандоринская горничная Палашка ее любит, балует. Теперь и жить стала у Тюльпановых. Забежит на часок-другой помочь Ангелине по хозяйству, и назад, к Соньке. Благо квартирует Тюльпанов близехонько, в Гранатном переулке.

Рапорт Анисий начал спокойно так, издалека:

— Егор Виллемович обнаружил у двух покойниц явные признаки посмертного глумления. У нищенки Марьи Косой, погибшей при невыясненных обстоятельствах 11 февраля, горло перерезано, брюшная полость вскрыта, печень отсутствует. У девицы легкого поведения Александры Зотовой, зарезанной 5 февраля (предположительно сутенером Дзапоевым), тоже рассечено горло и вырезана утроба. Еще одна — цыганка Марфа Жемчужникова, убитая неизвестно кем 10 марта, под вопросом: горло цело, живот распорот крест-накрест, но все органы на месте.

Тут Анисий случайно отвел глаза в сторону и стушевался. В дверях, приложив руку к высокой груди, стояла Ангелина и смотрела на него расширенными от ужаса глазами.

— Господи, — перекрестилась она, — что это вы, Анисий Питиримович, какие ужасы рассказываете.

Шеф недовольно оглянулся:

— Геля, иди к себе. Это не для т-твоих ушей. Мы с Тюльпановым работаем.

Красавица безропотно вышла, Анисий же взглянул на шефа с укоризной. Так-то оно так, Эраст Петрович, но помягче бы. Ангелина Самсоновна, конечно, не голубых кровей, вам не ровня, а, ей-богу, любую столбовую дворянку за пояс заткнет. Другой бы такую жемчужину в законные супруги взял, не побрезговал. Какой там — за счастье бы почел.

Но вслух ничего не высказал, не посмел.

— Следы полового сношения? — сосредоточенно спросил шеф, не придав значения тюльпановской мимике.

— Егор Виллемович определить затруднился. Хоть и мерзлая земля, а все же время-то прошло. Но главное другое!

Анисий сделал эффектную паузу и перешел к основному.

Рассказал, как по его указанию вскрыли так называемые «рвы» — общие могилы для безымянных покойников. Всего осмотрено более семидесяти мертвецов. На девяти трупах, причем из них один мужской, — несомненные следы изуверства. Картина сходна с сегодняшней: кто-то, хорошо разбирающийся в анатомии и располагающий хирургическим инструментом, изрядно поглумился над телами.

— Самое же примечательное, шеф, в том, что три обезображенных трупа извлечены из прошлогодних рвов! —

доложил Анисий и скромно присовокупил. — Это я велел на всякий случай разрыть ноябрьский и декабрьский рвы.

Эраст Петрович слушал помощника очень внимательно, а тут аж со стула вскочил:

— Как декабрьский, как ноябрьский! Это невероятно!

— Вот и я возмутился. Какова наша полиция, а? Столько месяцев этакий зверюга в Москве орудует, а мы ни слухом ни духом! Раз изгой общества зарезан, так полиции и дела нет — зарыли и до свидания. Воля ваша, шеф, а я бы на вашем месте задал по первое число и Юровскому, и Эйхману.

Но шеф что-то расстроился слишком уж сильно. Быстро прошел взад-вперед по комнате, пробормотал:

— Этого не может быть, чтоб в д-декабре, а в ноябре тем паче! Он в то время еще был в Лондоне!

Тюльпанов захлопал глазами, не уразумев, при чем здесь Лондон — с версией о Потрошителе Эраст Петрович познакомить его не успел.

Покраснев, Фандорин вспомнил, как оскорбленно взглянул он давеча на князя Долгорукого, сказавшего, что чиновник особых поручений редко ошибается.

Выходит, что ошибаетесь, Эраст Петрович, да еще как ошибаетесь.

* * *

Принятое решение осуществлено. Так быстро претворить его в жизнь мне помог промысел Божий, не иначе.

Весь день переполняло ощущение восторга и неуязвимости — после вчерашнего экстаза.

Дождь и слякоть, днем было много работы, а ус-

талости нет и в помине. Душа поет, рвется на простор, бродить по окрестным улицам и пустырям.

Снова вечер. Иду по Протопоповскому к Каланчевке. Там стоит баба, крестьянка, торгуется с извозчиком. Не сторговалась, ванька укатил, а она стоит, растерянно топчется на месте. Смотрю — а у ней огромный, раздутый живот. Беременная, и месяце на седьмом, никак не меньше. Так в сердце и ударило: вот оно, само в руки идет.

Подхожу ближе — всё сходится. Именно такая, как нужно. Грязная, толстомордая. Вылезшие брови и ресницы — очевидно, люэс. Трудно вообразить себе существо, более отдаленное от понятия Красоты.

Заговариваю. Приехала из деревни проведать мужа. Он мастеровой в Арсенале.

Все выходит до смешного просто. Говорю, что Арсенал недалеко, обещаю проводить. Она не боится, потому что сегодня я женщина. Веду пустырями к пруду Иммеровского садоводства. Там темнота и никого. Пока идем, баба жалуется мне, как трудно жить в деревне. Я ее жалею.

Привожу на берег, говорю, чтоб не боялась, что ее ждет радость. Она тупо смотрит. Умирает молча, только свист воздуха из горла и бульканье крови.

Мне не терпится раскрыть жемчужницу, и я не жду, пока судороги прекратятся.

Увы, меня ждет разочарование. Когда дрожащими от сладостного нетерпения руками я отворяю надрезанную матку, охватывает гадливость. Живой зародыш уродлив и на жемчужину ничуть не похож. Выглядит точь-в-точь как уродцы в спиртовых банках на кафедре у профессора Линца: такой же упыре-

нок. Шевелится, разевает мышиный ротик. Брезгливо отшвыриваю его в сторону.

Вывод: человек, как и цветок, должен созреть, чтобы стать красивым. Теперь ясно, почему мне никогда не казались красивыми дети — карлики с непропорционально большой головой и недоразвитой системой воспроизведения.

Московские сыщики зашевелились — вчерашняя декорация наконец известила полицейских о моем появлении. Смешно. Я хитрее и сильнее, им никогда меня не раскрыть. «Какой актер пропадает», сказал Нерон. Это про меня.

Но труп бабы и ее мышонка топлю в пруду. Ни к чему дразнить гусей, да и похвастать нечем, достойной декорации не получилось.

«Бандероря»

5 апреля, великая среда, утро

С утра пораньше Эраст Петрович заперся у себя в кабинете думать, а Тюльпанов снова отправился на Божедомку — вскрывать октябрьский и сентябрьский рвы. Сам предложил. Надо же определить, когда начал московский душегуб свои художества. Шеф возражать не стал. Что ж, сказал, съездите, а сам мыслями уже где-то далеко — дедуктирует.

Работа оказалась муторной, не в пример хуже вчерашней. Трупы, захороненные до холодов, сильно разложились и смотреть на них не было никакой человеческой возможности, а вдыхать отравленный воздух и того паче. Вырвало-таки пару раз и Анисия, не уберегся.

— Видишь, — чахло улыбнулся он сторожу, — все никак мозолями не обрасту...

— Есть такие, что навовсе не обрастают, — ответил тот, участливо качая головой. — Энтим на свете тяжельше всего проживать. Но зато их Боженька дуже любит. На-ка вот, паныч, выпей моей настоечки...

Присел Анисий на скамеечку, выпил травнику, поболтал с кладбищенским философом о том о сем, байки его послушал, о своей жизни рассказал, душой малость отмяк и снова — во рву копаться.

Только зря все — ничего полезного для расследования в старых рвах больше не нашлось.

Захаров желчно сказал:

— Дурная башка ногам покою не дает, и ладно бы еще только вашим, Тюльпанов. Не боитесь, что жандармы вас случайно киркой по темечку заденут? А я и заключение по всей форме составлю: преставился губернский секретарь собственной смертью — споткнулся, да и дурной своей головой о камень. И Грумов засвидетельствует. Надоели вы нам с вашей тухлятиной хуже горькой редьки. Правда, Грумов?

Чахоточный ассистент оскалил желтые зубы, потер запачканной перчаткой шишковатый лоб. Пояснил:

— Егор Виллемович шутят.

Но это бы еще ладно, доктор — человек циничный, грубый. Обидно, что пришлось от противного Ижицына насмешку стерпеть.

Важнейший следователь прикатил на кладбище ни свет ни заря, пронюхал как-то про тюльпановские изыскания. Сначала тревожен был, что расследование движется без его участия, а после успокоился, духом воспрял.

— Может, — говорит, — у вас с Фандориным еще какие гениальные идеи имеются? В выгребных ямах не желаете покопаться, пока я следствие веду?

И уехал, низкая душонка, победительно посмеиваясь.

* * *

В общем, вернулся Тюльпанов на Малую Никитскую не солоно хлебавши.

Вяло поднялся на крыльцо, позвонил в электрический звонок.

Открыл Маса. В белом гимнастическом костюме с черным поясом, на лбу — повязка с иероглифом «усердие».

— Дзраствуй, Тюри-сан. Давай рэнсю дерать.

Какое там рэнсю, когда от усталости и расстройства с ног валишься.

— У меня срочное донесение для шефа, — попробовал схитрить Анисий, но Масу не проведешь. Он ткнул пальцем на оттопыренные тюльпановские уши и безапелляционно заявил:

— Когда у чебя срочное донесение, у чебя граз пученый и уси красные, а сичас граз маренький и уси савсем берые. Снимай синерю, стибреты снимай, надзевай сьтаны и куртотька. Будзем бегать и критять.

Бывало, что за Анисия заступалась Ангелина, только она и могла отразить натиск чертова японца, но ясноокой хозяйки было не видно, и тиран заставил бедного Тюльпанова переодеться в гимнастическую форму прямо в прихожей.

Вышли во двор. Зябко прыгая с ноги на ногу — земля-то холодная, — Анисий помахал руками, поорал «о-осу!», укрепляя прану, а после началось издевательство. Маса запрыгнул ему сзади на плечи и велел бегать по двору кругами. Росточка японец был небольшого, но коренаст, плотно сбит, и весу в нем имелось пуда четыре с половиной, никак не меньше. Тюльпанов два круга кое-как пробежал и стал спотыкаться. А мучитель в ухо приговаривает:

— Гаман! Гаман!

Самое любимое его слово. «Терпение» значит.

Гамана у Анисия хватило еще на полкруга, а после он рухнул. Не без задней мысли — прямо перед большой грязной лужей, чтоб идолище поганое через него перелетело и немножко искупалось. Маса через упавшего перелететь перелетел, но в лужу не шлепнулся — только руки окунул. Спружинил пальцами, сделал в воздухе невозможное сальто и приземлился на ноги уже по ту сторону водного препятствия.

Безнадежно покачал круглой башкой, махнул:

— Радно, идзи, мойся.

Анисия со двора как ветром сдуло.

Отчет помощника (смывшего грязь, переодевшегося и причесавшегося) Фандорин выслушал у себя в кабинете, стены которого были увешаны японскими гравюрами, оружием и гимнастическими снарядами. Невзирая на послеполуденный час, коллежский советник был еще в халате. Отсутствию результата он ничуть не огорчился, а скорее даже обрадовался. Впрочем, особенного удивления не выразил.

Когда ассистент замолчал, Эраст Петрович прошелся по комнате, поигрывая любимыми нефритовыми четками, и произнес фразу, от которой у Анисия всегда сладко сжималось сердце:

— Итак, д-давайте рассуждать.

Шеф щелкнул зеленым каменным шариком, покачал кистями халата.

— Не думайте, что на кладбище вы прокатились зря, — начал он.

С одной стороны слышать это было отрадно, с другой стороны слово «прокатились» применительно к утренним испытаниям показалось Анисию не вполне точным.

— Для верности нужно было убедиться, что ранее ноября случаев с потрошением жертв не н-наблюдалось. Ваше вчерашнее сообщение о том, что два искромсанных трупа найдены в декабрьской общей могиле и один в ноябрьской, поначалу заставили меня усомниться в версии о переезде Потрошителя в Москву.

Тюльпанов кивнул, так как накануне был подробнейшим образом посвящен в кровавую историю британского монстра.

— Однако же сегодня, вновь п-просмотрев свои лондонские записи, я пришел к выводу, что от этой гипотезы отказываться не следует. Вам угодно знать почему?

Анисий снова кивнул, отлично зная, что сейчас его дело — помалкивать и не мешать.

— Извольте.

Шеф взял со стола блокнот.

— Последнее убийство, приписываемое пресловутому Джеку, произошло 20 декабря на Поплар-Хай-стрит. Наш московский Потрошитель к этому времени уже вовсю поставлял свою кошмарную п-продукцию на Божедомку, что вроде бы исключает возможность сведения английского и русского душегубов к одной персоне. Однако у проститутки Роуз Майлет, убитой на Поплар-Хай-стрит, горло перерезано не было и вообще отсутствовали обычные для Джека следы глумления. Полиция решила, что убийцу спугнули поздние прохожие. Я же, в свете вчерашнего открытия, готов предположить, что Потрошитель вовсе не имел к-касательства к этой смерти. Возможно, эту Майлет убил кто-то другой, а всеобщая истерия, охватившая Лондон после предшествующего убийства, заставила приписать новое убийство проститутки тому же маньяку. Теперь о предшествующем убийстве, приключившемся 9 ноября.

Фандорин перелистнул страничку.

— Это уж несомненная работа Джека. Проститутка Мери Джейн Келли была найдена у себя в каморке на Дорсет-стрит, где обычно принимала к-клиентов. Горло перерезано, груди отсечены, мягкие ткани на бедрах сняты, внутренние органы аккуратно разложены на кровати, желудок вскрыт — есть предположение, что убийца питался его содержимым.

Анисия снова замутило, как давеча на кладбище.

— На виске знакомый нам по Андреичкиной кровавый отпечаток губ...

Тут Эраст Петрович прервал свои рассуждения, потому что в кабинет вошла Ангелина: в сером, невидном платье, в черном платке, на лоб свешивались русые пряди — видно, их вытянул свежий ветер. По-разному одевалась подруга шефа — бывало, что и дамой, но больше любила наряды простые, русские, вроде сегодняшнего.

— Работаете? Помешаю? — спросила она, устало улыбаясь.

Тюльпанов вскочил и поспешил сказать раньше шефа:

— Что вы, Ангелина Самсоновна, мы очень рады.

— Да-да, — кивнул Фандорин. — Ты из больницы?

Красавица сняла с плеч платок, заколола непослушные волосы.

— Сегодня интересно было. Доктор Блюм учил нас вырезать чиреи. Это, оказывается, вовсе не трудно.

Анисий знал, что Ангелина, светлая душа, ходит в Штробиндеровскую лечебницу, что в Мамоновом переулке, облегчать муки страждущих. Сначала им гостинцы носила, Библию читала, а потом ей этого мало показалось. Захотела настоящую пользу приносить, на сестру милосердную выучиться. Эраст Петрович отговаривал, но Ангелина настояла на своем.

Святая женщина, на таких вся Русь держится: молитва, помощь ближним и любящее сердце. Вроде в грехе живет, но не пристает к ней нечистота. Да и не виновата она, что угодила в невенчаные жены, вновь, уж в который раз, осердился на шефа Анисий.

Фандорин поморщился:

— Ты вырезала ч-чиреи?

— Да, — радостно улыбнулась она. — Двум нищим старушкам. Сегодня ведь среда, день бесплатного приема. Вы не думайте, Эраст Петрович, у меня хорошо вышло, и доктор похвалил. Я уж много что умею. А после старушкам этим «Книгу Иова» читала, для душевного укрепления.

— Ты б им лучше денег дала, — досадливо произнес Эраст Петрович. — А твоя книга и твои заботы им не нужны.

Ангелина ответила:

— Денег я дала, по полтинничку. А заботы эти мне нужнее, чем им. Больно уж счастливо живу я с вами, Эраст Петрович. Совестно мне от этого. Счастье — хорошо, но только грех в счастьи про несчастных забывать. Помогай им, взирай на язвы их и помни, что счастье твое — дар Божий, оно редко кому на этом свете достается. Вы думаете, зачем вокруг дворцов и хоромов столько нищих и убогих жмется?

— Понятно, зачем. Там подают б-больше.

— Нет, бедные лучше богатых подают. А это Господь счастливым несчастных показывает: помните, что в мире горя много, и сами от горя не зарекайтесь.

Эраст Петрович вздохнул и отвечать сожительнице не стал. Видно, не нашелся. Повернулся к Анисию, четками тряхнул.

— П-продолжим. Итак, я исхожу из того, что последним английским преступлением Джека Потрошителя было убийство Мери Джейн Келли, совершенное 9 ноября, а к делу 20 декабря он непричастен. 9 ноября — это по русскому стилю еще конец октября, так что Потрошитель имел достаточно времени, чтобы перебраться в Москву и пополнить ж-жертвой своего извращенного воображения ноябрьский ров на Божедомке. Согласны?

Анисий кивнул.

— В-велика ли вероятность, что в одно и то же время в Европе появились два маньяка, действующих по совершенно одинаковому, до мелочей совпадающему сценарию?

Анисий мотнул головой.

— Тогда последний вопрос, прежде чем мы приступим к делу. Д-достаточно ли мала только что упомянутая мною вероятность, чтобы целиком сосредоточиться на основной версии?

Два кивка столь энергичных, что качнулись знаменитые тюльпановские уши.

Анисий затаил дыхание, зная, что сейчас на его глазах произойдет чудо: из ничего, из тумана и морока, возникнет стройная версия — с методикой поиска, планом следственных действий, а возможно, что и с конкретными подозреваемыми.

— Подведем итоги. Джек Потрошитель по какой-то, пока неизвестной нам причине перебрался в Москву и весьма решительно взялся за изведение здешних проституток и нищенок. Это раз. — Для вящей убедительности шеф щелкнул четками. — Прибыл он сюда в ноябре минувшего г-года. Это два (щелк!). Все последние месяцы находился в городе, и если отлучался, то ненадолго. Это три (щелк!). Он медик или изучал медицину, ибо владеет хирургическим инструментом, умеет им п-пользоваться и имеет навыки анатомирования. Это четыре.

Последний щелчок, и шеф спрятал четки в карман халата, что свидетельствовало о переходе расследования из теоретической стадии в практическую.

— Как видите, Тюльпанов, задача выглядит не столь уж сложной.

Анисий пока этого не видел и потому от кивка воздержался.

— Ну как же, — удивился Эраст Петрович. — Достаточно проверить тех, кто прибыл в нужный нам период из Англии в Россию и поселился в Москве. Причем не всех, а лишь тех, кто так или иначе связан либо прежде был связан с медициной. Т-только и всего. Вы удивитесь, когда узнаете, как узок круг поиска.

В самом деле, как просто! Москва не Петербург, сколько медиков могло прибыть в первопрестольную из Англии в ноябре месяце?

— Так давайте скорей проверим регистрацию приезжающих по всем полицейским частям! — Анисий вскочил, готовый немедленно взяться за дело. — Всего-то двадцать четыре запроса! Там в регистрационных книгах мы его, голубчика, и обнаружим!

Ангелина хоть и пропустила начало речи Эраста Петровича, но потом слушала очень внимательно и задала резонный вопрос:

— А если этот ваш душегуб приехал и в полиции не отметился?

— Маловероятно, — ответил шеф. — Это человек обстоятельный, подолгу живущий на одном месте, с-свободно путешествующий по Европе. Зачем ему зря рисковать, нарушая установления закона? Он ведь не политический террорист, не беглый каторжник, а маньяк. У маньяков вся агрессивность в их болезненную «идею» уходит, на прочую деятельность сил не остается. Обычно это тихие, неприметные людишки, никогда и не подумаешь, что у них в г-голове ад кромешный... Да вы сядьте, Тюльпанов. Никуда бежать не нужно. Чем я, по-вашему, занимался все утро, пока вы покойников т-тревожили?

Он взял с письменного стола несколько листков, исписанных казенным писарским почерком.

— Телефонировал ч-частным приставам и попросил доставить мне регистрационные сведения обо всех приезжих, кто прибыл в Москву прямо из Англии либо через любой п-промежуточный пункт. На всякий случай взял не только ноябрь, но и декабрь — для предосторожности: вдруг Роуз Майлет все-таки убил наш Потрошитель, а ваша ноябрьская находка, наоборот, — дело рук какого-нибудь туземного головореза. Трудно д-давать точное патологоанатомическое заключение по телу, которое пролежало в земле, хоть бы даже и мерзлой, целых пять месяцев. Вот два декабрьских трупа — это уже серьезно.

— Резонно, — согласился Анисий. — Ноябрьская покойница и в самом деле была не того... Егор Виллемович даже не хотел в ней копаться, говорил, профанация. Земля в ноябре еще не очень промерзла, труп-то и подгнил. Ой, извините, Ангелина Самсоновна! — испугался Тюльпанов излишнего натурализма, но, кажется, зря — Ангелина в обморок падать не собиралась, ее серые глаза смотрели все так же серьезно и внимательно.

— Вот видите. Но даже и за д-два месяца к нам из Англии прибыли всего тридцать девять человек, включая между прочим и нас с Ангелиной Самсоновной. Но нас, с вашего позволения, я учитывать не с-стану. — Эраст Петрович улыбнулся. — Из остальных двадцать т-три пробыли в Москве недолго и потому интереса для нас не представляют. Остаются четырнадцать, из коих к медицине имеют отношение только трое.

— Ага! — хищно вскричал Анисий.

— Естественно, первым п-привлек мое внимание доктор медицины Джордж Севилл Линдсей. За ним, как и за всеми иностранцами, негласно приглядывает Жандармское управление, так что навести справки оказалось проще простого. Увы, мистер Линдсей нам не подходит. Выяснилось, что перед приездом в Россию он пробыл на родине всего полтора месяца. Ранее же с-служил в Индии, вдали от лондонского Ист-Энда. Получил место в Екатерининской больнице, потому и прибыл к нам сюда. Остаются двое, оба русские. Мужчина и женщина.

— Женщина такого сотворить не могла, — твердо сказала Ангелина. — И среди нашей сестры всякие изверги бывают, но ножом животы кромсать — большая сила нужна. Да и не любим мы, женщины, крови-то.

— Тут речь идет об особенном существе, не похожем на обычных людей, — возразил ей Фандорин. — Это и не мужчина, и не женщина, а вроде как т-третий пол, или, выражаясь по-простонародному, нелюдь. Женщин ни в коем случае исключать нельзя. Среди них попадаются и физически крепкие. Не г-говоря уж о том, что при известном навыке работы со скальпелем особенная сила не нужна. Вот, к примеру, — он заглянул в листок. — Повивальная бабка Несвицкая Елизавета Андреевна, 28 лет, девица, прибыла из Англии через Санкт-Петербург 19 ноября. Необычная личность. Семнадцати лет по политическому делу п-просидела два года в крепости, затем в административном порядке отправлена на поселение в Архангельскую губернию. Б-бежала за границу, окончила медицинский факультет Эдинбургского университета. Ходатайствовала о дозволении вернуться на родину. Вернулась. Ее прошение о признании врачебного диплома действительным рассматривается министерством внутренних дел, пока же Несвицкая устроилась повивальной бабкой во вновь открытую Морозовскую гинекологическую больницу. Находится под негласным надзором полиции. По агентурным сведениям, Несвицкая, невзирая на неподтвержденное врачебное звание, ведет прием пациентов из числа неимущих. Больничное начальство смотрит сквозь пальцы и д-даже втайне поощряет — возиться с неимущими мало кому охота. Вот сведения, которыми мы располагаем о Несвицкой.

— Во время лондонских преступлений Потрошителя находилась в Англии, это раз, — стал резюмировать Тюльпанов. — Во время московских преступлений находилась в Москве, это два. Медицинскими навыками обладает, это три. Личность, судя по всему, специфическая и отнюдь не женского склада, это четыре. Несвицкую снимать со счетов никак нельзя.

— Именно. А к-кроме того, не будем забывать, что и в лондонских убийствах, и в убийстве девицы Андреичкиной отсутствуют следы полового вмешательства, обычные, когда маньяком является мужчина.

— А второй кто? — спросила Ангелина.

— Иван Родионович Стенич. Тридцати лет, б-бывший студент медицинского факультета Московского императорского университета. Семь лет назад отчислен «за безнравственность». Черт его знает, что имелось в виду, но по нашему профилю вроде бы годится. Переменил несколько занятий, лечился от д-душевного недуга, путешествовал по Европе. В Россию прибыл из Англии, 11 декабря. С Нового года служит милосердным братом в больнице для умалишенных «Утоли мои печали».

Тюльпанов хлопнул ладонью по столу:

— Чертовски подозрителен!

— Таким образом, подозреваемых у нас д-двое. Если оба к делу непричастны, займемся линией, которую предложила Ангелина Самсоновна, — о том, что Джек Потрошитель прибыл в Москву, сумев избежать полицейского ока. И лишь убедившись, что и это исключено, мы откажемся от основной версии и станем разыскивать доморощенного Ваню Потрошителя, в Ист-Энде отроду не бывавшего. Согласны?

— Да, только это тот самый Джек, а никакой не Ваня, — убежденно заявил Анисий. — Всё сходится.

— Кем предпочитаете заняться, Тюльпанов, — милосердным братом или повивальной бабкой? — спросил шеф. — Даю вам право выбора как мученику эксгумации.

— Раз этот самый Стенич служит в психической лечебнице, у меня есть отличный предлог с ним познакомиться — Сонька, — изложил Анисий соображение вроде бы вполне резонное, но подсказанное не столько холодной логикой, сколько азартом — все-таки мужчина, да еще с душевным недугом, в качестве Потрошителя смотрелся перспективней, чем беглая революционерка.

— Ну что ж, — улыбнулся Эраст Петрович. — Отправляйтесь в Лефортово, а я на Девичье Поле, к Несвицкой.

Однако и бывшим студентом, и повивальной бабкой пришлось заниматься Анисию, потому что в этот самый миг затрезвонил дверной звонок.

Вошел Маса, доложил:

— Посьта.

И уточнил, с удовольствием произнося трудное, звучное слово:

— Бандероря.

«Бандероря» была небольшой. На серой оберточной бумаге скачущим, небрежным почерком размашистая надпись: «Его высокоблагородию коллежскому советнику Фандорину в собственные руки. Срочно и сугубо секретно».

Тюльпанову стало любопытно, но шеф развернул бандероль не сразу.

— Принес п-почтальон? Что-то адрес не написан.

— Нет, марьсиська. Сунур и убедзяр. Надо поймачь? — встревожился Маса.

— Раз убежал, уж не п-поймаешь.

Под оберткой оказалась бархатная коробочка, перевязанная красной атласной лентой. В коробочке — круглая лаковая пудреница. В пудренице, на салфетке, что-то желтое, рельефное. Анисию в первый миг показалось — лесной гриб волнушка. Пригляделся — ойкнул.

Человеческое ухо.

* * *

По Москве поползли слухи.

Якобы завелся в городе оборотень. Кто из баб ночью из дому нос высунет, оборотень тут как тут. Крадется тихо-тихо, из-за забора красным глазом высверкивает, и тут, если вовремя молитву святую не прочесть, конец душе христианской — выпрыгивает и первым делом зубьями в глотку, а после брюхо на клочки рвет, требухой лакомится. И будто бы уже загрыз этот оборотень баб видимо-невидимо, да только начальство от народа утаивает, потому царя-батюшку боится.

Так сегодня говорили на Сухаревской толкучке.

Это про меня, это я оборотень, который у них тут завелся. Смешно. Такие, как я, не «заводятся», их присылают со страшной или с радостной вестью. Меня, московские обыватели, прислали к вам с радостной.

Некрасивый город и некрасивые люди, я сделаю вас прекрасными. Всех не смогу, не взыщите. Не хватит сил. Но многих, многих.

Я люблю вас со всеми вашими мерзостями и уродствами. Я желаю вам добра. У меня хватит любви на всех. Я вижу Красоту под вшивыми одежками, под коростой немытого тела, под чесоткой и сыпью. Я ваш спаситель, я ваша спасительница. Я вам брат и сестра, отец и мать, муж и жена. Я и женщина, и мужчина. Я андрогин, тот самый прекрасный пращур человечества, который обладал признаками обоих полов. Потом андрогины разделились на две половинки, мужскую и женскую, и появились люди — несчастные, далекие от совершенства, страдающие от одиночества.

Я — ваша недостающая половинка. Ничто не помешает мне воссоединиться с теми из вас, кого я выберу.

Господь дал мне ум, хитрость, предвидение и неуязвимость. Тупые, грубые, пепельно-серые ловили андрогина в Лондоне, даже не попытавшись понять, что означают послания, отправляемые им миру.

Сначала меня забавляли эти жалкие попытки. Потом подступила горечь.

Быть может, пророка воспримет свое отечество, подумалось мне. Нерациональная, мистическая, не утратившая искренней веры Россия, с ее скопцами, раскольничьими самосожжениями и схимниками поманила меня — и, кажется, обманула. Теперь такие же тупые, грубые, лишенные воображения ловят Декоратора в Москве. Мне весело, по ночам я трясусь от беззвучного хохота. Никто не видит этих приступов веселья, а если бы увидел, то наверняка решил бы, что я не в себе. Что ж, если всякий, кто не похож на них, сумасшедший, — тогда конечно. Но в этом случае и Христос сумасшедший, и все святые угодни-

ки, и все гениальные безумцы, которыми они так гордятся.

Днем я ничем не отличаюсь от некрасивых, жалких, суетливых. Я виртуоз мимикрии, им ни за что не догадаться, что я из другой породы.

Как могут они гнушаться Божьим даром — собственным телом! Мой долг и мое призвание — понемногу приучать их к Красоте. Я делаю красивыми тех, кто безобразен. Тех, кто красив, я не трогаю. Они не оскорбляют собой образа Божия.

Жизнь — захватывающая, веселая игра. Кошки-мышки, hide-and-seek[1]*. Я и кошка, я и мышка. I hide and I seek*[2]*. Раз-два-три-четыре-пять, выхожу искать.*

Кто не спрятался, я не виноват.

---

[1] Прятки *(англ.).*

[2] Я прячусь и я ищу *(англ.).*

Черепаха, сеттер, львица, зайчик

5 апреля, великая среда, день

Анисий велел Палаше одеть Соньку по-праздничному, и сестра, великовозрастная идиотка, обрадовалась, загукала. Для нее, дурехи, любой выезд — событие, а в больницу, к «доту» (что на Сонькином языке означало «доктор») убогая ездить особенно любила. Там с ней долго, терпеливо разговаривали, непременно давали конфету или пряник, приставляли к груди прохладную железку, щекотно мяли живот, с интересом заглядывали в рот — а Сонька и рада стараться, разевала так, что всю насквозь было видать.

Вызвали знакомого извозчика Назара Степаныча. Сначала, как положено, Сонька немножко побоялась смирной лошади Мухи, которая фыркала ноздрей и звякала сбруей, косясь кровавым глазом на толстую, нескладную, замотанную в платки бабищу. Такой у Мухи с Сонькой был ритуал.

Покатили из Гранатного в Лефортово. Обычно ездили ближе, к доктору Максим Христофорычу на Рождественку, во Взаимно-вспомогательное общество, а тут, считай, через весь город путешествие.

Трубную объезжать пришлось — всю начисто водой залило. И когда только солнышко выглянет, землю подсушит. Хмурая стояла Москва, неопрятная. Дома серые, мостовые грязные, людишки какие-то все в тряпье замотанные, под ветром скрюченные. Но Соньке, похоже, нравилось. То и дело пихала брата локтем в бок: «Нисий, Нисий» — и тыкала пальцем в грачей на дереве, в водовозную бочку, в пьяного мастерового. Только думать мешала. А подумать очень даже было о чем — и об отрезанном ухе, которым шеф занялся лично, и о собственном непростом задании.

Александровская община «Утоли мои печали» для излечения психических, нервных и паралличных больных располагалась на Госпитальной площади, за Яузой. Известно было, что Стенич состоит милосердным братом при лекаре Розенфельде в пятом отделении, где пользуют самых буйных и безнадежных.

К Розенфельду, заплатив в кассу пять целковых, Анисий сестру и повел. Стал подробно рассказывать лекарю про Сонькины происшествия последнего времени: ночью просыпаться стала с плачем, два раза Палашу оттолкнула, чего раньше не бывало, и еще вдруг повадилась возиться с зеркальцем — прилипнет и смотрит часами, таращa поросячьи глазки.

Рассказ получился долгим. Дважды в кабинет заходил человек в белом халате. Сначала шприцы прокипяченные принес, потом взял рецепт на изготовление какой-то тинктуры. Врач называл его на «вы» и по имени-отчеству: «Иван Родионыч». Стало быть, вот он какой, Стенич. Изможденный, бледный, с огромными глазами. Волоса отрастил длинные, прямые, а усы-бороду бреет, и лицо у него от этого какое-то средневековое.

Оставив сестру у доктора для осмотра, Анисий вышел в коридор, заглянул в приоткрытую дверь с надписью «Процедурная». Стенич был повернут спиной, мешал в маленькой склянке какую-то зеленую бурду. Что сзади углядишь? Сутулые плечи, халат, стоптанные задники сапог.

Шеф учил: самое главное — первая фраза в разговоре, в ней ключик. Гладко вошел в беседу — откроется дверь, узнаешь от человека всё, что хотел. Тут только не ошибиться, правильно типаж определить. Типажей не так уж много — по Эрасту Петровичу, ровным счетом шестнадцать, и к каждому свой подход.

Ох, не промахнуться бы. Не очень твердо пока усвоил Анисий мудреную науку.

По тому, что известно про Стенича, а также по визуальному заключению он — «черепаха»: типаж замкнутый, мнительный, обращенный внутрь себя, живущий в состоянии беспрестанного внутреннего монолога.

Если так, то правильный подход — «показать брюхо», то есть продемонстрировать свою незащищенность и неопасность, а после, без малейшей паузы, сразу сделать «пробой»: пробить все защитные слои отчуждения и настороженности, ошарашить, но при этом, упаси Боже, не напугать нахрапом и не отвратить, а заинтересовать, послать сигнал. Мол, мы с тобой одного поля ягоды, говорим на одном языке.

Тюльпанов мысленно перекрестился и бухнул:

— Хорошо вы давеча в кабинете на идиотку мою посмотрели. Мне понравилось. С интересом, но без жалости. Лекарь ваш наоборот — жалеть жалеет, а без интереса глядит. Только убогих духом жалеть не надо, они посчастливей нашего будут. Вот поинтересоваться есть чем: по видимости вроде похожее на нас существо, а на самом деле совсем другое. И открыто идиоту подчас такое, что от нас за семью печатями. Вы ведь тоже так думаете, правда? Я по глазам вашим понял. Вам бы доктором быть, а не Розенфельду этому. Вы студент, да?

Стенич обернулся, глазищами захлопал. Кажется, несколько оторопел от «пробоя», но правильно оторопел, без испуга и ощетинивания. Ответил коротко, как и положено субъекту типа «черепаха»:

— Бывший.

Подход выбран правильно. Теперь, когда ключик в скважину вошел, по шефовой науке следовало навалиться на него и разом повернуть, чтоб щелкнуло. Тут тонкость есть: с «черепахой» недопустима фамильярность, нельзя самому дистанцию сжимать — сразу в панцирь спрячется.

— Неужто политический? — изобразил разочарование Анисий. — Значит, скверный из меня физиогномист. А я вас за человека с воображением принял, хотел насчет идиотки своей совета спросить... Ваш брат социалист в психиатры не годится — слишком благом общества увлекаетесь, а на отдельных представителей общества вам наплевать, тем более на уродов вроде моей Соньки. Извините за откровенность, я человек прямой. Прощайте, лучше уж с Розенфельдом потолкую.

И дернулся уходить, как и подобает типажу «сеттер» (откровенный, порывистый, резкий в симпатиях и антипатиях) — идеальной паре для «черепахи».

— Дело ваше, — сказал задетый за живое милосердный брат. — Только благом общества я никогда не увлекался, а с факультета отчислен за дела совсем иного рода.

— Ага! — воскликнул Тюльпанов, торжествующе воздев палец. — Взгляд! Взгляд, он не обманет! Все-таки правильно я вас вычислил. Своим суждением живете, и дорога у вас своя. Это ничего, что вы только фельдшер, я на звания не смотрю. Мне нужен человек острый, живой, не по общей мерке рассуждающий. Отчаялся я по врачам Соньку водить. Талдычат все одно и то же: oligophrenia, крайняя стадия, неизлечимый случай. А я чувствую, что душа в ней живая, можно пробудить. Не возьметесь проконсультировать?

— Я и не фельдшер даже, — ответил Стенич, похоже, тронутый откровенностью незнакомца (да и лестью, падок человек на лесть). — Правда, господин Розенфельд использует меня как фельдшера, но по должности я всего лишь брат милосердия. И служу без жалования, по доброй воле. Во искупление грехов.

Ах вот оно что, понял Анисий. Вот откуда взгляд-то этот постный, вот откуда смирение. Надо скорректировать линию.

Сказал самым что ни на есть серьезным тоном:

— Хороший путь выбрали для искупления грехов. Куда лучше, чем свечки в церкви жечь или лбом о паперть колотиться. Дай вам Бог скорого душевного облегчения.

— Не надо мне скорого! — с неожиданным жаром вскричал Стенич, и глаза у него, до того тусклые, враз зажглись огнем и страстью. — Пускай трудно, пускай долго! Так оно лучше, правильней будет! Я... я редко с людьми говорю, замкнут очень. И вообще привык один. Но в вас что-то есть, располагающее к откровенности. Так и хочется... А то все сам с собой, недолго снова разумом тронуться.

Анисий только диву дался. Ай да шефова наука! Подошел ключик к замку, и так подошел, что дверь сама навстречу распахнулась. Больше и делать ничего не надо, только слушай и поддакивай.

Пауза обеспокоила милосердного брата.

— У вас, может, времени нет? — Его голос дрогнул. — Я знаю, у вас свои беды, вам не до чужих откровений...

— У кого своя беда, тот и чужую лучше поймет, — сыезуитничал Анисий. — Что вас гложет? Говорите, мне можно. Люди мы чужие, даже имени друг друга не знаем. Поговорим и разойдемся. Что за грех у вас на душе?

На миг примечталось: сейчас на коленки бухнется, зарыдает, мол, прости меня, окаянного, добрый человек, грех на мне тяжкий, кровавый, женщин я скальпелем потрошу. И всё, дело закрыто, а Тюльпанову от начальства награда и, главное, от шефа похвальное слово.

Но нет, на коленки Стенич не повалился и сказал совсем другое:

— Гордость. Всю жизнь с ней маюсь. Чтоб ее преодолеть и сюда устроился, на службу тяжкую, грязную. За сумасшедшими нечистоты убираю, никакой работы не гнушаюсь. Унижение и смирение — вот лучшее лекарство от гордости.

— Так вас за гордость из университета-то? — спросил Анисий, не в силах скрыть разочарование.

— Что? А, из университета. Нет, там другое было... Что ж, и расскажу. Укрощения гордости ради. — Милосердный брат вспыхнул, залился краской до самого пробора. — Был у меня раньше и другой грех, сильненький. Сладострастие. Его я преодолел, жизнь помогла. А в юные годы порочен был — не столько от чувственности, сколько от любопытства. Оно и мерзее, от любопытства-то, нет?

Анисий не знал, что на это ответить, но послушать про порок было интересно. А вдруг от сладострастия к душегубству ниточка протянется?

— Я в сладострастии и вовсе греха не нахожу, — сказал он вслух. — Грех — это когда ближним хуже. А кому от сладострастия плохо, если, конечно, насилие не замешано?

Стенич только головой качнул:

— Эх, молоды вы, сударь. Про «Садический кружок» не слыхали? Где вам, вы тогда еще, поди, гимназию не закончили. Нынешним апрелем как раз семь лет сравнялось... Да на Москве о том деле вообще мало кто знает. Так, прошел шумок по медицинским кругам, но круги эти утечки не дают, корпоративность. Сор из избы не выносят. Меня, правда, вынесли...

— Что за кружок такой? Садоводческий? — прикинулся дурачком Анисий, вспоминая про отчисление за «безнравственность».

Собеседник неприятно рассмеялся.

— Не совсем. Было нас, шалопаев, десятка полтора. Студенты медицинского факультета и две курсистки. Время темное, суровое. Год как нигилисты Царя-Освободителя подорвали. Мы тоже были нигилисты, только без политики. За политику нас в ту пору на каторгу бы отправили или куда похуже. А так только заводилу нашего, Соцкого, в арестантские роты упекли. Без суда, без шума, министерским указом. Прочих же кого на нелечебные отделения перевели, в фармацевты, химики, патологоанатомы — недостойными сочли высокого лекарского звания. А кого, вроде меня, и вовсе взашей, если высоких заступников не нашлось.

— Не крутенько ли? — участливо вздохнул Тюльпанов. — Что ж вы там такого натворили?

— Теперь я склонен думать, что не крутенько. В самый раз... Знаете, совсем молодые люди, избравшие стезю медицинского образования, иногда впадают в этакий цинизм. У них укореняется мнение, будто человек — не образ Божий, а машина из суставов, костей, нервов и разного прочего фарша. У младших курсов за лихачество считается позавтракать в морге, поставив бутылку пива на только что зашитое брюхо «дохлятины». Бывают шутки и повульгарней, не буду рассказывать, противно. Но это все проказы обычные, мы же дальше пошли. Были среди нас некоторые при больших деньгах, так что возможность развернуться имелась. Простого разврата нам скоро мало стало. Вожак наш, покойный Соцкий, с фантазией был. Не вернулся из арестантских рот, загинул, а то бы далеко пошел. В особенном ходу у нас садические забавы были. Наймем гулящую побезобразней, заплатим четвертной и давай над ней куражиться. Докуражились... Раз в полтиничном борделе, с перепою, шлюху старую, за трешник на все готовую, уходили до смерти... Дело замяли, до суда не довели. И решили все тихо, без скандала. Я злился сначала, что жизнь мне поломали — ведь на гроши учился, уроки давал, маменька что могла высылала... А после, уж годы спустя, вдруг понял — поделом.

Анисий прищурился:

— Как это «вдруг»?

— Так, — коротко и строго ответил Стенич. — Бога узрел.

Что-то есть, подумал Тюльпанов. Тут пощупать, так, пожалуй, и «идея» отыщется, про которую шеф говорил. Как бы разговор на Англию навести?

— Наверно, много вас жизнь покидала? За границей не пробовали счастья искать?

— Счастья — нет, не искал. А непотребств искал в разных странах. И находил предостаточно, прости меня Господи. — Стенич истово перекрестился на висевший в углу образ Спасителя.

Тут Анисий простодушно так:

— И в самой Англии бывали? Я вот мечтаю, да, видно, не доведется. Все говорят, исключительно цивилизованная страна.

— Странно, что вы про Англию спросили, — внимательно взглянул на него бывший грешник. — Вы вообще странный господин. Что ни спросите, все в самую точку. В Англии-то я Бога и узрел. До того момента вел жизнь недостойную, унизительную. Состоял в приживалах при одном сумасброде. А тут решился и разом всё переменил.

— Вы ж сами говорили, что унижение полезно для преодоления гордости. Почему же решили от унизительной жизни отказаться? Нелогично получается.

Хотел Анисий про английское житье Стенича побольше вызнать, но совершил грубую ошибку — принудил своим вопросом «черепаху» к обороне, а этого делать ни в коем случае не следовало.

И Стенич моментально убрался в панцирь:

— Да кто вы такой, чтоб логику моей души истолковывать? Что я вообще перед вами тут разнюнился!

Взгляд у милосердного брата стал воспаленный, ненавидящий, тонкие пальцы судорожно зашарили по столу. А на столе, между прочим, стальная кастрюлька с разными медицинскими инструментами. Вспомнил Анисий, что Стенич от душевного недуга лечился, и попятился в коридор. Все равно больше ничего полезного не скажет.

Но кое-что все же выяснилось.

* * *

Теперь путь лежал вовсе дальний, из Лефортова на противоположную окраину, на Девичье Поле, где совсем недавно на средства мануфактур-советника Тимофея Саввича Морозова открылась его же имени Гинекологическая клиника при Московском императорском университете. Сонька какая-никакая, а все-таки тоже женщина, и проблемы женские у нее найдутся. Вот и получалось, что снова следствию от дуры польза.

Сонька была в ажитации — лефортовский «дот» произвел на нее большое впечатление.

— Лоток гук-гук, ленка прыг, неялась, афекинял, — оживленно рассказывала она брату о своих приключениях.

Для кого другого — бессмысленный набор звуков, а Анисий всё понимал: доктор ей молотком по коленке стучал, и коленка подпрыгивала, только Сонька ни чуточки не боялась, а конфетки ей доктор не дал.

Чтоб не мешала сосредоточиться, остановил у Сиротского института, купил большого петуха, ядовито-красного, на палочке. Сонька и заткнулась. Язык на добрый вершок высовывает, лижет, белесыми глазками по сторонам пялится. Столько у ней сегодня событий, а не знает, что впереди еще много интересного будет. Вечером придется с ней повозиться, долго не уснет от возбуждения.

Наконец приехали. Хорошую клинику отстроил щедрый мануфактур-советник, ничего не скажешь. От семейства Морозовых городу Москве вообще много пользы. Вот недавно газеты писали, что почетная гражданка Морозова заграничные командировки для молодых инженеров учредила, для совершенствования практических знаний. Теперь любой, кто окончил полный курс в Императорском московском техническом училище, если, конечно, православный по вере и русский по крови, может хоть в Англию, хоть в Североамериканские Штаты съездить. Большое дело. А здесь, в гинекологической, по понедельникам и вторникам для бедных бесплатный прием. Разве не замечательно?

Сегодня, правда, среда.

Анисий прочел извещение в приемном покое: «Консультация у профессора — десять рублей. Прием у лекаря — пять рублей. Прием у женщины-врача г-жи Рогановой — три рубля».

— Дорогонько, — пожаловался Тюльпанов служителю. — У меня сестра убогая. Подешевле убогую не примут?

Служитель ответил сначала сурово:

— Не положено. В понедельник или во вторник приходите.

Но потом взглянул на Соньку, стоявшую с разинутым ртом, и раздобрился:

— А то в родовспомогательное сходите, к Лизавете Андреевне. Она все равно как врач, хоть по званию только повивальная бабка. Дешевле берет, а может и совсем задаром, если пожалеет.

Вот и отлично. Несвицкая на месте.

Вышли из приемного, свернули в садик. Когда подходили к желтому двухэтажному зданию родовспомогательного отделения, случилось происшествие.

Хлопнула оконная рама на втором этаже, звонко посыпались стекла. Анисий увидел, как на подоконник вылезает молодая женщина в одной ночной рубашке, длинные черные волосы разметались по плечам.

— Уйдите, мучители! — истошно завопила женщина. — Ненавижу вас! Смерти моей хотите!

Глянула вниз — а этажи высокие, до земли далеко — спиной к каменной стене прижалась и давай меленько переступать по парапету подальше от окна. Сонька так и застыла, губы развесила — никогда такого чуда не видала.

Из окна высунулись сразу несколько голов, принялись черноволосую уговаривать, чтоб не дурила, чтоб вернулась.

Только видно было, что не в себе женщина. Шатает ее, а парапет узкий. Сейчас упадет или сама бросится. Снег внизу стаял, голая земля, вся в камнях, железки какие-то торчат. Тут верная смерть или тяжкое увечье.

Тюльпанов глянул налево, направо. Народ глазеет, но физиономии у всех растерянные. Что же делать-то?

— Тащи брезент или хоть одеяло! — крикнул он санитару, вышедшему покурить, да так и замершему с цигаркой в зубах. Тот сорвался, побежал, только вряд ли поспеет.

Растолкав высунувшихся из окна, на подоконник решительно вылезла высокая женщина. Белый халат, стальное пенсне, волосы на затылке стянуты в тугой узел.

— Ермолаева, не валяй дурака! — крикнула она начальственным голосом. — У тебя сын плачет, молока просит!

И тоже, отчаянная, двинулась по парапету.

— Это не мой сын! — взвизгнула черноволосая. — Это подкидыш! Не подходи, боюсь тебя!

Та, в белом халате, сделала еще шаг, протянула руку, но Ермолаева вывернулась и с воем прыгнула.

Зрители ахнули — в самый последний миг врачиха успела схватить полоумную пониже ворота. Рубашка затрещала, но выдержала. У висевшей непристойно заголились ноги, и Анисий часто заморгал, но тут же и устыдился — не до того теперь. Докторша уцепилась одной рукой за водосток, другой держала Ермолаеву. Сейчас или выпустит, или вместе с ней сверзнется!

Рванул Тюльпанов с плеч шинель, махнул двоим, что стояли рядом. Растянули шинель пошире — и под висящую.

— Больше не смогу! Пальцы разжимаются! — крикнула железная докторша, и в тот же миг черноволосая упала.

От удара повалились в кучу-малу. Тюльпанов вскочил, встряхнул надсаженными запястьями. Женщина лежала зажмурившись, но вроде живая, и крови не видно. Один из Анисиевых помощников, по виду приказчик, сидел на земле и подвывал, держась за плечо. Шинель было жалко — осталась без обоих рукавов и воротник треснул. Новая шинель, только осенью пошитая, сорок пять целковых.

Докторша уже здесь — и как только успела. Присела над лежащей без сознания, пощупала пульс, помяла руки-ноги:

— Жива и целехонька.

Анисию бросила:

— Молодец, что сообразили шинель натянуть.

— Что это с ней? — спросил он, потряхивая кистями.

— Родильная горячка. Временное помрачение рассудка. Редко, но бывает. У тебя что? — Это она уже приказчику. — Вывих? Дай-ка.

Взялась крепкими руками, коротко дернула — приказчик только ойкнул.

Запыхавшаяся санитарка спросила:

— Лизавета Андреевна, а с Ермолаевой что?

— В изолятор. Под три одеяла, вколоть морфию. Пусть поспит. И смотри, глаз с нее не спускать.

Повернулась идти.

— Я, собственно, к вам, госпожа Несвицкая, — сказал Анисий, подумав: правильно шеф не стал женщин с подозрения снимать. Этакая лошадь не то что скальпелем прирезать, голыми руками задушит, и очень запросто.

— Вы кто? По какому делу? — глянула на него подозреваемая.

Взгляд из-под пенсне жесткий, совсем не женский.

— Тюльпанов, губернский секретарь. Вот, привел убогую за советом по женской линии. Очень что-то мучается от месячных. Не согласитесь осмотреть?

Несвицкая посмотрела на Соньку. Деловито спросила:

— Идиотка? Половую жизнь имеет? Она кто, сожительница ваша?

— Да что вы! — в ужасе вскричал Анисий. — Это сестра моя. Она с рождения такая.

— Платить можете? С тех, кто может, я беру два рубля за осмотр.

— Заплачу с превеликим удовольствием, — поспешил уверить Тюльпанов.

— Если с превеликим, то почему ко мне, а не к лекарю или к профессору? Ладно, идемте в кабинет.

Пошла вперед быстрым, широким шагом. Анисий — за ней, только Соньку за руку подхватил.

Линию поведения выстраивал на ходу.

С типажом никаких сомнений — классическая «львица». Рекомендуемый подход — смущаться и мямлить. «Львицы» от этого мягчеют.

Кабинетик у повивальной бабки оказался маленький, опрятный, ничего лишнего: медицинское кресло, стол, стул. На столе две брошюры — «О негигиеничности женского костюма», сочинение приват-доцента акушерских и женских болезней А.Н.Соловьева, и «Записки Общества распространения практических знаний между образованными женщинами».

На стене — рекламная афиша:

ДАМСКИЕ ГИГИЕНИЧЕСКИЕ ПОДУШКИ

Приготовлены из древесной сулемовой ваты. Очень удобная повязка, с приспособленным поясом, для ношения дамами во время болезненных периодов. Цена за дюжину подушек 1 р. Цена за пояс от 40 к. до 1 р. 50 к.

Покровка, дом Егорова

Анисий вздохнул и начал мямлить:

— Я ведь почему решил обратиться именно к вам, госпожа Несвицкая. Я, изволите ли видеть, наслышан, что вы обладаете самой что ни на есть наивысшей квалификацией, хоть и пребываете в звании, совершенно несообразном учености столь достойной особы... То есть, я вовсе ничего такого против звания повивальной бабки... Я не в смысле принизить или, упаси Боже, усомниться, я совсем наоборот...

Вроде бы отлично вышло и даже конфузливо покраснеть получилось, но тут Несвицкая удивила: крепко взяла Анисия за плечи и развернула лицом к свету.

— Ну-ка, ну-ка, это выражение глаз мне знакомо. Никак господин филер? С выдумкой работать стали и даже идиотку где-то подобрали. Что вам еще от меня нужно? Что вы меня в покое никак не оставите? К недозволенной практике придраться задумали? Так господин директор про нее знает.

И брезгливо оттолкнула. Тюльпанов потер плечи — ну и хватка. Сонька испуганно прижалась к брату, захныкала. Анисий погладил ее по голове:

— Ты что напугалась? Тетя шутит, играет. Она добрая, она доктор... Елизавета Андреевна, вы на мой счет в заблуждении. Я служу в канцелярии его сиятельства генерал-губернатора. На мелкой должности, конечно. Так сказать, отставной козы младший барабанщик. Тюльпанов, губернский секретарь. У меня и документ есть. Показать? Не нужно?

Робко развел руками, застенчиво улыбнулся.

Отлично! Несвицкой стало совестно, а это — самое лучшее, чтоб «львицу» разговорить.

— Извините, мне всюду мерещится... Вы должны понять...

Дрожащей рукой взяла со стола папиросу, закурила — не сразу, с третьей спички. Вот тебе и железная докторша.

— Извините, что плохо о вас подумала. Нервы ни к черту. Тут еще Ермолаева эта... Да, вы ведь спасли Ермолаеву, я забыла... Я должна объясниться. Не знаю почему, но мне хочется, чтоб вы поняли...

Это вам потому хочется со мной объясниться, сударыня, мысленно ответил ей Анисий, что вы — «львица», а я веду себя как «зайчик». «Львицы» лучше всего сходятся именно с кроткими, беззащитными «зайчиками». Психология, Лизавета Андревна.

Однако наряду с удовлетворением ощутил Тюльпанов и некоторое нравственное неудобство — филер не филер, а все ж таки по сыскной части, да и сестру-инвалидку для прикрытия взял. Права докторша.

Она быстро, в несколько затяжек выкурила папиросу, зажгла вторую. Анисий ждал, жалобно хлопал ресницами.

— Курите. — Несвицкая подтолкнула картонку с папиросами.

Вообще-то Тюльпанов не курил, но «львицы» любят, когда у них идут на поводу, поэтому папироску он взял, втянул дым, зашелся кашлем.

— Да, крепковаты, — кивнула докторша. — Привычка. На Севере табак крепок, а без табака там летом нельзя — комарье, мошка.

— Так вы с Севера? — наивно спросил Анисий, неловко стряхивая пепел.

— Нет. Я родилась и выросла в Петербурге. До семнадцати жила маменькиной дочкой. А в семнадцать лет за мной приехали на пролетках люди в синих мундирах. Увезли от маменьки и посадили в каземат.

Несвицкая говорила отрывисто. Руки у нее больше не дрожали, голос стал резким, глаза недобро сузились — но сердилась она не на Тюльпанова, это было ясно.

Сонька села на стул, привалилась к стене и засопела — сморило ее от впечатлений.

— За что же вас? — шепотом спросил «зайчик».

— За то, что была знакома со студентом, который однажды побывал в доме, где иногда собирались революционеры, — горько усмехнулась Несвицкая. — Как раз перед тем было очередное покушение на царя, так мели всех подряд. Пока разбирались, я два года в одиночке просидела. Это в семнадцать-то лет. Как с ума не сошла, не знаю. А может, и сошла... Потом выпустили. Только на всякий случай, чтоб не водила предосудительных знакомств, выслали в административном порядке. В село Заморенка Архангельской губернии. Под надзор властей. Так что не сердитесь на мою подозрительность. У меня к синим мундирам отношение особенное.

— А где же вы медицину изучали? — сочувственно покачав головой, спросил Анисий.

— Сначала в Заморенке, в земской больнице. Надо же было на что-то жить, так я сестрой милосердия устроилась. И поняла, что медицина — это для меня. Только в ней, пожалуй, и есть смысл... После попала в Шотландию, училась на факультете. Первая женщина на хирургическом отделении — там ведь женщинам тоже не больно дорогу дают. Из меня хороший хирург вышел. Рука твердая, вида крови я с самого начала не боялась, да и зрелище человеческих внутренностей мне не отвратительно. В нем, пожалуй, даже есть своеобразная красота.

Анисий весь подобрался.

— И оперировать можете?

Она снисходительно улыбнулась:

— Могу и ампутацию произвести, и полостную операцию, и опухоль удалить. А вместо этого уж который месяц... — И зло махнула рукой.

Что «вместо этого»? Выпускаю гулящим кишки по сараям?

Предположительные мотивы?

Тюльпанов исподтишка разглядывал некрасивое, даже грубое лицо Несвицкой. Болезненная ненависть к женскому телу? Очень возможно. Причины: собственная физическая непривлекательность, личная неустроенность, вынужденное исполнение нелюбимых акушерских обязанностей, ежедневное лицезрение пациенток, у которых женская судьба сложилась счастливо. Да мало ли. Не исключается и скрытое помешательство как следствие перенесенной несправедливости и одиночного заключения в нежном возрасте.

— Ладно, давайте осмотрим вашу сестру. Заболталась я что-то. Даже не похоже на меня.

Несвицкая сняла пенсне, устало потерла сильными пальцами переносицу, потом зачем-то помассировала мочку, и мысли Анисия естественным образом перенеслись к зловещему уху.

Как-то там шеф? Сумел ли вычислить отправителя «бандерори»?

* * *

И опять вечер, благословенная тьма, укрывающая меня своим бурым крылом. Иду вдоль железнодорожной насыпи. Странное волнение теснит грудь.

Удивительно, до чего выбивает из колеи вид знакомцев по прежней жизни. Они изменились, некоторые так даже до неузнаваемости, а уж обо мне и говорить нечего.

Лезут воспоминания. Глупые, ненужные. Теперь все другое.

У переезда, перед шлагбаумом — девчонка-поби-

рушка. Лет двенадцать-тринадцать. Трясется от холода, руки в красных цыпках, ноги замотаны в какое-то тряпье. Ужасное, просто ужасное лицо: гноящиеся глаза, растрескавшиеся губы, из носа течет. Несчастливое, уродливое дитя человеческое.

Как такую не пожалеть? Да и это уродливое лицо тоже можно сделать прекрасным. И делать-то ничего не нужно. Достаточно просто открыть взорам его настоящую Красоту.

Иду за девочкой. Воспоминания больше не тревожат.

Однокашники

5 апреля, великая среда, день и вечер

Отправив помощника на задание, Эраст Петрович приготовился к сосредоточенному рассуждению. Задача представлялась непростой. Тут не помешало бы внерациональное озарение, а значит, начинать следовало с медитации.

Коллежский советник затворил дверь кабинета, сел, скрестив ноги, на ковер и попытался отрешиться от каких бы то ни было мыслей. Остановить взгляд, отключить слух. Закачаться на волнах Великой Пустоты, откуда, как это уже не раз бывало, зазвучит поначалу едва слышный, а потом все более отчетливый и под конец почти оглушающий звук истинности.

Прошло время. Потом перестало идти. Потом исчезло вовсе. Изнутри, от живота вверх, стал неторопливо подниматься прохладный покой, перед глазами заклубился золотистый туман, но тут огромные часы, стоявшие в углу комнаты, всхрапнули и оглушительно отбили: бом-бом-бом-бом-бом!

Фандорин очнулся. Уже пять? Он сверил время по брегету, ибо напольным часам доверять не следовало — и точно, они спешили на двадцать минут.

Во второй раз погрузиться в медитацию оказалось трудней. Эраст Петрович вспомнил, что как раз в пять часов пополудни он должен был принять участие в состязаниях Московского клуба велосипедистов-любителей в пользу бедных вдов и сирот лиц военного ведомства. В Манеже соревновались сильнейшие московские спортсмены, а также велосипедные команды Гренадерского корпуса. У коллежского советника были неплохие шансы вновь, как и в прошлом году, получить главный приз.

Увы, не до состязаний.

Эраст Петрович прогнал неуместные мысли и стал смотреть на бледно-лиловый узор обоев. Сейчас снова сгустится туман, нарисованные ирисы колыхнут лепестками, заблагоухают, и придет сатори.

Что-то мешало. Туман будто сносило ветром, дующим откуда-то слева. Там на столе, в лаковой коробочке, лежало отсеченное ухо. Лежало и не давало о себе забыть.

Эраст Петрович с детства не выносил вида истерзанной человеческой плоти. Казалось бы, пожил на свете достаточно, навидался всяких ужасов, в войнах поучаствовал, а так и не научился равнодушно смотреть на то, что люди вытворяют с себе подобными.

Поняв, что сегодня ирисы на обоях не заблагоухают, Фандорин тяжело вздохнул. Раз не удалось пробудить интуицию, оставалось полагаться на рацио.

Он сел к столу, взял лупу.

Начал с оберточной бумаги. Бумага как бумага, в такую заворачивают что угодно. Не зацепиться.

Теперь надпись. Почерк крупный, неровный, с небрежными окончаниями линий. Если приглядеться, заметны мельчайшие брызги чернил — рука водила по бумаге слишком сильно. Вероятнее всего, писал мужчина в расцвете лет. Возможно, неуравновешенный или нетрезвый. Но нельзя исключать и женщину, склонную к аффектам и истерии.В этом смысле примечательны завитки на буквах «о» и кокетливые крючочки над заглавным «Ф».

Самое существенное: на гимназических уроках чистописания этак писать не обучают. Тут либо домашнее воспитание, что более свойственно для особ женского пола, либо вообще отсутствие регулярного образования. Однако же ни единой орфографической ошибки. Хм, есть над чем подумать. Во всяком случае, надпись — это зацепка.

Далее — бархатная коробочка. В таких продают дорогие запонки или брошки. Внутри монограмма: «А.Кузнецов, Камергерский проезд». Ничего не дает. Большой ювелирный магазин, один из самых известных на Москве. Можно, конечно, осведомиться, но вряд ли будет прок — надо полагать, они таких коробочек в день не одну дюжину продают.

Атласная лента — ничего примечательного. Гладкая, красная, такими любят заплетать косы цыганки или купеческие дочки в праздничный день.

Пудреницу (из-под пудры «Клюзере № 6») Эраст Петрович рассмотрел в лупу с особенным вниманием, держа за самый краешек. Посыпал белым порошком вроде талька, и на гладкой лаковой поверхности проступили многочисленные отпечатки пальцев. Коллежский советник аккуратно промокнул их специальной тончайшей бумагой. В суде отпечатки пальцев уликой считаться не будут, но все равно пригодится.

Только теперь Фандорин занялся бедным ухом. Первонаперво попытался представить, что оно не имеет никакого отношения к человеку. Так, некий занятный предмет, который желает все про себя рассказать.

Предмет рассказал про себя Эрасту Петровичу следующее.

Ухо принадлежало молодой женщине. Судя по россыпи веснушек на обеих сторонах ушной раковины — рыжеволосой. Мочка проколота, причем весьма небрежно: дырка широкая и продолговатая. Исходя из этого, а также из того, что кожа сильно обветрена, можно заключить, что бывшая владелица данного предмета, во-первых, носила волосы зачесанными кверху; во-вторых, не принадлежала к числу привилегированных сословий; в-третьих, много ходила по холоду с непокрытой головой. Последнее обстоятельство особенно примечательно. С непокрытой головой по улице, даже и в холодное время года, как известно, ходят уличные девки. Это и является одной из примет их ремесла.

Закусив губу (относиться к уху как к предмету все-таки не выходило), Эраст Петрович перевернул ухо пинцетом и стал рассматривать разрез. Ровный, сделан чрезвычайно острым инструментом. Ни единой капельки запекшейся крови. Значит, к моменту отсечения уха рыжеволосая была мертва по меньшей мере несколько часов.

Что это за легкое почернение на срезе? Отчего бы? А от разморозки, вот отчего! Труп был в леднике, потому и разрез такой идеальный — в момент разрезания ткани еще не оттаяли.

Труп проститутки, помещенный в заморозку? Зачем? Что за церемонии — этаких сразу везут на Божедомку да закапывают. Если помещают в ледник, то либо в морг медицинского факультета на Трубецкой для учебных занятий, либо в судебно-медицинский, на ту же Божедомку, с целью полицейского расследования.

Теперь самое интересное: кто прислал ухо и зачем?

Сначала — зачем.

Так же поступил в прошлом году лондонский убийца. Он прислал мистеру Альберту Ласку, возглавлявшему комитет по поимке Джека Потрошителя, половину почки проститутки Кэтрин Эддоус, изуродованное тело которой было обнаружено 30 сентября.

По убеждению Эраста Петровича, эта выходка имела два смысла. Первый, очевидный, — вызов, демонстрация уверенности в собственной безнаказанности. Мол, сколько ни пытайтесь, все равно не поймаете. Но было, пожалуй, и второе дно: свойственное маньякам подобного рода мазохистское стремление быть пойманным и понести кару. Если вы, охранители общества, и вправду могущественные и вездесущие, если Правосудие — отец, а я — его провинившееся дитя, то вот вам ключик, найдите меня. Лондонская полиция ключиком воспользоваться не сумела.

Возможна, конечно, и совсем другая версия. Жуткое послание отправлено не убийцей, а неким циничным шутником, нашедшим в трагической ситуации повод для жестокого веселья. В Лондоне полиция получила еще и глумливое письмо, якобы написанное преступником. Под письмом стояла подпись «Джек Потрошитель», откуда, собственно, и взялось прозвище. Английские следователи пришли к выводу, что это мистификация. Вероятно, из-за того, что должны были как-то оправдать неудачу поисков отправителя.

Не стоит усложнять себе задачу, делать ее двойной. Сейчас неважно, убийца ли тот, кто прислал ухо. Сейчас необходимо выяснить, кто это сделал. Очень возможно, что человек, отрезавший ухо, и окажется Потрошителем. Московский фокус с бандеролью отличается от лондонского одним существенным обстоятельством: об убийствах в Ист-Энде знала вся британская столица и, в сущности, «пошутить» мог кто угодно. В данном же случае подробности вчерашнего злодеяния известны весьма ограниченному кругу лиц. Сколько таких? Очень мало, даже если прибавить ближайших друзей и родственников.

Итак, каковы координаты отправителя «бандерори»?

Человек, не обучавшийся в гимназии, но все же получивший достаточное образование, чтобы написать слова «высокоблагородию» и «коллежскому» без ошибок. Это раз.

Судя по коробочке от Кузнецова и пудренице от Клюзере, человек небедный. Это два.

Человек, не просто осведомленный об убийствах, но и знающий о роли Фандорина в расследовании. Это три.

Человек, имеющий доступ к моргу, что еще более сужает список подозреваемых. Это четыре.

Человек, владеющий хирургическими навыками. Это пять.

Чего уж больше?

— Маса, извозчика! Живо!

Захаров вышел из прозекторской в кожаном фартуке, черные перчатки перепачканы какой-то бурой слизью. Лицо опухшее, похмельное, в углу рта — потухшая трубка.

— А-а, губернаторово око, — вяло сказал он вместо приветствия. — Что, еще кого-нибудь ломтями нарезали?

— Егор Виллемович, сколько т-трупов проституток у вас в леднике? — резко спросил Эраст Петрович.

Эксперт пожал плечами:

— Как велел господин Ижицын, теперь сюда тащут всех гулящих, кто окончательно отгулял. Кроме нашей с вами подружки Андреичкиной за вчера и сегодня доставили еще семерых. А что, желаете поразвлечься? — развязно осклабился Захаров. — Есть и прехорошенькие. Только на ваш вкус, пожалуй, нет. Вы ведь потрошёнок предпочитаете?

Патологоанатом отлично видел, что неприятен чиновнику, и, кажется, испытывал от этого удовольствие.

— П-показывайте.

Коллежский советник решительно выпятил вперед челюсть, готовясь к тягостному зрелищу.

В просторном помещении, где горели яркие электрические лампы, Фандорин первым делом увидел деревянные стеллажи, сплошь уставленные стеклянными банками, в которых плавали какие-то бесформенные предметы, а уж потом посмотрел на обитые цинком прямоугольные столы. На одном, подле окна, торчала черная загогулина микроскопа и там же лежало распластанное тело, над которым колдовал ассистент.

Эраст Петрович мельком взглянул, увидел, что труп мужской и с облегчением отвернулся.

— Проникающее огнестрельное теменной части, Егор Виллемович, а более ничего-с, — прогнусавил захаровский помощник, с любопытством уставившись на Фандорина — личность в полицейских и околополицейских кругах почти что легендарную.

— Это с Хитровки привезли, — пояснил Захаров. — Из фартовых. А ваши цыпы все вон там, в леднике.

Он толкнул тяжелую железную дверь, оттуда дохнуло холодом и жутким, тяжелым смрадом.

Щелкнул выключатель, под потолком зажегся стеклянный матовый шар.

— Вон наши героини, в сторонке, — показал доктор одеревеневшему Фандорину.

Первое впечатление было совсем не страшное: картина Энгра «Турецкая баня». Сплошной ком голых женских тел, плавные линии, ленивая неподвижность. Только пар не горячий, а морозный, и все одалиски почему-то лежат.

Потом в глаза полезли детали: длинные багровые разрезы, синие пятна, слипшиеся волосы.

Эксперт похлопал одну, похожую на русалку, по голубой щеке:

— Недурна, а? Из дома терпимости. Чахотка. Тут вообще насильственная смерть только одна: вон той, грудастой, голову пробили камнем. Две — самоубийство. Три — переохлаждение, замерзли спьяну. Гребут всех, кого ни попадя. Заставь дурака Богу молиться. Да мне что — мое дело маленькое. Прокукарекал, а там хоть не рассветай.

Эраст Петрович наклонился над одной, худенькой, с россыпью веснушек на плечах и груди. Откинул со страдальчески искаженного, остроносого лица длинные рыжие волосы. Вместо правого уха у покойницы была вишневого цвета дырка.

— Эт-то еще что за вольности? — удивился Захаров и глянул на привязанную к ноге трупа табличку. — Марфа Сечкина, 16 лет. А, помню. Самоотравление фосфорными спичками. Поступила вчера днем. Однако при обоих ушах была, отлично помню. Куда ж у ней правое-то подевалось?

Коллежский советник достал из кармана пудреницу, молча раскрыл ее, сунул патологоанатому под нос.

Тот взял ухо недрогнувшей рукой, приложил к вишневой дырке.

— Оно! Это в каком же смысле?

— Хотелось бы узнать от вас. — Фандорин приложил к лицу надушенный платок и, чувствуя подступающую дурноту, приказал. — Идемте, поговорим там.

Вернулись в анатомический театр, который теперь, невзирая на разрезанный труп, показался Эрасту Петровичу почти уютным.

— Т-три вопроса. Кто здесь был вчера вечером? Кому вы рассказывали про расследование и про мое в нем участие? Чей это почерк?

Коллежский советник положил перед Захаровым обертку от «бандерори». Счел нужным добавить:

— Я знаю, что писали не вы — ваш почерк мне известен. Однако, надеюсь, вы понимаете, что означает сия к-корреспонденция?

Захаров побледнел, охота ерничать у него явно пропала.

— Я жду ответа, Егор Виллемович. Вопросы п-повторить?

Доктор помотал головой и покосился на Грумова, который с преувеличенным усердием тянул из зияющего живота что-то сизое. Захаров сглотнул — на жилистой шее дернулся кадык.

— Вчера вечером за мной сюда заезжали товарищи по факультету. Отмечали годовщину... одного памятного события. Их было человек семь-восемь. Выпили тут спирту, по студенческой памяти... Про расследование, возможно, сболтнул — плохо помню. День был вчера тяжелый, устал, вот и развезло быстро...

Он замолчал.

— Третий вопрос, — напомнил Фандорин. — Чей почерк? И не лгите, что не узнаете. Почерк характерный.

— Лгать не приучен! — огрызнулся Захаров. — И почерк я узнал. Только я вам не доносчик, а бывший московский студент. Выясняйте сами, без меня.

Эраст Петрович неприязненно сказал:

— Вы не только бывший студент, но еще и нынешний судебный врач, д-давший присягу. Или вы запамятовали, о каком расследовании идет речь? — И совсем тихим, лишенным выражения голосом продолжил. — Я могу, конечно, устроить проверку почерка всех, кто с вами учился на факультете, только на это уйдут недели. Ваша корпоративная честь при этом не пострадает, но я позабочусь о том, чтобы вас отдали под суд и лишили права состоять на г-государственной службе. Вы, Захаров, меня не первый год знаете. Я слов на ветер не б-бросаю.

Захаров дернулся, трубка заерзала влево-вправо вдоль щели рта.

— Увольте, господин коллежский советник... Не могу. Мне после руки никто не подаст. Я не то что на государственной службе, вовсе по медицинской части работать не смогу. А лучше вот что... — Желтый лоб эксперта собрался морщинами. — У нас сегодня продолжается гуляние. Договорились собраться в семь у Бурылина. Он курса не окончил, как, впрочем, многие из нашей компании, но время от времени встречаемся... Я дела как раз завершил, остальное может Грумов докончить. Собирался умыться, переодеться и ехать. У меня тут квартира. Казенная, при кладбищенской конторе. Очень удобно... Так вот, если угодно, могу вас к Бурылину с собой захватить. Не знаю, все ли вчерашние придут, но тот, кто вас интересует, там будет наверняка, в этом я уверен... Извините, но это всё, что могу. Честь врача.

Жалобные интонации патологоанатому с непривычки давались плохо, и Эраст Петрович сменил гнев на милость, не стал прижимать собеседника к стенке. Только головой покачал, удивляясь причудливой гуттаперчевости корпоративной этики: указать на вероятного убийцу, если с ним вместе учился, — нельзя, а привести в дом к бывшему соученику сыщика — сколько угодно.

— Вы усложняете мне з-задачу, но ладно, пусть будет так. Уже девятый час. Переодевайтесь и едем.

* * *

Пока ехали (а ехать было неблизко, на Якиманскую), все больше молчали. Захаров был мрачнее тучи, на расспросы отвечал неохотно, но все же про хозяина кое-что выяснилось.

Зовут — Кузьма Саввич Бурылин. Фабрикант, миллионщик, из старинного купеческого рода. Его брат, многими годами старше Кузьмы, ударился в скопческую веру. «Отсек грех», жил затворником, копил капиталы. Собирался «очистить» и младшего брата, когда тому исполнится четырнадцать лет, но аккурат в канун «великого таинства» Бурылин-старший скоропостижно скончался, и подросток остался не только при своем естестве, но еще и унаследовал все огромное состояние. Как едко заметил Захаров, запоздалый страх за чудом уцелевшее мужество наложил отпечаток на всю дальнейшую биографию Кузьмы Бурылина. Теперь он обречен всю жизнь себе доказывать, что не скопец, вплоть даже и до изрядных излишеств.

— Зачем такой б-богач поступил на медицинский? — спросил Фандорин.

— Бурылин чему только не обучался — и у нас, и за границей. Любопытен, непостоянен. Диплом ему ни к чему, поэтому курса нигде не закончил, а с медицинского его погнали.

— За что?

— Да уж было за что, — неопределенно ответил эксперт. — Скоро сами увидите, что это за субъект.

Освещенный подъезд бурылинского особняка, выходящего фасадом на реку, был виден издалека. Один он и сиял яркими, разноцветными огнями на всей темной купеческой набережной, где в Великий пост спать ложились рано, а свет без нужды не жгли. Дом был большой, выстроенный в нелепом мавританско-готическом стиле: вроде бы с остроконечными башенками, химерами и грифонами, но в то же время с плоской крышей, круглым куполом над оранжереей и даже с минаретообразной каланчой.

За ажурной оградой толпились зеваки, разглядывали празднично освещенные окна, неодобрительно переговаривались: на Страстной, в последнюю седмицу Великой Четыредесятницы, и такое непотребство. Из дома на безмолвную реку выплескивало приглушенным взвизгом цыганских скрипок, гитарным перебором, звоном бубнов, взрывами хохота и еще по временам каким-то утробным порыкиванием.

Вошли, сбросили верхнее на руки швейцарам, и тут Эраста Петровича ждал сюрприз: под черным, наглухо застегнутым пальто на эксперте, оказывается, был фрак и белый галстук.

В ответ на удивленный взгляд Захаров криво улыбнулся:

— Традиция.

Поднялись по широкой мраморной лестнице. Лакеи в малиновых ливреях распахнули высокие раззолоченные двери, и Фандорин увидел просторную залу, сплошь уставленную пальмами, магнолиями и еще какими-то экзотическими растениями в кадках. Последняя европейская мода — устраивать из гостиной подобие джунглей. «Висячие сады Семирамиды» называется. Только очень богатым по карману.

Меж райских кущ вольготно расположились гости — все, как Захаров, в черных фраках и белых галстуках. Эраст Петрович был одет не без щегольства — в бежевый американский пиджак, лимонную с разводами жилетку, отличного покроя брюки с несминаемыми стрелками, однако же почувствовал себя среди этого черно-белого собрания каким-то ряженым. Хорош Захаров, мог бы предупредить, каким именно образом он намерен переодеться.

Впрочем, приди Фандорин во фраке, затеряться среди гостей ему все равно бы не удалось, потому что было их немного — пожалуй, с дюжину. В основном господа приличного и даже благообразного вида, хоть и вовсе не старые — лет около тридцати или, может, немногим больше.

Лица разгоряченные, раскрасневшиеся от вина, а у некоторых даже несколько ошалевшие — видно, что для них этакое веселье в диковину. В противоположном конце залы виднелись еще одни раззолоченные двери, затворенные. Из-за них доносился звон посуды и звуки спевки цыганского хора. По всему видно, там готовился банкет.

Вновь прибывшие угодили в самый разгар речи, которую произносил лысоватый господин с брюшком и в золотом пенсне.

— Зензинов, первым учеником был. Уже ординарный профессор, — шепнул Захаров, как показалось, с завистью.

— ...Только и вспомнишь о былых проказах, что в эти памятные дни. Тогда, семь лет назад, тоже ведь на Страстную пришлось, как нынче. — Ординарный профессор отчего-то приумолк, горько тряхнул головой. — Как говорится, кто старое помянет — глаз вон, а кто забудет — тому оба. И еще говорится: все перемелется — мука будет. Мука и вышла. Постарели, обрюзгли, жирком заросли. Спасибо хоть Кузьма все такой же шелапут, и нас, скучных эскулапов, изредка бередит!

Тут все засмеялись, загалдели, оборотясь к статному мужчине, что сидел в кресле, закинув ногу на ногу, и пил вино из огромного кубка. Очевидно, это и был Кузьма Бурылин. Умное, желчное лицо татарского типа — широкое, скуластое, с упрямым подбородком. Волосы черные, коротко стрижены, торчат бобриком.

— Кому мука́, а кому му́ка, — громко сказал какой-то длинноволосый, с испитым лицом, непохожий на других. Он тоже был во фраке, только явно с чужого плеча, а вместо крахмальной рубашки на длинноволосом была несомненная манишка. — Ты-то, Зензинов, сухой из воды вылез. Как же, любимчик начальства. Другим меньше повезло.

Томберг в белую горячку впал, Стенич, говорят, умом тронулся, Соцкий в арестантах сгнил. Он, покойник, мне в последнее время повсюду мерещится. Вот и вчера...

— Томберг спился, Стенич свихнулся, Соцкий подох, а Захаров вместо хирурга полицейским трупорезом заделался, — бесцеремонно прервал говорившего хозяин, глядя, впрочем, не на Захарова, а на Эраста Петровича, и с особенным, недобрым вниманием.

— Ты кого это привез, Егорка, английская твоя морда? Что-то не припомню этакого хлюста среди нашей медицейской братии.

Эксперт, иуда, демонстративно отодвинулся от коллежского советника и как ни в чем не бывало объявил:

— А это, господа, Эраст Петрович Фандорин, особа в некоторых кругах хорошо известная. Состоит при генерал-губернаторе для особо важных сыскных дел. Просил, чтоб я непременно привел его сюда. Отказать не мог — высокое начальство. В общем, прошу любить и жаловать.

Корпоранты возмущенно загудели. Кто-то вскочил, кто-то язвительно захлопал.

— Черт знает что!

— Эти господа совсем распоясались!

— А с виду не скажешь, что сыскной.

Эти и прочие подобные замечания, несшиеся со всех сторон, заставили Эраста Петровича побледнеть и прищуриться. Дело принимало неприятный оборот. Фандорин пристально взглянул на коварного эксперта, но сказать ему ничего не успел — хозяин дома в два шага подлетел к незваному гостю и взял за плечи. Хватка у Кузьмы Саввича оказалась богатырская, не пошевельнешься.

— А у меня дома одно начальство — Кузьма Бурылин, — рявкнул миллионщик. — Ко мне без приглашения не ходят, да еще сыскные. А уж кто пожаловал — впредь заречется.

— Кузьма, помнишь у графа Толстого? — крикнул длинноволосый. — Как там квартального-то на медведе в речку спустили! Давай и этого франта прокатим! И Потапычу полезно, он у тебя какой-то снулый.

Бурылин запрокинул голову и зычно расхохотался.

— Ох, Филька, запьянцовская душа, за то тебя и ценю, что фантазию имеешь. Эй! Потапыча сюда!

Некоторые из гостей, еще не совсем охмелевшие, принялись было урезонивать хозяина, но двое ражих лакеев уж вели из столовой на цепи косматого медведя в наморднике. Мишка обиженно взрыкивал, идти не хотел, все норовил сесть на пол, и лакеи тащили его волоком, только когти скрипели по зеркальному паркету. Грохнулась на пол опрокинутая кадка с пальмой, полетели комья земли.

— Это уж чересчур! Кузьма! — воззвал Зензинов. — Мы ведь не мальчишки, как раньше. У тебя будут неприятности! В конце концов я уйду, если ты не прекратишь!

— В самом деле, — поддержал ординарного профессора еще кто-то благоразумный. — Выйдет скандал, а это уж ни к чему.

— Ну и катитесь к черту! — гаркнул Бурылин. — Только знайте, клистирные трубки, что я на всю ночь заведение мадам Жоли заангажировал. Без вас поедем.

После этих слов голоса протеста разом умолкли.

Эраст Петрович стоял смирно. Ни слова не говорил и не делал ни малейшей попытки высвободиться. Его синие глаза взирали на расходившегося купчину безо всякого выражения.

Хозяин деловито приказал лакеям:

— Разверните-ка Потапыча спиной, чтоб не окарябал сыскного. Веревку принесли? Повернись спиной и ты, казенная душа. Афоня, Потапыч плавать-то умеет?

— А как же, Кузьма Саввич. Летом на даче очень даже любит покултыхаться, — весело ответил чубатый лакей.

— Вот сейчас и покултыхается. Холодна, поди, апрельская водица. Ну, что уперся! — прикрикнул Бурылин на коллежского советника. — Поворачивайся!

Он изо всех сил вцепился в плечи Эраста Петровича, пытаясь развернуть его спиной, но тот не сдвинулся ни на вершок, будто был высечен из камня. Бурылин навалился всей силищей. Лицо побагровело, на лбу вздулись жилы. Фандорин смотрел на хозяина дома все так же спокойно, только в уголках рта наметилась легкая усмешка.

Кузьма Саввич еще немножко покряхтел, но, почувствовав, что смотрится преглупо, руки убрал и ошарашенно уставился на странного чиновника. В зале стало очень тихо.

— Вы-то, милейший, мне и нужны, — впервые разомкнул уста Эраст Петрович. — П-потолкуем?

Он взял фабриканта двумя пальцами за запястье и быстро зашагал к затворенным дверям банкетной. Видно, пальцы коллежского советника обладали каким-то особенным свойством, потому что корпулентный хозяин скривился от боли и мелко засеменил за решительным брюнетом с седыми висками. Лакеи растерянно застыли на месте, а мишка немедленно уселся на пол и дурашливо замотал мохнатой башкой.

У дверей Фандорин обернулся.

— Продолжайте веселиться, г-господа. А Кузьма Саввич пока даст мне кое-какие разъяснения.

Последнее, что заметил Эраст Петрович, прежде чем повернуться к гостям спиной, — сосредоточенный взгляд эксперта Захарова.

* * *

Стол, накрытый в банкетной, был чудо как хорош. Коллежский советник взглянул мельком на поросенка, безмятежно дремлющего в окружении золотистых кружков ананаса, на устрашающую тушу заливного осетра, на замысловатые башни салатов, на красные клешни омаров и вспомнил, что из-за неудавшейся медитации остался без обеда. Ничего, утешил он себя. У Конфуция сказано: «Благородный муж насыщается, воздерживаясь».

В дальнем углу алел рубахами и платками цыганский хор. Увидели хозяина, которого привел за руку элегантный барин с усиками, оборвали распевку на полуслове. Бурылин досадливо махнул им свободной рукой: нечего, мол, пялиться, не до вас.

Солистка, вся в монистах и лентах, поняла его жест неправильно и завела грудным голосом:

Ой да не-су-женый,
ай да невен-ча-ный...

Хор глухо, в четверть силы подхватил:

Привез каса-то-чи-ку
в терём бревен-ча-тый...

Эраст Петрович выпустил руку миллионщика, обернулся к нему лицом.

— Я получил вашу посылку. Должен ли я расценивать ее как п-признание?

Бурылин тер побелевшее запястье. На Фандорина смотрел с любопытством.

— Ну и силища у вас, господин коллежский советник. С виду не скажешь... Какое еще послание? И в чем признание?

— Вот видите, и чин мой вам известен, хотя Захаров давеча его не называл. Ухо отрезали вы, б-больше некому. И на врача учились, и у Захарова вчера с однокашниками побывали. То-то он уверен был, что уж кто-кто, а вы непременно здесь сегодня будете. Почерк ваш?

Он предъявил фабриканту обертку от «бандерори».

Кузьма Саввич взглянул, ухмыльнулся.

— А чей же. Понравился, значит, мой гостинчик? Я велел, чтоб непременно к обеду доставили. Не поперхнулись бульоном-то, а? Поди, совещанию собрали, версий понастроили? Ну, каюсь, люблю пошутить. Как у Егорки Захарова вчера со спирта язык-то развязался, я удумал штуку выкинуть. Слыхали про лондонского Джека Потрошителя? Он с тамошней полицией такой же фокус проделал. У Егорки там на столе дохлая девка лежала, рыжая такая. Взял незаметно скальпель, тихонько оттяпал ухо, в платочек обернул, да в карман. Уж больно кудряво он вас, господин Фандорин, расписывал: и такой вы, и этакий, и любой клубок размотать можете. А что, не соврал Захаров — вы субъект любопытный. Я любопытных люблю, сам из таковских. — В узких глазах миллионщика блеснул лукавый огонек. — Давайте так. Забудьте вы эту мою шутку — все равно она не задалась. А поедемте-ка с нами. Знатно покуролесим. Скажу по секрету, я препотешный кундштюк один выдумал для врачишек этих, моих стародавних знакомцев. У мадам Жоли уже все подготовлено. Завтра Москва животики надорвет, как узнает. Поедемте, право слово. Не пожалеете.

Тут хор вдруг оборвал медленную, тихую песню и грянул во всю мощь:

Кузя-Кузя-Кузя-Кузя,
Кузя-Кузя-Кузя-Кузя,

Кузя-Кузя-Кузя-Кузя,
Кузя, пей до дна!

Бурылин только глянул через плечо, и рев оборвался.

— За границей часто бываете? — невпопад спросил Фандорин.

— Это я здесь часто бываю. — Хозяин перемене темы, кажется, ничуть не удивился. — А за границей я живу. Мне без надобности тут штаны просиживать — у меня управляющие толковые, все без меня делают. В большом деле вроде моего надобно только одно: в людях разбираться. Если людей правильно подобрал, можешь после баклуши бить, дело само идет.

— В Англии д-давно были?

— В Лидсе часто бываю, в Шеффилде. Там у меня фабрики. В Лондоне на биржу заглядываю. Последний раз в декабре был. После в Париж, а к Крещенью в Москву вернулся. А зачем вам про Англию?

Эраст Петрович чуть смежил ресницы, чтоб пригасить блеск в глазах. Снял с рукава соринку, сказал с расстановкой:

— За глумление над телом девицы Сечкиной я помещаю вас под арест. Пока административный, но к утру б-будет и распоряжение прокурора. Залог ваш поверенный сможет внести не ранее завтрашнего полудня. Вы едете со мной, гости пусть отправляются по домам. Визит в бордель отменяется. Нечего добропорядочных врачей п-позорить. А вы, Бурылин, преотлично покуролесите и в арестантской.

* * *

В благодарность за спасенную девочку ночью мне был сон.

Снилось, что я пред Престолом Господним.

«Садись ошую, — сказал мне Отец Небесный. — Отдохни, ибо ты несешь людям радость и избавление, а это тяжкий труд. Неразумны они, чада мои. Взгляды их перевернуты, черное видится им белым, а белое черным; беда счастьем, а счастье бедой. Когда призываю Я из милости к Себе одного из них в младенчестве, прочие плачут и жалеют призванного вместо того, чтоб возрадоваться за него. Когда оставляю Я некоего из них жить до ста лет, до немочи телесной и угасания духовного, в наказание и назидание прочим, те не ужасаются страшной доле его, а завидуют. После смертоубийственного сражения радуются отвергнутые Мной, хоть бы даже и получили увечье, а тех, что пали, призванные Мной пред Лицо Мое, они жалеют и втайне даже презирают как неудачников. А те-то и есть истинные счастливцы, ибо уже у Меня они; несчастливцы же те, кто остался. Что делать Мне с человеками, скажи, добрая ты душа? Как вразумить их?»

И жалко мне стало Господа, тщетно алкающего любви неразумных чад своих.

Торжество Плутона

6 апреля, чистый четверг

Нынче Анисию выпало состоять при Ижицыне.

Вчера поздно вечером после «разбора», в ходе которого выяснилось, что подозреваемых теперь больше, чем нужно, шеф походил по кабинету, пощелкал четками и сказал: «Ладно, Тюльпанов. Утро вечера мудренее. Идите-ка отдыхать, набегались сегодня п-предостаточно».

Анисий думал, решение будет такое: установить за Стеничем, Несвицкой и Бурылиным (когда выйдет из узилища) негласное наблюдение, проверить все их перемещения за минувший год, ну еще, может, какой-нибудь следственный эксперимент устроить.

Но нет, непредсказуемый шеф рассудил иначе. Утром, когда Анисий, ежась под унылым дождиком, явился на Малую Никитскую, Маса передал записку:

На некоторое время исчезаю. Попробую зайти с противуположного конца. А вы пока поработайте с Ижицыным. Боюсь, не наломал бы он дров от излишнего усердия. С другой стороны, субъект он мало приятный, но цепкий, глядишь, что-нибудь и нащупает.

Эф.

Вот тебе и на. С какого это еще «противуположного»?

Важнейшего следователя пришлось поискать. Анисий протелефонировал в прокуратуру — сказали: «выехал по вызову Жандармского». Связался с Жандармским управлением — ответили: «отбыл по срочному делу, не подлежащему телефонному обсуждению». Голос у дежурного был такой взвинченный, что Тюльпанов догадался — видать, новое убийство. А еще через четверть часа от Ижицына прибыл посыльный — городовой Линьков. Заглянул к коллежскому советнику, не застал и явился к Тюльпанову на Гранатный.

— Кошмарное происшествие, ваше благородие, — доложил Линьков, ужасно волнуясь. — Бесчеловечное умерщвление малолетней особы. Такая беда, такая беда...

Шмыгнул носом и покраснел, видно, устыдившись своей чувствительности.

Анисий смотрел на тонкошеего, нескладного полицейского и видел его насквозь. Грамотный, сентиментальный, и книжки, поди, читать любит. Пошел от бедности в полицию, только не для него, куренка, эта грубая служба. Был бы Тюльпанов таким же, если б не счастливая встреча с Эрастом Петровичем.

— Едемте, Линьков, — сказал Анисий, нарочно называя городового на «вы». — Давайте прямо в морг, все равно туда привезут.

Вот что значит дедукция — расчет оказался верен. Всего полчасика посидел Анисий в сторожке у Пахоменки, поболтал с приятным человеком о житье-бытье, и подкатили к воротам три пролетки, а за ними глухая карета без окон, так называемая «труповозка».

Из первой пролетки вышли Ижицын с Захаровым, из второй — фотограф с ассистентом, из третьей — двое жандармов и старший городовой. А из кареты никто не вышел.

Жандармы открыли облезлые дверцы, вынесли на носилках нечто короткое, прикрытое брезентом.

Медицинский эксперт был хмур и грыз свою неизменную трубку с каким-то особенным ожесточением, зато следователь выглядел бодрым и оживленным, чуть ли даже не радостным. Увидев Анисия, переменился в лице:

— А-а, это вы. Стало быть, уже пронюхали? Ваш начальник тоже здесь?

Но когда выяснилось, что Фандорина нет и не будет, да и его помощник пока ничего толком не знает, Ижицын вновь воспрял духом.

— Ну, теперь закрутится, — сообщил он, энергично потирая руки. — Стало быть, так. Сегодня на рассвете путевые обходчики передаточной ветви Московско-Брестской железной дороги обнаружили в кустах близ Ново-Тихвинского переезда труп малолетней бродяжки. Егор Виллемович определил, что смерть наступила не позднее полуночи. Неаппетитное, доложу вам, Тюльпанов, было зрелище! — Ижицын коротко хохотнул. — Вообразите: пузо, натурально, выпотрошено, вокруг на ветках потроха развешаны, а что до физиономии...

— Что, снова кровавый поцелуй?! — в волнении вскричал Анисий.

Следователь прыснул, да и не смог остановиться, закис со смеху — видно, нервы.

— Ой, уморили, — вымолвил он, наконец, вытирая слезы. — Дался вам с Фандориным этот поцелуй. Вы уж извините за неуместное веселье. Сейчас покажу — поймете. Эй, Силаков! Стой! Лицо ее покажи!

Жандармы опустили носилки на землю, откинули край брезента. По загадочному поведению следователя Анисий ожидал увидеть что-нибудь особенно неприятное: стеклянные глаза, кошмарную гримасу, вывалившийся язык, но ничего этого не было. Под брезентом обнаружился какой-то черно-красный каравай с двумя шариками: белыми, а посреди каждого темный кружочек.

— Что это? — удивился Тюльпанов, и зубы у него как-то сами по себе застучали.

— Стало быть, наш шутник ее вовсе без лица оставил, — с мрачной веселостью пояснил Ижицын. — Егор Виллемович говорит, что кожа надрезана под линией волос и после сдернута, наподобие шкурки апельсина. Вот вам и поцелуй. И, главное, теперь не опознаешь.

У Анисия перед глазами всё как-то странно сдвинулось и закачалось. Голос следователя доносился словно бы из дальнего далека.

— Стало быть, келейности конец. Обходчики, шельмы, разболтали всем подряд. Одного из них с обмороком увезли. Да и без того по Москве слухи ползут. В Жандармское со всех сторон доносят о душегубе, который решил женское племя под корень извести. С утра пораньше доложили в Петербург. Всю правду как есть, без утайки. Сам министр к нам приедет, граф Толстов. Так-то. Стало быть, полетят головы. Я свою ценю, не знаю, как вы. Ваш начальник может сколько угодно в дедукцию играться, ему что, у него высокий покровитель. А уж как-нибудь без дедукций, с помощью решительности и энергии. Теперь, стало быть, не до слюнтяйства.

Тюльпанов отвернулся от носилок, сглотнул, отогнал от глаз мутную пелену. Набрал в грудь побольше воздуха. Отпустило.

«Слюнтяйство» Ижицыну спускать было нельзя, и Анисий сказал деревянным голосом:

— А мой шеф говорит, что решительность и энергия хороши при рубке дров и вскапывании огородов.

— Именно так-с. — Следователь махнул жандармам, чтоб несли труп в морг. — Я перекопаю к чертовой матери всю Москву, а если дров наломаю, то результат извинит. Без результата же мне все одно головы не сносить. Вы, Тюльпанов, приставлены ко мне надзирать? Вот и надзирайте, только не суйтесь с замечаниями. А захотите жалобы писать — милости прошу. Я графа Дмитрия Андреевича знаю, он решительность ценит и на несоблюдение юридических второстепенностей сквозь пальцы смотрит, если вольности продиктованы интересами дела.

— Мне приходилось слышать такое от полицейских, однако же в устах служащего прокуратуры подобные суждения звучат странно, — сказал Анисий, подумав, что именно так ответил бы Ижицыну на его месте Эраст Петрович.

Однако следователь на достойный, сдержанный реприманд только махнул рукой, и тогда Тюльпанов окончательно перешел на официальный тон:

— Вы бы ближе к делу, господин надворный советник. В чем состоит ваш план?

Они вошли в кабинет судебно-медицинского эксперта и сели к столу, благо сам Захаров возился с трупом в анатомическом театре.

— А вот, извольте. — Ижицын с видом превосходства взглянул на младшего по чину. — Стало быть, пораскинем мозгами. Кого убивает наш брюхорез? Гулящих, бездомных, нищенок, то есть женщин с городского дна, самые что ни есть отбросы общества. Теперь, стало быть, вспомним, где происходили убийства. Ну, откуда привезли тех безымянных, что во рвах, уже не установишь. Известно, что наша московская полиция в таких случаях излишней писаниной себя не утруждает. Однако ж, где нашли трупы, вырытые нами из именных могил, отлично известно.

Ижицын открыл клеенчатую тетрадочку.

— Ага, вот! Нищенка Марья Косая была убита 11 февраля на Малом Трехсвятском, ночлежка Сычугина. Горло перерезано, брюхо вспорото, печенка отсутствует. Проститутка Александра Зотова найдена 5 февраля в Свиньинском переулке, на мостовой. Опять горло плюс вырезанная матка. Эти две — наши явные клиентки.

Следователь подошел к висевшей на стене полицейской карте города и стал тыкать в нее длинным острым пальцем:

— Стало быть, смотрим. Вторничная Андреичкина найдена вот здесь, на Селезневской. Сегодняшняя девчонка — у Ново-Тихвинского переезда, вот здесь. От одного места преступления до другого не более версты. До Выползовской татарской слободы столько же.

— При чем здесь татарская слобода? — спросил Тюльпанов.

— После, после, — махнул Ижицын. — Вы пока не встревайте... Теперь два старых трупа. Малый Трехсвятский вот он. Вот Свиньинский. На одном пятачке. Триста-пятьсот шагов до синагоги, что в Спасоглинищевском.

— Так еще ближе до Хитровки, — возразил Анисий. — Там что ни день кого-нибудь режут. Что ж удивительного, самый рассадник преступности.

— Режут, да не так! Нет, Тюльпанов, тут не обычным христианским злодейством пахнет. Во всех этих потрошениях чувствуется дух изуверский, ненашенский. Православные много свинства творят, но не этак. И не надо нести чушь про лондонского Джека, который якобы был русским и теперь вернулся позабавиться на родных просторах. Ерунда-с! Если русский человек по Лондонам разъезжает, стало быть, он из культурного сословия. А разве станет культурный человек копаться в вонючих кишках какой-нибудь Маньки Косой? Вы можете себе такое представить?

Анисий представить себе такого не мог и честно помотал головой.

— Ну вот видите. Это же очевидно! Надо быть фантазером и теоретиком вроде вашего начальника, чтобы подменять абстрактическими умопостроениями здравый смысл. А я, Тюльпанов, практик.

— Но как же знание анатомии? — бросился Анисий на защиту шефа. — И профессиональная работа хирургическим инструментом? Только медик мог совершить все эти ужасы!

Ижицын победоносно улыбнулся:

— В том-то и ошибка Фандорина! Меня с самого начала коробило от этой его гипотезы. Так не бы-ва-ет, — отчеканил он по слогам. — Просто не бывает, и всё. Если человек из приличного общества извращенец, то он выдумает что-нибудь поизысканней этаких гнусностей. — Следователь кивнул в сторону прозекторской. — Вспомните маркиза де Сада. Или хоть взять прошлогоднюю историю с нотариусом Шиллером, помните? Напоил девку до беспамятства, засунул ей в некое место брусок динамита и запалил фитиль. Сразу видно, что образованный человек, хоть и чудовище, конечно. А на мерзости, с которыми столкнулись мы, способен только хам, быдло. Что же до знания анатомии и хирургической ловкости, то тут все разъясняется очень просто, господа умники.

Следователь выдержал паузу и, подняв для пущего эффекта палец, прошептал:

— Мясник! Вот кто анатомию знает не хуже хирурга. Каждый божий день печеночку, желудок, почки вычленяет самым что ни на есть ювелирным образом, не хуже покойного господина Пирогова. Да и ножи у хорошего мясника не тупее скальпеля.

Тюльпанов потрясенно молчал. А ведь прав неприятный человек Ижицын! Как же можно было про мясников-то забыть!

Ижицын реакцией собеседника остался доволен.

— А теперь и про мой план. — Он снова подошел к карте. — Стало быть, мы имеем два очага. Первые два трупа обнаружены вот здесь, два последних — вот здесь. Чем объясняется смена места деятельности преступника, нам неизвестно. Может быть, он рассудил, что в северной части Москвы душегубствовать удобнее, чем в центральной: пустыри, кустарники, меньше домов. На всякий случай я беру на подозрение всех мясников, проживающих в обоих интересующих нас местностях. У меня уж и список есть. — Следователь достал листок, положил на стол перед Анисием. — Всего их тут семнадцать человек. Обратите внимание на тех, кто помечен шестиконечной звездой или полумесяцем. Вот тут, в Выползове, татарская слобода. У татарвы свои собственные мясники, сущие разбойники. Напоминаю, что до сарая, где нашли Андреичкину, от слободы менее версты. До железнодорожного переезда, где обнаружен труп девчонки без лица, столько же. А здесь, — длинный палец переместился по карте, — в непосредственной близости от Трехсвятского и Свиньинского — синагога. При ней — резники, этакие пакостные жидовские мясники, что скотину по ихнему варварскому обычаю умерщвляют. Никогда не видели, как это делается? Очень похоже на работу нашего приятеля. Чуете, Тюльпанов, чем дело пахнет?

Судя по раздувающимся ноздрям важнейшего следователя, пахло громким процессом, нешуточными наградами и головокружительным продвижением по службе.

— Вы, Тюльпанов, человек молодой. Ваше будущее — в ваших собственных руках. Можете держаться за Фандорина и останетесь в дураках. А можете поработать на благо дела, и тогда я вас не забуду. Вы юноша сообразительный, расторопный. Мне такие помощники нужны.

Анисий открыл было рот, чтобы дать наглецу должный отпор, но Ижицын уже вел речь дальше:

— Из семнадцати интересующих нас мясников четверо татары и трое жиды. Они — на подозрении первые. Но чтобы избежать упреков в предвзятости, я арестую всех. И поработаю с ними как следует. Слава Богу, опыт имеется. — Он хищно улыбнулся и потер руки. — Стало быть, так. Перво-наперво нехристей солонинкой покормлю, ибо православный пост им не указ. Свинину они жрать не станут, так я говядинкой велю попотчевать, мы чужие обычаи уважаем. Православных — тех селедочкой угощу. Пить не дам. Спать тоже. Ночку посидят, повоют, а с утра, чтоб не заскучали, буду по очереди вызывать, и мои ребята их «колбаской» поучат. Знаете, что такое «колбаска»?

Тюльпанов потрясенно покачал головой.

— Преотличная штуковина: чулок, а в нем мокрый песочек. Следов никаких, а очень впечатляет, особенно если по почкам и прочим чувствительным местам.

— Леонтий Андреевич, вы же университет кончали! — ахнул Анисий.

— Именно. И потому знаю, когда можно действовать по правилам, а когда общественный интерес позволяет правилами пренебречь.

— А что, если ваша версия неверна, и Потрошитель никакой не мясник?

— Мясник, кто ж еще, — пожал плечами Ижицын. — Я ведь, кажется, убедительно разъяснил?

— Но вдруг сознается не тот, кто виновен, а самый слабый духом? Ведь тогда истинный убийца останется безнаказанным!

Следователь до того обнаглел, что позволил себе покровительственно похлопать Анисия по плечу.

— Предусмотрел и это. Конечно, неавантажно выйдет, ежели мы сейчас какого-нибудь Мойшу или Абдулку вздернем, а месяца этак через три полиция снова потрошеную шлюху обнаружит. Случай особенный, переходящий в разряд государственных преступлений. Шутка ли — сорван высочайший приезд! Потому и меры допустимы чрезвычайные. — Ижицын сжал кулак так, что хрустнули суставы. — Один пойдет на виселицу, а остальные шестнадцать поедут по этапу. В административном порядке, безо всякой огласки. В места холодные, безлюдные, где и резать-то особенно некого. А полиция еще и будет там за ними приглядывать.

«План» решительного следователя привел Анисия в ужас, хотя отрицать эффективность подобных мер было трудно. Высокое начальство ввиду приезда грозного графа Толстова, пожалуй, с перепугу инициативу одобрит, и жизнь множества ни в чем не повинных людей будет растоптана. Как этому помешать? Ах, Эраст Петрович, ну где вы пропадаете?!

Закряхтел Анисий, задвигал своими знаменитыми ушами, мысленно попросил у шефа прощения за самовольство, да и рассказал Ижицыну про вчерашние следственные достижения. Пусть не слишком заносится, пусть знает, что кроме его «мясницкой» версии есть и другие, пообстоятельней.

Леонтий Андреевич выслушал внимательно, ни разу не перебил. Его нервное лицо сначала побагровело, после стало бледнеть, а под конец пошло пятнами, и глаза сделались словно пьяные.

Когда Тюльпанов закончил, следователь облизнул белесым языком толстые губы и медленно повторил:

— Акушерка из нигилисток? Свихнувшийся студент? Купчина-сумасброд? Так-так...

Ижицын вскочил со стула, забегал по комнате, взъерошил волосы, чем нанес непоправимый ущерб идеальному пробору.

— Превосходно! — вскричал он, остановившись перед Анисием. — Я очень рад, что вы, Тюльпанов, решились откровенно со мной сотрудничать. Какие могут быть тайны между своими, ведь одно дело делаем!

У Анисия по сердцу пробежал противный холодок — ой, зря проболтался. А следователя уж было не остановить:

— Что ж, попробуем. Мясников я, конечно, все равно арестую, но пусть пока посидят. Обработаем сначала ваших «медиков».

— Как это «обработаем»? — запаниковал Анисий, вспомнив милосердного брата и докторшу. — «Колбаской», что ли?

— Нет, с этой публикой надо по-другому.

Следователь немного подумал, сам себе кивнул и изложил новый план действий:

— Стало быть, действовать будем так. С образованными, Тюльпанов, своя метода. От образования в человеке душа размягчается, становится чувствительной. Если наш брюхорез — человек из общества, то это оборотень: днем он обычный, как все, а ночью, в момент преступного исступления, в него как бы бес вселяется. На этом и сыграем. Я возьму их, голубчиков, когда они обычные, и предъявлю им дело рук оборотня. Посмотрим, выдержит ли их чувствительность эту картину. Уверен, что виновный сломается. Увидит при свете дня, какие дела его другое «я» творит, и выдаст себя, непременно выдаст. Тут, Тюльпанов, психология. Решено. Проводим следственный эксперимент.

Анисию почему-то вдруг вспомнилось, как маменька в детстве рассказывала сказку, жалобно причитая за Петю-Петушка: «Несет меня лиса за синие леса, за высокие горы, во глубокие норы...»

Шеф, Эраст Петрович, плохи дела-то, совсем плохи.

* * *

В подготовке «следственного эксперимента» Анисий не участвовал. Засел в кабинете Захарова и, чтобы не думать про допущенную оплошность, стал читать лежавшую на столе газету — все подряд, без разбору.

«Московские ведомости» сего 6 (18) апреля сообщали следующее:

Окончание строительства Эйфелевой башни

Париж. Агентство Рейтер доносит, что здесь наконец достроено гигантское и совершенно бесполезное сооружение из чугунных палок, которым французы хотят удивить посетителей Пятнадцатой всемирной выставки. Эта опасная затея вызывает законное беспокойство парижских жителей. Можно ли допускать, чтобы над Парижем торчала какая-то бесконечная фабричная труба, принижая своею смешною высотой все дивные монументы столицы? Опытные инженеры выражают сомнение в том, что такая высокая и относительно тонкая постройка, возведенная на основании, втрое меньшем ее вышины, способна устоять под напором ветра.

Дуэль на саблях

Рим. Вся Италия обсуждает дуэль, состоявшуюся между генералом Андреотти и депутатом Кавалло. В своей речи, произнесенной на прошлой неделе перед ветеранами сражения при Сольферино, генерал Андреотти выразил беспокойство по поводу еврейского засилия в газетном и издательском мире Европы. Депутат Кавалло, по происхождению иудей, счел себя оскорбленным этим совершенно справедливым утверждением и, выступая в парламенте, обозвал генерала «сицилийским ослом», в результате чего и состоялась дуэль. На второй схватке Андреотти был легко ранен саблей в плечо, после чего дуэль прекратилась. Противники обменялись рукопожатиями.

Болезнь министра

С.-Петербург. Заболевшему на днях воспалением легких министру путей сообщения несколько лучше: болей в груди нет. Прошлую ночь больной провел спокойно. Сознание вполне сохраняется.

Анисий прочел и рекламы: про освежающую глицериновую пудру, про мазь для калош, про новейшие складные кровати и антиникотиновые мундштуки. Охваченный странной апатией, долго изучал картинку с подписью:

Привилегированный безвонный пудр-клозет системы инженер-механика С.Тимоховича. Дешев, удовлетворяет всем правилам гигиены, может помещаться в любой жилой комнате. В доме Ададурова близ Красных ворот можно наблюдать клозет в действии. Для дач отдаются в прокат.

Потом просто сидел и уныло смотрел в окно.

Зато Ижицын был сама энергия. Под его личным присмотром в прозекторскую внесли дополнительные столы, так что получилось их общим счетом тринадцать. Двое могильщиков, сторож и городовые приволокли из ледника на носилках три опознанных трупа и десять безымянных, среди которых была и малолетняя бродяжка. Следователь несколько раз велел перекладывать тела то так, то этак — добивался максимального зрительного эффекта. Анисий только ежился, когда из соседнего помещения через закрытую дверь доносился пронзительный командный тенорок Ижицына:

— Куда стол двигаешь, дура!? «Покоем» я сказал, «покоем»!

Или того хуже:

— Не так, не так! Брюхо ей пошире распахни! Ну и что, что смерзлось, а ты заступом, заступом! Вот теперь хорошо.

Задержанных доставили в третьем часу пополудни: каждого в отдельной пролетке под конвоем.

Тюльпанов видел в окно, как сначала в морг провели круглолицего, плечистого мужчину в мятом черном фраке и съехавшем на сторону белом галстуке — надо полагать, это и был фабрикант Бурылин, так и не попавший домой после вчерашнего задержания. Минут через десять привезли Стенича. Он был в белом халате (видно, прямо из лечебницы) и затравленно озирался по сторонам. Вскоре прибыла и Несвицкая. Она шла меж двух жандармов, расправив плечи и подняв голову. Лицо повивальной бабки было искажено от ненависти.

Скрипнула дверь, в кабинет заглянул Ижицын. Лицо возбужденное, пылающее — ну чисто театральный антрепренер перед премьерой.

— Они, голубчики, пока в конторе дожидаются, под присмотром, — сообщил он Анисию. — Загляните-ка, хорошо ли.

Тюльпанов вяло поднялся, вышел в анатомический театр.

В середине обширной комнаты было пустое пространство, с трех сторон окруженное столами. На каждом — прикрытый брезентом труп. За столами, вдоль стены — жандармы, городовые, могильщики, сторож: по одному на два покойника. У крайнего стола на простом деревянном стуле сидел Захаров в своем всегдашнем фартуке и с неизменной трубкой в зубах. Лицо у эксперта было скучливое, даже сонное. Сзади и чуть сбоку торчал Грумов, будто супруга при благоверном на мещанской фотокарточке, только что руку на плече у Захарова не держал. Вид у ассистента был пришибленный — очевидно, не привык тихий человек к подобному столпотворению в этом царстве безмолвия. Пахло дезинфектантом, но сквозь резкий химический запах настойчиво потягивало сладковатым смрадом разложения. Сбоку на отдельном столике лежала стопка бумажных пакетов. Все предусмотрел обстоятельный Леонтий Андреевич — ну как вырвет кого.

— Здесь буду я, — показал Ижицын. — Здесь они. По моей команде эти семеро возьмутся правой рукой за одно покрывало, левой рукой за другое, и сдернут. Зрелище исключительное. Скоро сами увидите. И носом, носом их, мерзавцев, туда, в самую кашу. Уверен, что у преступника нервы не выдержат. Или выдержат? — вдруг встревожился следователь, скептически оглядывая мизансцену.

— Не выдержат, — мрачно ответил Анисий. — Причем у всех троих.

Он встретился глазами с Пахоменкой, и тот украдкой подмигнул: не журысь, мол, хлопчик, про мозолю помни.

— Заводи! — гаркнул Ижицын, оборотясь к двери, поспешно отбежал в самую середину комнаты и встал в позу непреклонной суровости: руки скрещены на груди, одна нога выставлена вперед, узкий подбородок выпячен, брови насуплены.

Ввели задержанных. Стенич сразу уставился на страшные брезентовые саваны и вжал голову в плечи. Анисия и прочих, кажется, даже не заметил. Зато Несвицкую столы не заинтересовали вовсе. Она оглядела присутствующих, задержала взгляд на Тюльпанове и презрительно усмехнулась. Анисий мучительно покраснел. Купец встал подле столика с бумажными пакетами, оперся на него рукой и принялся с любопытством вертеть головой. Захарову подмигнул. Тот сдержанно кивнул.

— Я человек прямой, — сухим, пронзительным голосом начал Ижицын, чеканя каждое слово. — И потому ходить вокруг да около не стану. В последние месяцы в Москве произошел ряд чудовищных убийств. Следственным инстанциям доподлинно известно, что эти преступления совершены одним из вас троих. Я сейчас покажу вам кое-что интересное и загляну в душу каждому. Я опытный сыскной волк, меня не проведешь. До сих пор убийца видел дело своих рук только ночью, находясь во власти безумия. А теперь полюбуйтесь, как это выглядит при свете дня. Давай!

Он махнул рукой, и саваны словно сами собой сползли на пол. Линьков, правда, немножко подпортил эффект — дернул слишком резко, и брезент зацепился за голову покойницы. Мертвая голова деревянно стукнулась о поверхность стола.

Зрелище и в самом деле было хоть куда. Анисий пожалел, что вовремя не отвернулся, а теперь уж было поздно.

Он прижался спиной к стене, три раза глубоко вдохнул и выдохнул — вроде отпустило.

Ижицын на трупы не смотрел. Так и впился глазами в подозреваемых, рывками переводя взгляд: Стенич, Несвицкая, Бурылин; Стенич, Несвицкая, Бурылин. И снова, и снова.

Анисий заметил, как у старшего городового Приблудько, стоявшего с неподвижным, будто каменным лицом, мелко дрожат кончики нафабренных усов. Линьков стоял, зажмурив глаза, и шевелил губами — видно, молился. У могильщиков рожи были скучающие — эти навидались на своей грубой службе всякого. Сторож Пахоменко смотрел на мертвых грустно и участливо. Встретился глазами с Анисием и еле заметно качнул головой, что, верно, означало: «Эх, люди, люди, и что вы только над собой творите». От этого простого, человеческого движения Тюльпанов окончательно пришел в себя. На подозреваемых смотри, приказал он себе. Бери пример с Ижицына.

Вот стоит бывший студент и бывший сумасшедший Стенич, с хрустом ломает тонкие пальцы, на лбу крупные капли пота. Можно поручиться, что холодного. Подозрительно? Еще бы!

А другой бывший студент, отрезатель ушей Бурылин, напротив, что-то уж больно спокоен: на лице блуждает глумливая улыбочка, глазки поигрывают нехорошими огоньками. Да только притворяется миллионщик, что все ему нипочем — взял зачем-то со столика бумажный пакет, прижимает к груди. Это называется «непроизвольная реакция», шеф учил на нее в первую очередь внимание обращать. Этакий прожигатель жизни как Бурылин от пресыщенности вполне мог возжаждать новых, острых ощущений.

Теперь железная женщина Несвицкая, бывшая тюремная затворница, полюбившая в своем Эдинбурге хирургические операции. Незаурядная особа, просто не знаешь, на что такая способна и чего от нее можно ожидать. Вон как глазами-то высверкивает.

Тут «незаурядная особа» немедленно подтвердила, что действительно способна на непредсказуемые поступки.

Ее звенящий голос нарушил могильную тишину:

— Знаю, в кого вы нацелили, господин опричник! — крикнула Несвицкая следователю. — Куда как удобно! «Нигилистка» в роли кровожадного чудовища! Хитро! Особенная пикантность в том, что женщина, да? Браво, далеко пойдете! Знала я, на какие преступления способна ваша свора, но это уже за всеми мыслимыми пределами! — Внезапно докторша ахнула и схватилась рукой за сердце, словно потрясенная озарением. — Да ведь это вы! Вы сами! Как я сразу не поняла! Ваши заплечных дел мастера несчастных этих и накромсали — а что, вам ведь «отбросов общества» не жалко! Чем их меньше, тем для вас проще! Подлецы! В «Кастиго» решили поиграть? Одним камнем двух зайцев, да? И бродяг поубавить, и на «нигилистов» тень бросить! Неоригинально, зато действенно!

Она ненавидяще расхохоталась, запрокинув голову. Стальное пенсне слетело, заболталось на шнурке.

— Молчать! — взвизгнул Ижицын, очевидно, опасаясь, что выходка Несвицкой сорвет ему всю следственную психологию. — Немедленно молчать! Оскорбления власти не допущу!

— Убийцы! Скоты! Сатрапы! Провокаторы! Мерзавцы! Губители России! Упыри! — кричала Несвицкая, и по всему было видно, что запас бранных слов в адрес блюстителей порядка у нее изрядный и иссякнет нескоро.

— Линьков, Приблудько, заткнуть ей рот! — окончательно вышел из себя следователь.

Городовые нерешительно двинулись к акушерке, взяли за плечи, но, кажется, не очень знали, как приступить к затыканию рта приличной дамы.

— Будь ты проклят, зверь! — возопила Несвицкая, глядя Ижицыну в глаза. — Сдохнешь жалкой смертью, от собственных козней своих сдохнешь!

Она вскинула руку, наставив палец прямо в лицо важнейшему следователю, и тут вдруг грянул выстрел.

Леонтий Андреевич подскочил на месте и пригнулся, схватившись за голову. Тюльпанов захлопал глазами: неужто можно застрелить человека пальцем!

Раздался заливистый, безудержный хохот. Бурылин махал руками и тряс головой, не в силах справиться с приступом безудержного веселья. Ах вон что. Оказывается, это он, проказник, втихомолку, пока все смотрели на Несвицкую, надул бумажный пакет, да и грохнул его об столик.

— А-а-а!!! — взвился к потолку нечеловеческий вопль, заглушивший смех фабриканта.

Стенич!

— Не могу-у-у-у! — истошно провыл милосердный брат. — Не могу больше! Мучители! Палачи! За что вы меня терзаете? Почему? Господи, за что-о-о-о?

Его совершенно безумные глаза скользнули по лицам и остановились на Захарове, который единственный из всех сидел: молча, с кривой улыбкой, засунув руки в карманы кожаного фартука.

— Что ухмыляешься, Егор? Тут твое царство, да? Твое царство, твой шабаш! Восседаешь на троне, правишь бал! Торжествуешь! Плутон, царь смерти! А это подданные твои! — Он показал на обезображенные трупы. — Во всей красе! — Дальше сумасшедший понес и вовсе что-то бессвязное. — Меня взашей, недостоин! А ты, ты чего достоин оказался? Что ты так гордишься-то? Посмотри на себя! Стервятник! Трупоед! Вы посмотрите на него, на трупоеда! А помощничек? Ну и парочка! «Ворон к ворону летит, ворон ворону кричит: «Ворон, где б нам отобедать?»

И зашелся в истерическом, трясучем хихиканье.

Рот эксперта выгнулся презрительным коромыслом. Грумов же неуверенно улыбнулся.

Славный «эксперимент», подумал Анисий, глядя на держащегося за сердце следователя и подозреваемых: одна выкрикивает проклятья, другой хохочет, третий хихикает. Ну вас всех к черту, господа.

Анисий повернулся и вышел.

Уф, до чего же хорош свежий воздух.

* * *

Заскочил к себе на Гранатный проведать Соньку и наскоро похлебать Палашиных щей, а после сразу к шефу. Есть что рассказать и есть в чем повиниться. Более же всего не терпелось узнать, чем это таким таинственным занимался сегодня Эраст Петрович.

Путь до Малой Никитской недолгий, всего пять минут. Взбежал Тюльпанов на знакомое крыльцо, нажал на звонок — нет никого. Ну, Ангелина Самсоновна, надо полагать, в церкви или в больнице, но где Маса? Кольнуло тревожное чувство: а вдруг, пока Анисий вредил следствию, шефу понадобилась помощь и он послал за своим верным слугой?

Уныло побрел обратно. На улице с криком носилась ребятня. По меньшей мере трое мальчуганов, самых отчаянных, были черняваенькие, с раскосыми глазенками. Тюльпанов покачал головой, вспомнив, что у окрестных кухарок, горничных и прачек фандоринский камердинер слывет «дусей» и погубителем сердец. Если так дальше пойдет, то лет через десять вся округа япончатами переполнится.

Снова пришел два часа спустя, уже после темноты. Увидел, что окна флигеля светятся, обрадовался, припустил через двор бегом.

Хозяйка и Маса оказались дома, но Эраст Петрович отсутствовал, и выяснилось, что за весь день весточек от него не поступало.

Ангелина Самсоновна гостя не отпустила, усадила пить чай с ромом, есть пирожные-эклеры, до которых Анисий был большой охотник.

— Так ведь пост, — неуверенно произнес Тюльпанов, вдохнув божественный аромат свежезаваренного чая, сдобренного ямайским напитком. — Как же ром-то?

— Вы ведь, Анисий Питиримович, все равно пост не соблюдаете, — улыбнулась Ангелина.

Она сидела напротив, подперев щеку. Чаю не пила и пирожных не ела.

— Пост должен не в лишение, а в награждение быть. Другое говение Господу не надобно. Не требует душа — и не поститесь, Бог с вами. Эраст Петрович вот в церковь не ходит, церковных установлений не признает, и ничего, нестрашно это. Главное, что у него в душе Бог живет. А если человек может и без церкви Бога знать, так что ж неволить.

Не сдержался здесь Анисий, брякнул давно наболевшее:

— Не все церковные установления обходить следует. Допустим, если даже сам значения не придаешь, так можно бы и о чувствах ближнего подумать. А то что же это получается. Вы, Ангелина Самсоновна, живете по церковному закону, все обряды соблюдаете, грех к вам и близко подступиться не смеет, а с точки зрения общества... Несправедливо это, мучительно...

Все-таки не смог проговорить напрямую, скомкал, но умная Ангелина и так поняла.

— Это вы про то, что мы невенчаные живем? — спросила она спокойно, словно бы речь шла о самом обычном предмете. — Зря вы, Анисий Питиримович, Эраста Петровича осуждаете. Он мне дважды предложение делал, честь по чести. Я сама не захотела.

Анисий так и обмер.

— Да отчего же?!

Снова улыбнулась Ангелина Самсоновна, но уже не собеседнику, а каким-то своим мыслям.

— Когда любишь, не про себя думаешь. А я Эраста Петровича люблю. Потому что красивы очень.

— Это уж да, — кивнул Тюльпанов. — Красавец, каких мало.

— Я не о том. Телесная красота, она непрочная. Оспа какая или ожог, и нет ее. Вон в прошлый год, как в Англии жили, в соседнем доме пожар был. Эраст Петрович полез щенка из огня вытаскивать, да и опалился. Платье обгорело, волосы. На щеке волдырь, брови-ресницы пообсыпались. Куда как нехорош стал. А могло и вовсе лицо сгореть. Только настоящая красота не в лице. А Эраст Петрович, он красивый.

Это последнее слово Ангелина произнесла с особенным выражением, и Анисий понял, чтó она имеет в виду.

— Только боюсь я за него. Сила ему дана большая, а большая сила — великое искушение. Мне бы вот в церкви сейчас быть, чистый четверг нынче, Тайной Вечери поминование, а я, грешница, и положенных молитв читать не могу. Все за него, за Эраста Петровича, Спасителя прошу. Уберег бы его Господь — и от людской злобы, а еще более от гордости душепогубительной.

При этих словах Анисий взглянул на часы. Сказал озабоченно:

— Я, признаться, больше насчет людской злобы тревожусь. Вон уж второй час пополуночи, а его все нет. Спасибо за угощение, Ангелина Самсоновна, пойду я. Если Эраст Петрович появится, уж пошлите за мной — очень прошу.

Тюльпанов шел обратно, думал об услышанном. На Малой Никитской, под газовым фонарем, подлетела к нему разбитная девица — в черных волосах широкая лента, глаза накрашены, щеки нарумянены.

— Приятного вам вечера, антиресный кавалер. Не пожелаете ли девушку водкой-ликёром угостить? — Поиграла насурьмленными бровями, жарко прошептала. — А уж я бы тебя, красавчика, отблагодарила. Так бы осчастливила, что век бы помнил...

Ёкнуло у Тюльпанова где-то в самой глубине естества. Недурна собой была гулящая, очень даже недурна. Но с последнего грехопадения, на масленой, окончательно зарекся Анисий от продажной любви. Скверно потом, совестно. Жениться бы, да Соньку куда денешь?

Анисий сказал с отеческой строгостью:

— Поменьше шлялась бы в ночное время. Не ровен час, налетишь на какого-нибудь душегуба полоумного с ножиком.

Однако разбитная девица нисколько не растрогалась.

— Ишь, заботливый, — фыркнула она. — Небось не зарежут. Мы под присмотром — дролечка приглядывает.

И точно, на той стороне улицы, в тени виднелся силуэт. Поняв, что замечен, «кот» неспешно, враскачечку подошел. Шикарный был «котище»: бобровая шапка спущена на глаза, шуба залихватски распахнута, белоснежное кашне в пол-лица и гамаши тоже белые.

Заговорил с ленцой, блеснула золотая фикса:

— Я, сударь, извиняюсь. Вы или берите барышню, или идите себе куда шли. Неча трудовой девушке время отымать.

Девка смотрела на своего покровителя с обожанием, и это разозлило Тюльпанова еще больше, чем наглость сутенера.

— Ты мне поуказывай! — засердился Анисий. — Я тебя живо в участок доставлю.

«Кот» быстро двинул головой влево-вправо, увидел, что улица пуста, и, еще ленивей, с угрозой, осведомился:

— А доставлялка не обломается?

— Ах вот ты как!

Одной рукой Анисий схватил мерзавца за рукав, другой рванул из кармана свисток. За углом, на Тверском, пост городового. Да и до Жандармского управления рукой подать.

— Бежи, Инеска, я сам! — приказал золотозубый.

Девка тут же подобрала юбки и припустила со всех ног, а зарвавшийся «кот» сказал голосом Эраста Петровича:

— Ну будет дудеть-то, Тюльпанов. Уши от вас з-заложило.

Пыхтя и звеня сбруей, бежал городовой, Семен Лукич.

Шеф сунул ему полтинник:

— Молодец, быстро бегаешь.

Семен Лукич монету у подозрительного человека не взял, вопросительно взглянул на Анисия.

— Да-да, Сычов, иди, братец, — смущенно сказал Тюльпанов. — Извини, что зря обеспокоил.

Только тогда Семен Лукич взял полтинник, почтительнейшим образом откозырял и отбыл обратно к месту службы.

— Что Ангелина, не спит? — спросил Эраст Петрович, поглядев на освещенные окна флигеля.

— Нет, вас дожидается.

— Тогда, если не возражаете, немного прогуляемся и п-потолкуем.

— Шеф, что это за маскарад? В записке было сказано, что вы попробуете зайти с противоположного конца. С какого такого «противоположного»?

Фандорин покосился на помощника с явным неодобрением.

— Плохо соображаете, Тюльпанов. «С противоположного конца» означает со стороны жертв Потрошителя. Я п-предположил, что женщины легкого поведения, к которым наш фигурант, кажется, испытывает особенную ненависть, могут знать то, чего не знаем мы. Допустим, видели кого-то подозрительного, что-то слышали, о чем-то д-догадываются. Вот и решил провести разведку. С полицейским или с чиновником эта публика откровенничать не станет, поэтому я выбрал наиболее подходящий камуфляж. Д-должен признаться, что в качестве «кота» имел определенный успех, — скромно присовокупил Эраст Петрович. — Несколько падших созданий вызвались перейти под мое покровительство, что вызвало неудовольствие со стороны конкурентов, Слепня, Казбека и Жеребчика.

Успеху шефа на сутенерском поприще Анисий нисколько не удивился — писаный красавчик, да еще при полном хитровско-грачевском шике. Вслух же спросил:

— Есть ли результат?

— Кое-что имеется, — весело ответил Фандорин. — Мамзель Инеска, чары которой, по-моему, оставили вас не в-вполне равнодушным, рассказала мне занятную историю. Месяца полтора назад, вечером, к ней подошел какой-то человек и произнес странные слова: «Какой у тебя несчастный вид. Пойдем со мной, я тебя обрадую». Но Инеска, будучи д-девушкой здравомыслящей, с ним не пошла, потому что заметила, как, подходя, он прячет что-то за спину, и это что-то сверкнуло под луной. И вроде бы еще с какой-то девицей, не то Глашкой, не то Дашкой, был похожий случай. Там даже кровь пролилась, но до убийства не дошло. Я надеюсь эту Глашку-Дашку разыскать.

— Это наверняка он, Потрошитель! — воскликнул Анисий в возбуждении. — Как он выглядел? Что рассказывает ваша свидетельница?

— В том-то и штука, что Инеска его не разглядела. Лицо человека было в тени, и она запомнила только голос. Говорит, мягкий, тихий, вежливый. Будто к-кошка мурлычет.

— А рост? Одежда?

— Не помнит она. По собственному признанию, была «в охмелении». Но, говорит, не барин и не хитрованец, что-то п-промежуточное.

— Ага, уже что-то. — Анисий стал загибать пальцы. — Во-первых, все-таки мужчина. Во-вторых, характерный голос. В-третьих, из среднего сословия.

— Все чушь, — отрезал шеф. — Вполне может специально переодеваться для своих ночных п-приключений. И голос подозрительный. Что такое «кошка мурлычет»? Нет, женщину окончательно исключать нельзя.

Тюльпанов вспомнил про рассуждения Ижицына:

— Да, а место! Где он к ней подошел? На Хитровке?

— Нет, Инеска — б-барышня с Грачевки, и ее зона влияния объемлет Трубную площадь с окрестностями. Человек подошел к ней на Сухаревке.

— Сухаревка тоже годится, — сообразил Анисий. — Это от татарской слободы в Выползове десять минут ходу!

— Так, Тюльпанов, стоп. — Шеф и в самом деле остановился. — При чем здесь т-татарская слобода?

Тут настал черед Анисия рассказывать. Начал с главного — с ижицынского «следственного эксперимента».

Эраст Петрович слушал, недобро щурясь. Один раз переспросил:

— «Кустиго»?

— Да, кажется, Несвицкая именно так сказала. Или нечто похожее. А что это?

— Вероятно, «Кастиго», по-итальянски значит «кара», — объяснил Фандорин. — Это сицилианская полиция создала своего рода т-тайный орден, который без суда и следствия уничтожал воришек, бродяг, проституток и прочих обитателей общественного «дна». Вину за убийства члены организации сваливали на местные преступные сообщества и учиняли над ними расправу. Что ж, не так глупо предположила наша повивальная б-бабка. С Ижицына, пожалуй, сталось бы.

Когда же Анисий закончил про «эксперимент», шеф мрачно произнес:

— М-да, теперь если кто-то из этой троицы Потрошитель, голыми руками не возьмешь. Кто предупрежден, тот вооружен.

— Леонтий Андреевич говорил, что если ни один во время эксперимента себя не выдаст, то велит установить за всеми тремя наружное наблюдение.

— А что п-проку? Улики, если есть, будут уничтожены. У каждого маньяка непременно имеется что-нибудь вроде коллекции, дорогие сердцу сувениры. Маньяки, Тюльпанов, народец сентиментальный. Кто клочок одежды с трупа прихватит, кто что-нибудь похуже. Один баварский душегуб, зарезавший шесть женщин, коллекционировал пупки — испытывал роковую слабость к этой невинной части тела. Засушенные пупки и стали г-главной уликой. Наш же «хирург» знает толк в анатомии и всякий раз чего-нибудь из внутренних органов при трупе недостает. Полагаю, убийца берет с собой для «коллекции».

— Шеф, а вы уверены, что Потрошитель — непременно медик? — спросил Анисий и посвятил Эраста Петровича в «мясницкую» версию Ижицына, а заодно и в его решительный «план».

— Стало быть, в английскую версию он не верит? — удивился Фандорин. — Но ведь черты сходства с лондонскими убийствами очевидны. Нет, Тюльпанов, это сделал один и тот же человек. Зачем московскому м-мяснику ехать в Англию?

— И все же Ижицын от своей идеи не откажется, особенно теперь, после провала «следственного эксперимента». Бедные мясники с полудня сидят в кутузке. Он подержит их до завтра без воды, без сна. А с утра возьмется за них всерьез.

Давно уже Анисий не видел, чтобы глаза шефа сверкали так грозно.

— Ах, так «план» уже осуществляется? — процедил коллежский советник. — Что ж. Держу пари, что сегодня ночью еще кое-кто останется без сна. А заодно и без д-должности. Едем, Тюльпанов. Нанесем господину Пыжицыну поздний визит. Сколько мне помнится, он проживает на казенной квартире в доме судебного ведомства. Это близко, на Воздвиженке. Марш-марш, Тюльпанов, вперед!

* * *

Двухэтажный дом судебного ведомства, в котором квартировали холостые и командированные чиновники министерства юстиции, Анисию был хорошо известен. Красно-бурый, длинный, выстроенный на британский лад — с отдельным входом в каждую квартиру.

Постучали в каморку к швейцару. Он выглянул заспанный, полуодетый. Долго не хотел сообщать поздним посетителям, в каком нумере проживает надворный советник Ижицын — уж больно подозрителен казался Эраст Петрович в его живописном маскараде. Только то и спасло, что на Анисии была фуражка с кокардой.

Поднялись втроем по ступенькам к нужной двери. Привратник позвонил в колокольчик, сдернул картуз и перекрестился.

— Больно сердиты Леонтий Андреевич, — пояснил шепотом. — Вы уж, господа, того, на себя возьмите.

— Возьмем-возьмем, — пробормотал Эраст Петрович, внимательно приглядываясь к двери.

Потом вдруг слегка толкнул ее, и она бесшумно подалась.

— Незаперто! — охнул швейцар. — Вот шалапутка эта Зинка, горничная ихняя. Один ветер в голове! Неровен час грабители какие или воры. У нас тут в Кисловском давеча случай был...

— Тс-с-с! — цыкнул на него Фандорин и поднял палец.

Квартира будто вымерла. Было слышно, как, отбивая четверть, звякнули часы.

— Скверно, Тюльпанов, скверно.

Эраст Петрович шагнул в прихожую, достал из кармана электрический фонарь. Отличная штука, американского изготовления: жмешь на пружинку, и от этого там, в фонарике, энергия вырабатывается, изливается луч света. Хотел и Анисий себе такой купить, но очень уж дорог.

Луч пошарил по стенам, пробежал по полу, остановился.

— Ой, матушки! — тоненько пискнул привратник. — Зинка!

Световой круг выхватил из темноты неестественно белое лицо молодой женщины с раскрытыми, неподвижными глазами.

— Где спальня хозяина? — резко спросил Фандорин и тряхнул окоченевшего служителя за плечо. — Веди! Живо!

Бросились в гостиную, из гостиной в кабинет, а за ним обнаружилась и спальня.

Казалось бы, довольно налюбовался Тюльпанов за последние дни на перекошенные мертвые лица, но такого отвратительного видеть ему еще не доводилось.

Леонтий Андреевич Ижицын лежал в постели, широко разинув рот. Неправдоподобно выпученные глаза делали надворного советника похожим на жабу. Желтый луч метнулся туда-сюда, коротко осветил какие-то темные кучи вокруг подушки и отпрянул в сторону. Пахло гнилью и нечистотой.

Луч вернулся к страшному лицу. Электрический круг сжался, стал ярче и теперь освещал только верх головы мертвеца.

На лбу чернел отпечаток поцелуя.

* * *

Поразительно, какие чудеса способно творить мое мастерство. Трудно представить себе существо более безобразное, чем этот судейский. Безобразие его поведения, манер, речи, гнусной физиономии было до того абсолютным, что в мою душу впервые закралось сомнение — возможно ли, чтобы и эта мразь внутри была столь же прекрасна, как прочие дети Божьи.

И мне удалось сделать его красивым! Конечно, мужскому устройству далеко до женского, но всякий, кто посмотрел бы на следователя Ижицына после того, как работа была закончена, признал бы, что в таком виде он стал много лучше.

Ему повезло. Это награда за прыть и рвение. И еще за то, что своим нелепым спектаклем он заставил мое сердце заныть от жажды. Он пробудил жажду — он ее и утолил.

Я больше не сержусь на него, он прощен. Пусть даже мне пришлось из-за него закопать вещицы, дорогие моему сердцу — флаконы, в которых хранились драгоценные tementos[1]*, напоминавшие о высших минутах счастья. Спирт из флаконов вылит, теперь все мои реликвии сгниют. Но ничего не поделаешь. Держать их стало опасно. Полиция кружит надо мной подобно стае воронья.*

Некрасивая служба — вынюхивать, выслеживать. И занимаются ею на редкость некрасивые люди. Словно их таких нарочно подбирают: тупорылых, свиноглазых, с багровыми затылками, кадыкастыми шеями, оттопыренными ушами.

Нет, это, пожалуй, несправедливо. Один, хоть и уродлив собой, но, кажется, не совсем пропащий. По-своему даже симпатичный.

У него тяжелая жизнь.

Надо бы помочь юноше. Сделать еще одно доброе дело.

---

[1] Сувениры *(англ.)*.

Стенографический отчет

7 апреля, страстная пятница

— ...неудовольствие и тревогу. Государь крайне обеспокоен страшными, неслыханными злодеяниями, свершающимися в первопрестольной. Отмена высочайшего посещения пасхальных богослужений в Кремле — происшествие чрезвычайное. Особенное неудовольствие его императорского величества вызвала попытка московской администрации утаить от высочайшего внимания череду убийств, которая, как ныне выясняется, длится уже много недель. Когда я выезжал из Санкт-Петербурга вчера вечером для произведения разбирательства, еще не произошло последнее убийство, самое чудовищное из всех. Умерщвление чиновника прокуратуры, ведущего следствие, — событие для Российской империи небывалое. А леденящие кровь обстоятельства этого злодейства бросают вызов самим основам законопорядка. Господа, чаша моего терпения переполнена. Предвидя законное негодование его величества, я собственной волей и в силу имеющихся у меня полномочий принимаю следующее решение...

Слова падали веско, медленно, пугающе. Говоривший обвел тяжелым взглядом лица присутствующих — напряженные у москвичей и строгие у петербуржцев.

Хмурым утром страстной пятницы у князя Владимира Андреевича Долгорукого происходило чрезвычайное совещание в присутствии только что прибывшего из столицы министра внутренних дел графа Толстова и чинов его свиты.

Прославленный борец с революционной бесовщиной был желт и отечен лицом, нездоровая кожа под холодными, проницательными глазами свисала безжизненными складками, но голос был будто выкован из стали — непреклонный, властный.

— ...Властью, принадлежащей мне по министерству, отрешаю генерал-майора Юровского от должности московского обер-полицеймейстера, — отчеканил граф, и среди городского полицейского начальства прокатился полувздох-полустон.

— Господина окружного прокурора, служащего по ведомству юстиции, я отрешить не могу, однако же настоятельно рекомендую его превосходительству немедленно подать прошение об отставке, не дожидаясь принудительного увольнения...

Прокурор Козлятников побелел и беззвучно зашлепал губами, а его помощники заерзали на стульях.

— Что же до вас, Владимир Андреевич, — министр в упор взглянул на генерал-губернатора, слушавшего грозную речь со сдвинутыми бровями и приложенной к уху рукой, — то вам я, разумеется, давать советов не смею, но уполномочен поставить вас в известность, что государь изъявляет вам неудовольствие положением дел во вверенном вам городе. Мне известно, что его величество намеревался в связи с вашим грядущим 60-летним юбилеем службы в офицерских чинах наградить вас высшим орденом Российской империи и бриллиантовой шкатулкой с вензелевым изображением высочайшего имени. Так вот, ваше сиятельство, указ остался неподписан. А когда его величеству будет доложено о возмутительном преступлении, произошедшем минувшей ночью...

Граф сделал красноречивую паузу, и в кабинете стало совсем тихо. Москвичи замерли, ибо в воздухе повеяло ледяным ветерком конца Великой Эпохи. Без малого четверть века правил древней столицей Владимир Андреевич Долгорукой, весь покрой московской чиновной жизни давным-давно приладился к его сиятельным плечам, к его твердой, но не стеснительной для жизненного уюта хватке. И вот выглядывало так, что Володе Большое Гнездо настает конец. Чтобы обер-полицеймейстера и окружного прокурора прогоняли с должности без санкции московского генерал-губернатора! Такого еще не бывало. Это верный знак, что и сам Владимир Андреевич досиживает в высоком кресле последние дни, а то и часы. Крушение исполина не могло не отразиться на судьбе и карьере многих из присутствовавших, и потому разница в выражении лиц московских и петербуржских чинов стала еще заметнее.

Долгорукой убрал руку от уха, пожевал губами, распушил усы и спросил:

— И когда же, ваше сиятельство, его величеству будет доложено о возмутительном преступлении?

Министр прищурился, пытаясь вникнуть в подоплеку этого на первый взгляд простодушного вопроса.

Вник, оценил, чуть заметно усмехнулся:

— Как обычно, с утра великой пятницы император погружается в молитву, и государственные дела, кроме чрезвычайных, откладываются на воскресенье. Я буду с всеподданнейшим докладом у его величества послезавтра, перед пасхальным обедом.

Губернатор удовлетворенно кивнул.

— Убийство надворного советника Ижицына и его горничной при всей возмутительности сего злодеяния вряд ли может быть отнесено к числу чрезвычайных государственных дел. Вы ведь, Дмитрий Андреич, не станете отвлекать его императорское величество от молитвы из-за этакой пакости? Вас, поди ведь, и самого по головке не погладят? — все с тем же наивным видом спросил князь.

— Не стану.

Подкрученные седоватые усы министра чуть шевельнулись в иронической улыбке.

Князь вздохнул, приосанился, достал табакерку, сунул в нос понюшку.

— Ну, до воскресного полдня, уверяю вас, дело будет закончено, раскрыто, а злодей изобличен. А...а...ап-чхи!

На лицах москвичей появилась робкая надежда.

— Желаю здравствовать, — мрачно сказал Толстов. — Но позвольте узнать, откуда же такая уверенность? Следствие развалено. Чиновник, который его вел, убит.

— У нас в Москве, батюшка, важнейшие расследования никогда не ведутся по одной линии, — наставительно произнес Владимир Андреевич. — Для того при мне состоит особый чиновник, мое доверенное око, известный вашему высокопревосходительству коллежский советник Фандорин. Он близок к поимке преступника и в самое скорое время доведет дело до конца. Не правда ли, Эраст Петрович?

Князь величественно обернулся к сидевшему у стены коллежскому советнику, и лишь острый взор чиновника для особых поручений был способен прочесть в выпученных водянистых глазах высокого начальства отчаяние и мольбу.

Фандорин встал и, немного помедлив, бесстрастно произнес:

— Истинная п-правда, ваше сиятельство. Как раз в воскресенье думаю закончить.

Министр взглянул на него исподлобья:

— «Думаете»? Извольте-ка поподробней. Каковы ваши версии, выводы, предполагаемые меры?

Эраст Петрович на графа даже не взглянул, по-прежнему смотрел только на генерал-губернатора.

— Если прикажет Владимир Андреевич, изложу. Если же такого приказания не будет, предпочту сохранить конфиденциальность. Имею основания полагать, что на данном этапе расследования расширение числа посвященных в детали может стать губительным для операции.

— Что?! — вспыхнул министр. — Да как вы смеете! Вы, кажется, забыли, с кем имеете дело!

Золотые эполеты петербуржцев заколыхались от негодования. Золотые плечи москвичей пугливо поникли.

— Никак нет. — Тут уж Фандорин взглянул и на столичного сановника. — Вы, ваше сиятельство, генерал-адъютант свиты его величества, министр внутренних дел и шеф корпуса жандармов. А я служу по канцелярии московского генерал-губернатора и вашим подчиненным ни по одной из вышеперечисленных линий не являюсь. Угодно ли вам, Владимир Андреевич, чтобы я изложил г-господину министру состояние дел по расследованию?

Князь пытливо посмотрел на подчиненного и, видно, решил, что семь бед — один ответ.

— Да полноте, батюшка Дмитрий Андреевич, пусть уж расследует, как почитает нужным. Я за Фандорина ручаюсь головой. А пока не угодно ли московского завтрака откушать? У меня уж и стол накрыт.

— Ну, головой так головой, — зловеще процедил Толстов. — Воля ваша. В воскресенье, ровно в двенадцать тридцать, на рапорте в высочайшем присутствии обо всем будет доложено. В том числе и об этом. — Министр встал и раздвинул бескровные губы в улыбке. — Что ж, ваше сиятельство, можно и позавтракать.

Большой человек направился к выходу. Проходя, ожег дерзкого коллежского советника испепеляющим взглядом. За ним потянулись чины, обходя Эраста Петровича как можно далее.

— Что это вы, голубчик? — шепнул губернатор, задерживаясь возле своего подручного. — Белены объелись? Ведь это ж сам Толстов! Мстителен и долгопамятен. Со свету сживет, найдет оказию. И я защитить не смогу.

Фандорин ответил глуховатому патрону прямо в ухо, тоже шепотом:

— Если до воскресенья дело не закрою, ни вас, ни меня тут все одно не будет. А что до мстительности графа, то не извольте беспокоиться. Вы видели цвет его лица? Долгая память ему не понадобится. Очень скоро его призовут к рапорту не в высочайшем, а в Наивысочайшем присутствии.

— Все там будем, — набожно перекрестился Долгорукой. — Два дня всего у нас. Вы уж расстарайтесь, голубчик. Успеете, а?

* * *

— Я решился вызвать неудовольствие этого серьезного г-господина по весьма извинительной причине, Тюльпанов. У нас с вами нет версии. Убийство Ижицына и его горничной девицы Матюшкиной полностью меняет всю картину.

Фандорин и Тюльпанов сидели в комнате для секретных совещаний, расположенной в одном из дальних закутков генерал-губернаторской резиденции. Мешать коллежскому советнику и его ассистенту было строжайше запрещено. На обтянутом зеленым бархатом столе лежали бумаги, в приемной за плотно закрытой дверью безотлучно дежурили личный секретарь его сиятельства, старший адъютант, жандармский офицер и телефонист с прямым проводом в канцелярию обер-полицеймейстера (увы, бывшего), в Жандармское управление и к окружному прокурору (пока еще действующему). Всем инстанциям было велено оказывать коллежскому советнику полнейшее содействие. Грозного министра Владимир Андреевич взял на себя — чтоб поменьше путался под ногами.

В кабинет на цыпочках вошел Фрол Григорьевич Ведищев, князев камердинер, — принес самовар. Сел скромненько на краешек стула и ладонью помахал: мол, нет меня, господа сыщики, не тратьте на мелкую сошку вашего драгоценного внимания.

— Да, — вздохнул Анисий. — Ничего не понятно. Как он до Ижицына-то добрался?

— Ну это как раз не штука. Д-дело было так...

Эраст Петрович прошелся по комнате, рука привычным движением выудила из кармана четки.

Тюльпанов и Ведищев, затаив дыхание, ждали.

— Ночью, во втором часу, не ранее половины, в дверь квартиры Ижицына позвонили. Д-дверной колокольчик соединен с колокольчиком в комнате прислуги. Ижицын жил вдвоем с горничной Зинаидой Матюшкиной, которая убирала, чистила платье и, судя по показаниям соседских слуг, также выполняла иные обязанности, более интимного свойства. Однако, судя по всему, до своего ложа покойный ее не допускал, спали они поврозь. Что, впрочем, вполне соответствует известным нам убеждениям Ижицына относительно «к-культурного» и «некультурного» сословий. Услышав звон колокольчика, Матюшкина набросила п-поверх ночной рубашки шаль, вышла в прихожую и открыла дверь.

Была убита здесь же, в прихожей, ударом узкого, острого клинка в сердце. Затем убийца, тихо ступая, проследовал через гостиную и кабинет в спальню хозяина. Тот спал, свет был погашен — это видно по свече на прикроватном столике. Похоже, что преступник обошелся без света, что само по себе п-примечательно, ибо в спальне, как мы с вами помним, было совсем темно. Ударом очень острого лезвия убийца рассек лежавшему на спине Ижицыну трахею и артерию. Пока умирающий хрипел и хватался руками за разрезанное г-горло (вы видели, что ладони и манжеты ночной рубашки у него сплошь в крови), преступник стоял в сторонке и ждал, барабаня пальцами по крышке секретера.

Уж на что Анисий был ко всему привычен, но здесь не выдержал:

— Ну уж, шеф, это слишком — насчет пальцев-то. Вы меня сами учили, что при реконструировании картины преступления фантазировать не следует.

— Упаси Бог, Тюльпанов, какие фантазии, — пожал плечами Эраст Петрович. — Матюшкина и в самом деле была нерадивой горничной. На к-крышке секретера слой пыли, а на нем — следы множественных точечных прикосновений подушечками пальцев. Я проверил отпечатки. Они несколько смазаны, но это во всяком случае не пальцы Ижицына... Подробности потрошения я опускаю. Результат этой п-процедуры вы видели.

Анисий, передернувшись, кивнул.

— Еще раз обращаю ваше внимание на то, что при осуществлении ... препарирования Потрошитель каким-то образом обошелся без света. Очевидно, он обладает редкостным даром отлично видеть в темноте. Уходил преступник не спеша: помыл руки у рукомойника, стер тряпкой следы г-грязных ног в комнатах и прихожей, причем весьма тщательно. В общем, не торопился. Самое обидное то, что, судя по всему, мы с вами явились на Воздвиженку через каких-нибудь четверть часа после отбытия убийцы... — Коллежский советник досадливо покачал головой. — Таковы факты. Теперь вопросы и выводы. Начну с вопросов. Почему горничная открыла ночному гостю дверь? Этого мы не знаем, но ответов возможно несколько. Знакомый человек? Если знакомый, то чей — горничной или хозяина? Ответа у нас нет. Возможно, позвонивший просто сказал, что принес срочную депешу. По роду службы Ижицын наверняка получал телеграммы и бумаги в любое время суток, так что горничную это не удивило бы. Далее. Почему ее труп не тронут? Еще того интересней — почему убит мужчина, впервые за все время?

— Не впервые, — вставил Анисий. — Помните, во рву на Божедомке тоже был мужской труп.

Казалось бы, весьма дельное и уместное замечание, но шеф лишь кивнул: «да-да», не отдав должного тюльпановской памятливости.

— А т-теперь выводы. Горничная убита вне «идеи». Убита просто потому, что нужно было избавиться от свидетеля. Итак, отход от «идеи» и убийство мужчины, да не просто мужчины, а чиновника, идущего по следу Потрошителя. Чиновника активного, жесткого, ни перед чем не останавливающегося. Это опасный поворот в карьере Джека. Он теперь не просто маньяк, пришедший в умопомешательство из-за какой-то б-болезненной фантазии. Теперь он готов убивать и по новым, прежде чуждым ему соображениям — то ли из страха перед разоблачением, то ли из-за уверенности в собственной б-безнаказанности.

— Хоро-ошие дела, — подал голос Ведищев. — Этому душегубу теперь гулящих мало станет. Таких дел натворит! А у вас, господа поимщики, я гляжу, и зацепки-то никакой нет. Видно, съезжать нам с Владим Андреичем отсюдова. Леший бы с ней, со службой государевой, отлично бы и на покое пожили, да не сдюжит Владим Андреич покоя. Без дела враз скукожится, зачахнет. Вот беда-то, вот беда...

Старик шмыгнул носом, вытер большущим розовым платком слезу.

— Вы, Фрол Григорьевич, пришли, так сидите тихо, не мешайте, — строго сказал Анисий, никогда прежде не позволявший себе такого тона в разговоре с Ведищевым. Но шеф с выводами еще не закончил, наоборот, только-только к самому важному подбирается — а тут этот встревает.

— Однако в то же время отход от «идеи» — симптом обнадеживающий, — немедленно подтвердил догадку помощника Фандорин. — Свидетельство того, что мы подобрались к преступнику совсем б-близко. Теперь совершенно очевидно, что это человек, осведомленный о ходе расследования. Более того, этот человек несомненно присутствовал при ижицынском «эксперименте». Это было первое активное действие следователя, и возмездие последовало незамедлительно. Что сие означает? То, что Ижицын каким-то ему самому неведомым образом раздражил или напугал Потрошителя. Либо же воспалил его патологическое воображение.

Словно в подтверждение этого тезиса Эраст Петрович три раза подряд щелкнул четками.

— Кто же он? Трое подозреваемых со вчерашнего дня находятся под наблюдением, но наблюдение не есть заключение под стражу. Надо проверить, не мог ли кто-то из них минувшей ночью незаметно ускользнуть от ока агентов. Д-далее. Нужно персонально заняться всеми, кто вчера присутствовал при «следственном эксперименте». Сколько человек было в морге?

Анисий стал вспоминать:

— Ну сколько... Я, Ижицын, Захаров с ассистентом, Стенич, Несвицкая, этот, как его, Бурылин, потом городовые, жандармы и кладбищенские. Пожалуй, с дюжину наберется или чуть больше, если всех считать.

— Всех считать, непременно всех, — распорядился шеф. — Садитесь и пишите список. Имена. Ваши впечатления о каждом. Психологический портрет. Поведение во время «эксперимента». Мельчайшие детали.

— Эраст Петрович, да я всех по именам не знаю.

— Так узнайте. Составьте мне полный список, наш Потрошитель будет в нем. Вот ваша задача на сегодня, ею и займитесь. А я тем временем проверю, не мог ли кто из нашей т-троицы осуществить ночью тайную вылазку...

* * *

Хорошо работается, когда получен ясный, определенный приказ, когда задание по силам, а его важность очевидна и несомненна.

Из резиденции прокатился Тюльпанов на резвых губернаторских лошадях до Жандармского управления. Побеседовал с капитаном Зайцевым, командиром патрульно-разъездной роты, про двух прикомандированных жандармов: мол, не замечалось ли странностей в характере, да про семьи, да про вредные привычки. Зайцев встревожился было, но Анисий успокоил. Сказал, больно секретное и ответственное расследование — особый глаз нужен.

Потом съездил на Божедомку. Зашел к Захарову поздороваться. Только лучше бы не заходил — бирюк проворчал что-то неприветливое, да уткнулся в бумаги. Грумова на месте не было.

Наведался Анисий к сторожу, выведать про могильщиков. Ничего хохлу объяснять не стал, да тот и не лез с вопросами — простой человек, а с понятием, с деликатностью.

Сходил к могильщикам и сам: якобы дать по рублю в поощрение за помощь следствию. Составил об обоих собственное суждение. Ну, вот и всё. Пора домой — писать список для шефа.

Заканчивал пространный документ, когда уже стемнело. Перечитал, мысленно представляя каждого и прикидывая — годится в маньяки или нет.

Жандармский вахмистр Синюхин: служака, каменное лицо, глаза оловянные — черт его знает, что у него в душе.

Линьков. По виду — мухи не обидит, но уж больно странен в виде городового. Болезненная мечтательность, уязвленное самолюбие, подавляемая чувственность — все может быть.

Нехорош могильщик Тихон Кульков, с испитым лицом и щербатой пастью. Ну и рожа у этого Кулькова — только встреть такого в безлюдном месте, зарежет и не мигнет.

Стоп! Зарезать-то он зарежет, но где ж его корявым лапищам со скальпелем справиться?

Анисий еще раз взглянул на список, ахнул. На лбу выступила испарина, в горле пересохло. Ах, слепота!

Да как же раньше-то не сообразил! Будто пелена какая глаза застелила. Ведь все сходится! Один только человек из всего списка и может Потрошителем быть!

Вскочил. Как был, без шапки, без шинели, кинулся к шефу.

Во флигеле оказался только Маса: нет Эраста Петровича, и Ангелины нет — в церкви молится. Ну да, нынче ведь великий пяток, то-то и колокола так печально вызванивают к Плащанице.

Эх, незадача! И времени терять нельзя! Сегодняшние расспросы на Божедомке были ошибкой — он наверняка обо всем догадался! Так, может, оно и к лучшему? Догадался, значит, засуетился. Проследить! Пятница на исходе, один день всего остается!

Некое соображение заставило было усомниться в правильности озарения, но на Малой Никитской имелся телефонный аппарат, он и выручил. В Мещанской полицейской части, куда относится Божедомка, губернский секретарь Тюльпанов был хорошо известен, и, несмотря на неурочное время, ответ на занимающий его вопрос был дан незамедлительно.

Поначалу Анисий испытал острое разочарование: 31 октября — это слишком рано. Последнее достоверное лондонское убийство произошло 9 ноября, версия не складывалась. Но голова у Тюльпанова сегодня работала просто исключительно, всегда бы так, и заковыка разрешилась с легкостью.

Да, труп проститутки Мэри Джейн Келли был обнаружен утром 9 ноября, но Джек Потрошитель в ту пору уже переплывал Ла-Манш! Это убийство, самое мерзкое из всех, могло быть его прощальным «подарком» Лондону, совершенным непосредственно перед отправлением на континент. Потом можно будет проверить, когда он там у них отходит, ночной поезд.

А дальше все складывалось само собой. Если Потрошитель покинул Лондон вечером 8 ноября, то есть по русскому стилю 27 октября, то именно 31-го ему и полагалось прибыть в Москву!

Их с шефом ошибка заключалась в том, что, проверяя в полицейских паспортных отделах списки прибывших из Англии, они ограничились декабрем и ноябрем, а конец октября-то и не учли. Сбила проклятая путаница со стилями.

Вот и всё, сошлась версия тютелька в тютельку.

На минутку забежал домой: надеть теплое, взять «бульдог» и наскоро сжевать хлеба с сыром — по-настоящему поужинать времени не было.

Пока жевал, слушал, как Палаша по складам читает Соньке пасхальную историю из газеты. Дура слушала не отрываясь, с приоткрытым ртом. Много ли понимала — кто ее разберет.

«В провинциальном городе Эн, — медленно, с чувством читала Палаша, — в прошлый год накануне Светлого Христова Воскресения из острога убежал преступник. Выбрав время, когда все горожане разошлись по церквам к заутрене, он забрался в квартиру одной богатой и всеми уважаемой старушки, по болезни не пошедшей к службе, с целью убить и ограбить ее».

Сонька ойкнула — ишь ты, понимает, удивился Анисий. А еще год назад ничего бы не поняла, заклевала бы носом да уснула.

«В то самое мгновение, когда убийца с топором в руке хотел ринуться на нее, — драматично понизила голос чтица, — раздался первый удар пасхального колокола. Исполненная сознанием святости и торжественности минуты, старушка обратилась к преступнику с христианским приветом: «Христос воскресе, добрый человек!» Это обращение потрясло погибшего до глубины души, оно озарило перед ним всю бездну его падения и произвело в нем внезапный нравственный переворот. После нескольких мгновений тяжелой внутренней борьбы он подошел похристосоваться со старушкой и потом, разразившись рыданиями...»

Чем закончилась история Анисий так и не узнал, потому что пора было бежать.

Минут через пять после того, как он сломя голову умчался, в дверь постучали.

— От скаженный, — вздохнула Палаша. — Опять, поди, оружию забыл.

Открыла, увидела — нет, не он. На улице темно, лица не видать, но ростом повыше Анисия.

Тихий, приветливый голос сказал:

— Добрый вечер, милая. Вот, хочу вас обрадовать.

* * *

Когда с необходимым было покончено — осмотр места преступления завершен, тела сфотографированы и увезены, соседи опрошены, занять себя стало нечем. Тут-то и сделалось Эрасту Петровичу совсем худо. Агенты уехали, он сидел один в маленькой гостиной скромной тюльпановской квартирки, оцепенело смотрел на кляксы крови, пятнавшей веселые цветастые обои, и все не мог унять дрожи. В голове было гулко и пусто.

Час назад Эраст Петрович вернулся домой и сразу послал Масу за Тюльпановым. Маса и обнаружил побоище.

Сейчас Фандорин думал не о доброй, привязчивой Палаше и даже не о безответной Соне Тюльпановой, принявшей страшную, ни божескими, ни человеческими понятиями не оправдываемую смерть. В голове сломленного горем Эраста Петровича молотком колотилась одна короткая фраза: «Не переживет, не переживет, не переживет». Нипочем не переживет бедный Тюльпанов этого потрясения. Хоть и не увидит он кошмарной картины надругательства над телом сестры, не увидит ее удивленно раскрытых круглых глаз, но знает повадки Потрошителя и легко вообразит себе, какова была Сонина смерть.

И тогда всё, конец Анисию Тюльпанову, потому что пережить, когда такое случается с близкими и любимыми людьми, нормальному человеку совершенно невозможно.

Эраст Петрович пребывал в непривычном, никак не свойственном ему состоянии — не представлял, что делать.

Вошел Маса. Сопя, втащил свернутый ковер, застелил страшный, пятнистый пол. Потом принялся яростно обдирать кровавые обои. Это правильно, отрешенно подумал коллежский советник, только вряд ли поможет.

Еще какое-то время спустя появилась Ангелина. Положила Эрасту Петровичу руку на плечо, сказала:

— Кто в страстную пятницу мученическую смерть принял, быть тому в Царстве Божьем, подле Иисуса.

— Меня это не утешает, — скучным голосом ответил Фандорин, не поворачивая головы. — И вряд ли утешит Анисия.

Где он, Анисий? Ведь глубокая ночь уже, а мальчишка и прошлую ночь глаз не сомкнул. Маса говорит — забегал без шапки, очень спешил. Ничего не передал и записки не оставил.

Неважно, чем позднее объявится, тем лучше.

Совсем пусто было в голове у Фандорина. Ни догадок, ни версий, ни планов. День напряженной работы мало что дал. Опрос агентов, что вели слежку за Несвицкой, Стеничем и Бурылиным, а также собственные наблюдения подтвердили, что любой из троих минувшей ночью при известной ловкости мог отлучиться и вернуться обратно, не замеченный филерами.

Несвицкая проживает в студенческом общежитии на Трубецкой, а там четыре входа-выхода, и двери хлопают до самого рассвета.

Стенич после нервного припадка ночевал в клинике «Утоли мои печали», куда агентов не допустили. Поди-ка проверь, спал он или шатался по городу со скальпелем.

С Бурылиным и того хуже: дом огромный, окон первого этажа более шестидесяти, половина скрыта за деревьями сада. Ограда невысокая. Не дом, а решето.

Получалось, что убить Ижицына мог любой из них. А самое ужасное было то, что, убедившись в неэффективности слежки, Эраст Петрович отменил ее вовсе. Сегодня вечером трое подозреваемых имели полную свободу действий!

— Не отчаивайтесь, Эраст Петрович, — сказала Ангелина. — Это тяжкий грех, а уж вам и вовсе нельзя. Кто ж душегуба сыщет, Сатану этого, если вы руки опустите? Кроме вас некому.

Сатана, вяло подумал Фандорин. Вездесущ, всюду успевает, во всякую лазейку проникнет. Сатана меняет лики, примеряет любую личину, вплоть до ангельской.

Ангельской. Ангелина.

Мозг, привычный к построению логических конструкций и освободившийся из-под контроля оцепеневшего духа, вмиг услужливо выстроил цепочку.

А хоть бы и Ангелина — чем не Джек Потрошитель?

В Англии в прошлый год была. Это раз.

По вечерам, когда все убийства происходили, находилась в церкви. Якобы. Это два.

В милосердной общине обучается медицинскому делу и уже много что знает и умеет. Их там и анатомии учат. Это три.

Сама по себе чудна́я, не похожая на других женщин. Иной раз смотрит так, что сердце замирает, а о чем думает в такие минуты — неведомо. Это четыре.

Ей бы Палаша дверь открыла не задумываясь. Это пять.

Эраст Петрович досадливо тряхнул головой, усмиряя холостые обороты своей зарвавшейся логической машины. Сердце решительно отказывалось рассматривать подобную версию, а Мудрый сказал: «Благородный муж не ставит доводы рассудка выше голоса сердца». Плохо то, что Ангелина права — кроме него остановить Потрошителя некому, и времени остается совсем мало. Только завтрашний день. Думать, думать.

Но сосредоточиться на деле мешала все та же упрямая фраза: «Не переживет, не переживет».

Так и тянулось время. Коллежский советник ерошил волосы, иногда принимался ходить по комнате, дважды умылся холодной водой. Попробовал медитировать, но тут же бросил — какой там!

Ангелина стояла у стены, обхватив себя за локти, смотрела своими огромными серыми глазами печально и требовательно.

Маса тоже безмолвствовал. Сидел на полу, сложив ноги калачиком, его круглое лицо было неподвижно, толстые веки полуприкрыты.

А на рассвете, когда улицу заволокло молочным туманом, на крыльце раздались стремительные шаги, от решительного толчка взвизгнула незапертая дверь, и в гостиную влетел жандармский подпоручик Смольянинов, весьма толковый молодой офицер — черноглазый, быстрый, с румянцем во всю щеку.

— А, вот вы где! — обрадовался Смольянинов. — Все вас обыскались. Дома нет, в управлении нет, на Тверской нет! Я решил сюда — вдруг, думаю, вы до сих пор на месте убийства. Беда, Эраст Петрович! Тюльпанов ранен. Тяжело. Его доставили в Мариинскую больницу еще заполночь. Пока нам сообщили, пока вас повсюду разыскивали, вон сколько времени ушло... В больницу сразу же отправился подполковник Сверчинский, а нам, адъютантам, приказано вас искать. Что же это делается, а, Эраст Петрович?

* * *

Рапорт губернского секретаря А.П. Тюльпанова, личного помощника г-на Э.П. Фандорина, чиновника для особых поручений при его сиятельстве московском генерал-губернаторе

8 апреля 1889 года, 3 и 1/2 часа ночи

Докладываю Вашему высокоблагородию, что минувшим вечером при составлении списка лиц, подозреваемых в совершении известных Вам преступлений, я с совершенной очевидностью понял, что означенные преступления мог совершить только один человек, а именно судебно-медицинский эксперт Егор Виллемович Захаров.

Он не просто медик, а патологоанатом, то есть вырезание человеческих внутренностей является для него обычным и повседневным делом. Это раз. Постоянное общение с трупами могло вызвать у него неодолимое отвращение ко всему человеческому роду, либо же, наоборот, извращенное поклонение физиологическому устройству организма. Это два.

В свое время он принадлежал к «садическому» кружку студентов-медиков, что свидетельствует о рано проявившихся порочно-жестоких наклонностях. Это три.

Проживает Захаров на казенной квартире при судебно-полицейском морге на Божедомке. Два убийства (девицы Андреичкиной и безымянной девочки-нищенки) были совершены поблизости от этого места. Это четыре.

Захаров часто бывает в Англии у родственников, бывал и в прошлом году. В последний раз он вернулся из Британии 31 октября минувшего года (по европейскому стилю 11 ноября), то есть вполне мог совершить последнее из лондонских убийств, несомненно бывших делом рук Потрошителя. Это пять.

Захаров осведомлен о ходе расследования, и более того, из всех причастных к расследованию он единственный имеет медицинские навыки. Это шесть.

Можно бы и продолжить, но дышать трудно и мысли путаются... Я лучше про давешнее.

Не застав Эраста Петровича дома, я решил, что нельзя времени терять. Накануне я был на

Божедомке и беседовал с кладбищенскими рабочими, что не могло укрыться от внимания Захарова. Резонно было ожидать, что он забеспокоится и чем-то себя выдаст. На всякий случай я взял с собой оружие — револьвер «бульдог», подаренный мне господином Фандориным о прошлый год в день ангела. Славный был день, один из самых приятных в моей жизни. Но это к делу не относится.

Так про Божедомку. Приехал туда на извозчике в десятом часу вечера, уже темно было. В флигеле, где квартирует доктор, в одном окне горел свет, и я обрадовался, что Захаров не сбежал. Вокруг ни души, за оградой могилы, и ни одного фонаря. Залаяла собака, там цепной кобель у часовни, но я быстро перебежал через двор и прижался к стене. Пес полаял-полаял и перестал. Я поставил ящик (окно было высокое) и осторожно заглянул внутрь. Где освещенное окно, у Захарова кабинет. Выглядываю, вижу: на столе бумаги, и лампа горит. А сам он сидел ко мне спиной, что-то писал, рвал и бросал клочки на пол. Я долго там ждал, не меньше часа, а он все писал и рвал, писал и рвал. Я еще думал, как бы посмотреть, что он там пишет. Думал, может, арестовать его? Но ордера нет, и вдруг он там ерунду пишет, какие-нибудь счета подводит. В семнад-

цать минут одиннадцатого (я заметил по часам) он встал и вышел из комнаты. Его долго не было. Чем-то он там загромыхал в коридоре, потом тихо стало. Я заколебался, не залезть ли — взглянуть на бумаги, взволновался и оттого утратил бдительность. Меня сзади в спину ударило горячим, и я еще лбом ткнулся в подоконник. А потом, когда оборачивался, еще обожгло в бок и в руку. Я прежде того на свет смотрел, поэтому мне не видно было, кто там, в темноте, но я ударил левой рукой, как меня господин Маса учил, и еще коленом. Попал в мягкое. Но я плохо у господина Масы учился, отлынивал. Вот он куда из кабинета-то вышел, Захаров. Видно, заметил меня. Как он от меня темнью шарахнулся, от моих ударов-то, я хотел его догнать, но пробежал совсем немножко и упал. Встал, снова упал. Достал «бульдог», выстрелил в воздух три раза — думал, может, прибежит кто из кладбищенских. Зря стрелял, они, поди, только напугались. Свистеть надо было. Я не сообразил, не в себе был. Потом плохо помню. Полз на четвереньках, падал. За оградой лег отдохнуть и, кажется, заснул. Проснулся, холодно. Очень холодно. Хотя я во всем теплом был, нарочно под шинель вязанку надел. Часы достал. Смотрю, уж заполночь. Всё, думаю, ушел злодей. Только тут про свисток вспомнил. Стал свистеть. Скоро пришли, не разглядел, кто. Повезли. Мне пока доктор укол не сделал, я как в тумане был. А сейчас вот лучше. Только стыдно – упустил Потрошителя. Если б господина Масу больше слушал. Я, Эраст Петрович, хотел как лучше. Если бы Масу слушал. Если бы...

ПРИПИСКА:

На сем стенографическую запись донесения пришлось закончить, ибо раненый, поначалу говоривший очень живо и правильно, стал заговариваться и вскоре впал в забытье, из коего более не выходил. Г-н доктор К.И.Мебиус и то удивился, что г-н Тюльпанов с такими ранениями и с такой кровопотерей столько времени продержался. Смерть наступила около 6 часов утра, о чем г-ном Мебиусом составлена соответствующая запись.

Жандармского корпуса подполковник Сверчинский

Стенографировал и делал расшифровку коллежский регистратор Ариетти.

* * *

Ужасная ночь.

А вечер начинался так славно. Идиотка в смерти вышла чудо как хороша — просто загляденье. После этого шедевра декораторского искусства тратить время и вдохновение на горничную было бессмысленно, и я оставил ее как есть. Грех, конечно, но все равно столь разительного контраста между внешним уродством и внутренней Красотой не получилось бы.

Более всего согревало душу сознание исполненного доброго дела: я не только являю доброму юноше истинный лик Красоты, но и избавляю его от тяжкой обузы, которая мешает ему обустроить собственную жизнь.

И вот какой бедой все закончилось.

Доброго юношу погубило его некрасивое ремесло — вынюхивать, выслеживать. Он сам явился за собственной смертью. Моей вины здесь нет.

Жалко было мальчика, и из-за этого вышла неаккуратность. Дрогнула рука. Раны смертельны, в этом сомнения нет: я слышал, как выходит воздух из пробитого легкого, а второй удар не мог не рассечь левую почку и нисходящую ободочную кишку. Но он наверняка сильно мучился перед смертью. Эта мысль не дает мне покоя.

Стыдно. Некрасиво.

Хлопотный день

8 апреля, великая суббота

У ворот убогого Божедомского кладбища, под ветром и мелким, противным дождиком топталась группа дознания: старший агент Лялин, трое младших агентов, фотограф с переносным американским «Кодаком», помощник фотографа и полицейский собаковод со знаменитой на всю Москву легавой Мусей на поводке. Группа была вызвана на место ночного происшествия по телефону, получила строжайшее указание ничего не предпринимать до приезда его высокоблагородия господина коллежского советника и теперь неукоснительно выполняла инструкцию — ничего не предпринимала и ежилась в постылых объятьях непогожего апрельского утра. Даже Муся, от сырости ставшая похожей на рыжую швабру, приуныла. Легла длинной мордой на раскисшую землю, скорбно двигала белесыми бровями и разок-другой даже тихонько повыла, уловив всеобщее настроение.

Лялин, опытный сыскник и вообще человек бывалый, по складу натуры к капризам природы относился с презрением и затянувшимся ожиданием не тяготился. Он знал, что чиновник особых поручений сейчас в Мариинской больнице, где обмывают и обряжают бедное, израненное тело раба Божия Анисия, в недавнем прошлом губернского секретаря Тюльпанова. Попрощается господин Фандорин с любимым ассистентом, сотворит крестное знамение и враз домчит до Божедомки. Тут езды-то пять минут, а у коллежского советника, надо полагать, кони не чета полицейским клячам.

Только Лялин про это подумал, и подлетели к чугунным кладбищенским воротам красавцы-рысаки с белыми султанами. Кучер — словно генерал, весь в золотых позументах, а коляска сияет мокрым черным лаком и долгоруковскими гербами на дверцах.

Спрыгнул господин Фандорин на землю, качнулись мягкие рессоры, и экипаж отъехал в сторонку. Видно, будет дожидаться.

Лицо у прибывшего начальника было бледным, глаза горели ярче обычного, но иных признаков перенесенных потрясений и бессонных ночей цепкий лялинский взор не приметил. Напротив, ему даже показалось, что чиновник особых поручений двигается не в пример бодрее и энергичнее обычного. Хотел Лялин сунуться с соболезнованиями, но взглянул повнимательней на плотно сжатые губы его высокоблагородия и передумал. Изрядный жизненный опыт подсказал, что лучше не нюнить, а сразу перейти к делу.

— Без вас в квартиру Захарова не совались, согласно полученных инструкций. Служителей опросили, но никто из них со вчерашнего вечера доктора не видел. Вон они, ждут.

Фандорин мельком взглянул туда, где подле здания морга переминались с ноги на ногу несколько человек.

— Я, кажется, ясно сказал: ничего не предпринимать. Ладно, идем.

Не в духе, определил Лялин. Что и неудивительно при столь печальных обстоятельствах. На обрыве карьеры человек, да и с Тюльпановым расстройство.

Коллежский советник легко взбежал на крыльцо захаровского флигеля, потянул дверь. Не подалась — заперта на ключ.

Лялин покачал головой — обстоятельный человек доктор Захаров, аккуратный. Даже при поспешном бегстве не забыл дверь запереть. Этакий глупых следов и зацепок не оставит.

Фандорин, не оборачиваясь, щелкнул пальцами, и старший агент понял без слов. Достал из кармана набор отмычек, минутку повертел туда-сюда нужной длины крючочком, дверь и открылась.

Начальство стремительно прошло по комнатам, бросая на ходу короткие распоряжения, причем обычное легкое заикание куда-то подевалось, будто никогда его и не бывало:

— Проверить одежду в платяном шкапу. Переписать. Восстановить, чего не хватает... Все медицинские инструменты, в особенности хирургические туда, на стол... В коридоре был половик — вон прямоугольное пятно на полу. Куда подевался? Найти!.. Это что, кабинет? Все бумаги собрать. Обращать сугубое внимание на клочки и обрывки.

Лялин огляделся по сторонам и никаких обрывков не заметил. В кабинете наблюдался совершеннейший порядок. Агент снова подивился крепости нервов беглого доктора. Как чистенько все прибрал, будто готовился гостей принимать. Какие уж тут клочки.

Но в это время коллежский советник нагнулся и поднял из-под стула мятый кусочек бумаги. Разгладил, прочел, сунул Лялину.

— Приобщить.

На бумажке всего два слова:

более молчать

— Приступайте к обыску, — приказал Фандорин и вышел на улицу.

Минут через пять, распределив между агентами сектора досмотра, Лялин выглянул в окно и увидел, что коллежский советник и легавая Муся ползают по кустам. Ветки там были обломаны, земля утоптана. Надо полагать, именно здесь покойный Тюльпанов схватился с преступником. Лялин вздохнул, перекрестился и приступил к простукиванию стен в спальне.

Обыск дал мало интересного.

Стопку писем на английском языке — видно, от захаровских родственников — Фандорин наскоро просмотрел, но читать не стал, обращал внимание только на числа. Что-то записал в блокнот, но вслух ничего не сказал.

Отличился агент Сысуев, нашел в кабинете под диваном еще один клочок, побольше первого, но с надписью еще менее вразумительной:

бражения корпоративной чести и сочувствие к старому тов

Эта невнятица коллежского советника почему-то очень заинтересовала. С вниманием отнесся он и к револьверу системы «кольт», обнаруженному в ящике письменного стола. Револьвер был заряжен, причем совсем недавно — на барабане и рукоятке просматривались следы свежей смазки. Что ж Захаров его с собой-то не взял, удивился Лялин. Забыл, что ли? Или нарочно оставил? А почему?

Муся опозорилась. Поначалу, невзирая на слякоть, довольно прытко ринулась по запаху, но здесь из-за ограды вылетел здоровенный лохматый кобелина и залаял так свирепо, что Муся присела на задние лапы, попятилась назад и стронуть ее с места после этого оказалось невозможно. Кобеля сторож обратно на цепь посадил, но из Муси уже весь кураж ушел. Нюхастые собаки нервные, у них все на настроении.

— Кто из них кто? — спросил Фандорин, показывая в окно на служителей.

Лялин стал докладывать:

— Толстый в фуражке — смотритель. Живет за пределами кладбища, к работе полицейского морга касательства не имеет. Вчера ушел в половине шестого, а пришел утром, за четверть часа до вашего прибытия. Длинный, чахоточный — ассистент Захарова, фамилия его Грумов. Тоже недавно прибыл из дома. С опущенной головой — сторож. Остальные двое — рабочие. Могилы роют, ограду чинят, мусор выносят и прочее. Сторож и рабочие живут здесь же, при кладбище, и могли что-то слышать. Но подробного допроса мы не производили, не было велено.

Со служителями коллежский советник беседовал сам.

Вызвал в дом, первым делом показал «кольт»:

— Узнаете?

Ассистент Грумов и сторож Пахоменко показали (Лялин карандашом записывал в протоколе), что револьвер им знаком — видели его или точно такой же у доктора. А могильщик Кульков добавил, что вблизи «левольверта» не видал, но зато в прошлый месяц ходил смотреть, как «дохтур» палит по грачам, и очень у него исправно выходило: как ни стрельнет, так от грачей только перья летят.

Минувшей ночью три выстрела, произведенных губернским секретарем Тюльпановым, слышали сторож Пахоменко и рабочий Хрюкин. Кульков спал пьяный и от шума не проснулся.

Слышавшие стрельбу сказали, что выходить наружу забоялись — мало ли кто шалит по ночному времени, да и криков о помощи вроде не слыхать было. Вскоре после этого Хрюкин снова уснул, а Пахоменко бодрствовал. По его словам, вскорости после пальбы громко хлопнула дверь и кто-то быстро прошел к воротам.

— Что, прислушивались? — спросил сторожа Фандорин.

— А як же, — ответил тот. — Палили ж. Да и погано я сплю по ночам. Думы разные в голову лезут. До самого светочка все ворочался. Кажите, пан генерал, неужто хлопчик тый молоденький и вправду преставился? Такой востроглазенький був, и к простым людынам ласков.

Про коллежского советника было известно, что с нижестоящими он всегда вежлив и мягок, однако нынче Лялин его прямо не узнавал. На трогательные слова сторожа чиновник ничего не ответил, да и к ночным думам Пахоменки ни малейшего интереса не проявил. Резко отвернулся, бросил свидетелям через плечо:

— Идите. С кладбища никому не отлучаться. Можете понадобиться. А вы, Грумов, извольте остаться.

Ну и ну, словно подменили человека.

Испуганно захлопавшего глазами ассистента Фандорин спросил:

— Чем занимался Захаров вчера вечером? И поподробнее.

Грумов виновато развел руками:

— Не могу знать. Егор Виллемович вчера были очень не в духе, все ругались, а после обеда велели мне домой уходить. Я и ушел. Даже не попрощались — он в кабинете у себя заперся.

— «После обеда» это в котором часу?

— В четвертом-с.

— «В четвертом-с», — повторил коллежский советник,

почему-то покачал головой и, повидимости, утратил к чахоточному ассистенту всякий интерес. — Идите.

Лялин подошел к коллежскому советнику, деликатно покашлял.

— Я тут словесный портрет Захарова набросал. Не угодно ли посмотреть?

Даже не глянул подмененный Фандорин на превосходно выполненное описание, отмахнулся. Довольно обидно было наблюдать такое неуважение к служебному рвению.

— Всё, — резко сказал чиновник. — Больше никого допрашивать не нужно. Вы, Лялин, отправляйтесь в больницу «Утоли мои печали», что в Лефортове, и доставьте ко мне на Тверскую милосердного брата Стенича. А Сысуев пусть едет на Якиманскую набережную и привезет фабриканта Бурылина. Срочно.

— Но как же насчет словесного портрета Захарова? — спросил Лялин, дрогнув голосом. — Ведь, я чай, в розыск объявлять будем?

— Не будем, — рассеянно ответил Фандорин, оставив бывалого агента в полном недоумении, и быстро зашагал к своему чудесному экипажу.

* * *

В кабинете на Тверской коллежского советника дожидался Ведищев.

— Последний день, — строго сказал долгоруковский «серый кардинал» вместо приветствия. — Надо сыскать англичанца этого полоумного. Сыскать и честь по чести доложить. Иначе сами знаете.

— А вы-то, Фрол Григорьевич, откуда про Захарова знаете? — не особенно, впрочем, удивившись, спросил Фандорин.

— Ведищев все, что на Москве происходит, знает.

— Надо было тогда и вас в список подозреваемых включить. Вы ведь его сиятельству банки ставите и даже кровь отворяете? Стало быть, занятия медициной для вас не внове.

Шутка, однако, была произнесена голосом тусклым, и видно было, что думает чиновник о чем-то совсем ином.

— Анисий-то, а? — вздохнул Ведищев. — Вот уж беда так беда. Толковый он был, недомерок. По всему должен был высоко взлететь.

— Шли бы вы себе, Фрол Григорьевич, — сказал на это коллежский советник, явно не расположенный сегодня предаваться чувствительности.

Камердинер обиженно насупил сивые брови и перешел на официальный тон:

— Мне, ваше высокоблагородие, велено передать, что граф-министр нынче утром отбыли в Питер в сильном неудовольствии и перед отъездом очень грозились. А также велено выяснить, скоро ли следствию конец.

— Скоро. Передайте его сиятельству, что мне осталось провести два допроса, получить одну телеграфную депешу и совершить небольшую вылазку.

— Эраст Петрович, Христом-Богом, к завтрему-то управитесь? — моляще спросил Ведищев. — Пропадем же все...

На вопрос Фандорин ответить не успел, потому что в дверь постучали, и дежурный адъютант доложил:

— Доставлены задержанные Стенич и Бурылин. Содержатся в разных комнатах, как велено.

— Сначала Стенича, — приказал офицеру чиновник, а камердинеру показал подбородком в сторону выхода. — Вот и первый допрос. Всё, Фрол Григорьевич, подите, некогда.

Старик покладисто кивнул плешивой башкой и заковылял к выходу. В дверях столкнулся с диковатого вида человеком — патлатым, дерганым, худющим, однако пялиться на него не стал. Споро зашаркал войлочными подошвами по коридору, свернул за угол, открыл ключом кладовку.

Кладовка оказалась не простая, а с неприметной дверкой в самом дальнем углу. Дверка тоже отпиралась особенным ключиком. За дверкой обнаружился стенной шкаф. Фрол Григорьевич втиснулся туда, сел на стул, на котором лежала покойная подушечка, бесшумно сдвинул заслонку в стене, и вдруг через стекло сделалась видна вся внутренность секретного кабинета, послышался слегка приглушенный голос Эраста Петровича:

— Благодарю. Пока придется посидеть в участке. Для вашей же безопасности.

Камердинер нацепил очки с толстыми стеклами и прильнул к потайному отверстию, но увидел лишь спину выходящего. Допрос называется — трех минут не прошло. Ведищев скептически крякнул и стал ждать, что будет дальше.

— Давайте Бурылина, — повелел Фандорин адъютанту.

Вошел татаристый, мордатый, с нахальными разбойничьими глазами. Не дожидаясь приглашения, уселся на стул, забросил ногу на ногу, закачал богатой тростью с золотым набалдашником. Сразу видать миллионщика.

— Что, опять требуху смотреть повезете? — весело спросил миллионщик. — Только меня этим не проймешь, у меня шкура толстая. Это кто сейчас вышел-то? Не Ванька Стенич? Ишь, рожу отворотил. Будто мало ему от Бурылина перепало. Он ведь в Европы на мои катался, при мне приживалом состоял. Жалел я его, бессчастного. А он мне же в душу наплевал. Сбежал от меня из Англии. Забрезговал мной грязненьким, чистенького житья возжелал. Да пускай его, пропащий человек. Одно слово — психический. Сигарку задымить позволите?

Все вопросы миллионщика остались без ответа, а вместо этого Фандорин задал свой вопрос, Ведищеву вовсе непонятный.

— У вас на встрече однокашников длинноволосый был, обтрепанный. Кто таков?

Но Бурылин вопрос понял и ответил охотно:

— Филька Розен. Его вместе со мной и Стеничем с медицинского турнули, за особые отличия по части безнравственности. Служит приемщиком в ломбарде. Пьет, конечно.

— Где его найти?

— А нигде не найдете. Я ему перед тем, как вы пожаловали, сдуру пятьсот рублей отвалил — разнюнился по старой памяти. Теперь пока до копейки не пропьет, не объявится. Может, в каком московском кабаке гуляет, а может и в Питере, или в Нижнем. Такой уж субъект.

Это известие почему-то до чрезвычайности расстроило Фандорина. Он даже вскочил из-за стола, вынул из кармана зеленые шарики на ниточке, сунул обратно.

Мордатый наблюдал за странным поведением чиновника с любопытством. Достал толстую сигару, закурил. Пепел, нахальная морда, сыпал на ковер. Однако с расспросами не лез, ждал.

— Скажите, почему вас, Стенича и Розена выгнали с факультета, а Захарова только перевели на патологоанатомическое отделение? — после изрядного промежутка спросил Фандорин.

— Так это кто сколько набедокурил. — Бурылин ухмыльнулся. — Соцкого, самого забубенного из нас, вовсе в арестанты забрили. Жалко курилку, с выдумкой был, хоть и бестия. Меня-то тоже грозились, но ничего, деньга выручила. — Подмигнул шальным глазом, пыхнул сигарным дымом. — Курсисточкам, веселым подружкам нашим, тоже влетело — за одну только принадлежность к женскому полу. В Сибирь, под присмотр полиции, поехали. Одна морфинисткой стала, другая замуж за попа вышла — я справлялся. — Миллионщик хохотнул. — А Захарка-Англичанин тогда ничем особенно не отличился, вот и обошлось малой карой. «Присутствовал и не пресек» — так и в приказе было.

Фандорин щелкнул пальцами, будто получил радостную, долгожданную весточку, и хотел спросить что-то еще, но Бурылин его сбил — достал из кармана какую-то вчетверо сложенную бумажку.

— Чудно́, что вы про Захарова спросили. Я нынче утром от него диковинную записку получил — аккурат перед тем, как ваши псы меня забирать приехали. Мальчонка уличный принес. Вот, почитайте.

Фрол Григорьевич весь изогнулся, носом в стекло вплющился, да что толку — издали не прочесть. Только по всему видно было, что бумажка наиважнеющая: Эраст Петрович к ней так и прилип.

— Денег, конечно, дам, не жалко, — сказал миллионщик. — Только не было у меня с ним никакой особенной «старой дружбы», это он для сантименту. И потом что за мелодрама: «Не поминай, брат, лихом». Что он натворил, Плутон наш? Подружек давешних, что в морге на столах лежали, оскоромил?

Бурылин запрокинул голову и расхохотался, очень довольный шуткой.

Фандорин все разглядывал записку. Отошел к окну, поднял листок повыше, и Фрол Григорьевич увидел неровные, расползшиеся вкривь и вкось строчки.

— Да, накарябано так, что еле прочтешь, — пробасил миллионщик, глядя, куда бы деть докуренную сигару. — Будто в карете писано или с большого перепоя.

Так и не нашел. Хотел кинуть на пол, но не решился. Воровато глянул в спину коллежскому советнику, завернул обкурок в платок и сунул в карман. То-то.

— Идите, Бурылин, — не оборачиваясь, сказал Эраст Петрович. — До завтра побудете под охраной.

Этому известию миллионщик ужасно огорчился.

— Хватит! Уж покормил одну ночь ваших полицейских клопов! Лютые они у вас, голодные. Так и накинулись на тело православное!

Фандорин не слушая нажал на кнопку звонка. Вошел жандармский офицер, потянул богатого человека к выходу.

— А Захарка как же? — крикнул Бурылин уже из-за двери. — Он ведь за деньгами зайдет!

— Не ваша забота, — сказал Эраст Петрович, а у офицера спросил. — Ответ из министерства на мой запрос поступил?

— Так точно.

— Давайте.

Жандарм принес какую-то депешу и снова исчез в коридоре.

Депеша произвела на чиновника удивительное воздействие. Прочтя, он кинул бумагу на стол и вдруг учудил — несколько раз подряд очень быстро хлопнул в ладоши, да так громко, что Фрол Григорьевич от неожиданности ударился лбом об стекло, а в дверь разом сунулись жандарм, адъютант и секретарь.

— Ничего, господа, — успокоил их Фандорин. — Это такое японское упражнение для концентрирования мысли. Идите.

А дальше и вовсе чудеса пошли.

Когда за подчиненными затворилась дверь, Эраст Петрович вдруг стал раздеваться. Оставшись в одном нижнем белье, достал из-под стола саквояж, которого Ведищев ранее не приметил, из саквояжа извлек сверток. В свертке — одежда: узкие полосатые брюки со штрипками, дешевая бумажная манишка, малиновая жилетка, желтый клетчатый пиджачок.

Преобразился коллежский советник, солидный человек, в непристойного хлюста, какие по вечерам подле гулящих девок крутятся. Встал у зеркала — аккурат в аршине перед Фрол Григорьевичем, — расчесал черные волосы на прямой пробор, густо смазал бриллиантином, седину на висках замазал. Тонкие усики подкрутил кверху и навострил в две стрелки. (Богемским воском, догадался Фрол Григорьевич, точно так же закреплявший знаменитые бакенбарды князя Владимира Андреича — чтоб орлиными крыльями торчали).

Потом Фандорин вставил что-то в рот, оскалился, блеснул золотой фиксой. Еще немножко построил рожи и, кажется, остался своей внешностью совершенно доволен.

Из саквояжа ряженый вынул небольшое портмоне, раскрыл, и увидел Ведищев, что портмоне-то, оказывается, непростое: внутри вороненый ствол малого калибра и барабанчик на манер револьверного. Фандорин вставил в барабанчик пять патронов, щелкнул крышкой и проверил пальцем упругость замочка, надо думать, выполнявшего роль спускового крючка. Чего только не удумают для погибели человеков, покачал головой камердинер. И куда ж это ты, Эраст Петрович, этаким фертом собрался?

Словно услыхав вопрос, Фандорин обернулся к зеркалу, лихо, набекрень, надел бобровую шапку и, развязно подмигнув, сказал вполголоса:

— Вы уж, Фрол Григорьевич, поставьте за меня на всенощной свечку. Без Божьей помощи мне сегодня не обойтись.

* * *

Очень мучилась Инеска телом и душой. Телом — потому что Слепень, «кот» ее прежний, вечор подкараулил бедную девушку возле трактира «Город Париж» и долго бил за измену. Хорошо хоть лицо, паскуда, не разукрасил. Зато живот и бока будто в синьку окунутые — ночью не повернуться было, так до утра и проворочалась, охая и жалея себя до слез. Но синяки ладно, дело заживное, а вот сердечко инескино разнылось-расстрадалось так, что моченьки нет.

Пропал дролечка, пропал прынц сказочный, красавец писаный Эрастушка, второй день личика своего сахарного не кажет. То-то Слепень свирепствует, то-то грозится. Пришлось вчера почти все заработанное ему, постылому отдать, а нехорошо это, порядочные девушки, которые верность блюдут, этак-то не делают.

Видно, запропал Эрастушка, сдал его тот огрызок ушастый в полицию, и сидит голубь светлый в кутузке первого арбатского околотка, самого что ни на есть свирепого на всей Москве. Гостинчик бы передать лапушке, да околоточный Кулебяко там зверь хищный. Засадит опять, как в прошлый год, пригрозит желтый билет отобрать, и обхаживай потом задарма весь околоток, до последнего сопливого городового. По сю пору вспомнить противно. Пошла бы Инеска и на такое унижение, лишь бы зазнобе помочь, так ведь Эрастушка кавалер с понятием, собою чистенький, с разбором, после Инеской брезговать станет. А страсть у них, можно сказать, еще и не сложилась, любовь только-только обозначилась, но с первого взгляда прикипела Инеска к синеглазенькому, белозубенькому всей душой, втрескалась ужасней, чем шестнадцати годков в парикмахера Жоржика, чтоб тому рожу смазливую перекосило, змею подлому, если, конечно, не спился еще всмерть.

Ах, скорей бы объявился, медовый-патошный. Дал бы Слепню, аспиду поганому, укорот, приласкал бы Инеску, приголубил. А уж она и разузнала для него, чего велел, и денежку за подвязкой утаила — три рубля с полтинничком серебряным. Доволен будет. Есть чем встретить, чем приветить.

Эрастик. Имя-то какое сладкое, будто повидло яблочное. По правде его, ненаглядного, поди, как попроще зовут, но ведь и Инеска не всю жизнь испанкой проходила, появилась на Божий свет Ефросиньей, Фроськой по-домашнему.

Инеса и Эраст — это ж заслушаешься, чистая фисгармония. Пройтись бы с ним рука об руку по Грачевке, чтоб Санька Мясная, Людка Каланча и, главное, Аделаидка поглядели, каков у Инески кавалер, да от зависти полопались.

А после сюда, на квартеру. Она хоть и маленькая, но чистая, собою нарядная: картинки из модных журналов по стенкам наклеены, абажур плисовый, зеркало-трюмо. Перина пуховая наимягчайшая, и подушек-подушечек семь штук, все наволочки саморучно Инеской вышиты.

На самых сладких мыслях сбылось заветное, долгожданное. Сначала в дверь деликатно — тук-тук-тук — постучали, а после вошел Эрастушка, в шапке бобровой, белом шарфе-гладстоне, в суконной с бобровым же воротником шинели нараспашку. И не подумаешь, что из кутузки.

У Инески сердечко так и замерло. Прыгнула она с кровати, как была — в рубашке ситцевой, простоволосая — и прямо милому на шею. Только разочек успела к устам приложиться, а он, строгий, взял за плечи, к столу усадил. Глянул сурово.

— Ну, рассказывай, — говорит.

Поняла Инеска — донесли злые люди, успели.

Не стала отпираться, хотела, чтоб все у них было по-честному.

— Бей, — сказала, — бей, Эрастушка. Виноватая я. Только не сильно-то и виноватая, ты не верь всяким. Слепень меня снасильничал (тут приврала, конечно, но не так уж чтобы очень), я не давалась, так измолотил всю. Вот, гляди.

Задрала рубаху, показала синее, багровое и желтое. Пусть пожалеет.

Не разжалобила. Эрастушка брови сдвинул:

— Со Слепнем я после потолкую, больше лезть не будет. А ты дело говори. Нашла, кого велел? Ну, которая с твоим знакомцем пошла, да еле жива осталась?

Инеска и рада, что разговор с нехорошей материи вывернул.

— Нашла, Эрастушка, нашла. Глашкой ее звать. Глашка Белобока с Панкратьевского. Она его, ирода, хорошо запомнила — мало глотку ножиком не перехватил, Глашка по сю пору шею платком заматывает.

— Веди.

— Сведу, Эрастушка, сведу. А то коньячку сначала?

Достала из шкафика запасенный штоф, заодно на плечи платок цветастый, персицкий набросила и гребень подхватила — волоса распушить, чтоб запенились, рассверкались.

— После выпьем. Сказал: веди. Сначала дело.

Вздохнула Инеска, чувствуя, что сейчас сомлеет — любила строгих мужчин, спасу нет. Подошла, посмотрела снизу вверх на лицо собою прекрасное, на глазыньки сердитые, на усики подвитые.

— Что-то ноги меня не держат, Эрастушка, — прошептала истомно.

Но не судьба была Инеске посластиться. Грохнуло тут, треснуло, от удара дверь чуть с петель не слетела.

Стоял в проеме Слепень — по-злому пьяный, с лютой усмешечкой на гладкой роже. Ох соседи, крысиная порода грачевская, доложили, не замедлили.

— Милуетесь? — Осклабился. — А про меня, сироту, и забыли? — Тут ухмылочка у него с хари сползла, мохнатые брови сдвинулись. — Ну с тобой, Инеска, тля, я опосля побазарю. Видно, мало поучил. А ты, баклан, выдь-ка на двор. Побалакаем.

Инеска метнулась к окну — во дворе двое, прихвостни Слепневы, Хряк и Могила.

— Не ходи! — крикнула. — Убьют они тебя! Уйди, Слепень, так зашумлю, что вся Грачевка прибегет!

И уж набрала воздуху, чтобы вой закатить, но Эрастушка не дал:

— Ты чего, говорит, Инеса. Дай мне с человеком поговорить.

— Эрастик, так Могила под казакином обрез носит, — объяснила непонятливому Инеска. — Застрелют они тебя. Застрелют и в сточную трубу кинут. Не впервой им.

Не послушал дролечка, рукой махнул. Достал из кармана портмоне большое, черепаховое.

— Ништо, — говорит. — Откуплюсь.

И вышел со Слепнем, на верную погибель.

Рухнула Инеска лицом в семь подушек и глухо завыла — о доле своей злосчастной, о мечте несбывшейся, о муке неминучей.

Во дворе быстро-быстро жахнуло раз, другой, третий, четвертый, и тут же заголосил кто-то, да не один, а хором.

Инеска выть перестала, посмотрела на висевшую в углу иконку Богоматери — к Пасхе убранную бумажными цветочками, разноцветными лампиончиками.

— Матерь Божья, — попросила Инеска. — Яви чудо заради Светлого Воскресения, пускай Эрастушка живой будет. Пораненный ничего, я выхожу. Только бы живой.

И пожалела Заступница Инеску — скрипнула дверь, и вошел Эрастик. Да не раненый, целехонький, и даже шарфик-заглядение ничуть не скособочился.

— Всё, сказал, Инеса, вытри с лица мокрость. Не тронет тебя больше Слепень, нечем ему теперь. Обе клешни я ему продырявил. Да и остальные двое помнить будут. Одевайся, веди меня к твоей Глашке.

Хоть одна Инескина мечта, да сбылась. Прошлась она через всю Грачевку с прынцем — нарочно кружным путем его повела, хотя до кабака «Владимирка», где Глашка квартировала, ближе дворами было, через помойку и живодерню. Приоделась Инеска в бархатную жакетку и батистовую сорочку, обновила юбку креп-лизетовую, сапожки, которые для сухой погоды, и те не пожалела. Опухшее от слез лицо припудрила, челку взбила. В общем было от чего Саньке с Людкой зеленеть. Жалко только, Аделаидку не встретили. Ну да ничего, подружки ей обрисуют.

Все не могла Инеска насмотреться на желанного, все заглядывала ему в лицо и стрекотала, что сорока:

— У ней, у Глашки, дочка уродина. Мне так и сказали люди добрые: «Ты ту Глашку спроси, у которой дочка уродина».

— Уродина? Какая такая уродина?

— А пятно у ей родимое в пол рожи. Винного цвета, кошмарное — страсть. Я бы лучше в петлю полезла, чем с такой обличностью проживать. Вот у нас, в соседском доме, Надька жила, портновская дочь...

Не успела про Надьку горбатую рассказать, как уж пришли к «Владимирке».

Поднялись по скрипучей лесенке вверх, где нумера.

Каморка у Глашки поганая, не чета Инескиной квартере. Сама Глашка перед зеркалом марафет наводила — ей скоро идти улицу утюжить.

— Вот, Глафира, привела к тебе хорошего человека. Ответь, чего спросит, про лиходея, что тебя порезал, — наказала Инеска и чинно села в угол.

Эрастик сразу трешницу на стол:

— Получи, Глаша, за утруждение. Что за человек был? Какой собой?

Глашка, девка собой видная, хоть, на строгий Инескин взгляд, нечисто себя содержащая, на бумажку даже не посмотрела.

— Известно какой. Полоумный, — ответила и плечами туда-сюда повела.

Трешницу все же сунула под юбку, но без большого интереса, из вежливости. А вот на Эрастика так уставилась, так зенками обшарила, бесстыжая, что на душе у Инески стало неспокойно.

— Мною мужчины завсегда интересуются, — скромно начала Глашка свой рассказ. — А тута я в томлении была. На Маслену короста у меня всю харю обметала — жуть в зеркало глянуть. Хожу-хожу, никто ни в какую, хочь бы даже и за пятиалтынный. А эта-то голодная, — она кивнула на занавеску, из-за которой слышалось сонное посапывание. — Прямо беда. И тут подходит один, вежливый такой...

— Вот-вот, и ко мне так же подкатился, — встряла Инеска, ревнуя. — И, примечай, тоже морда у меня вся была поцарапанная-побитая. С Аделаидкой, сучкой, подралась. Никто не подходил, сколько ни зови, а этот сам подкатился. «Не грусти, грит, сейчас тебя порадую». Только я не то что Глашка, не пошла с ним, потому...

— Слыхал уже, — оборвал ее Эрастик. — Ты его толком и не видала. Помолчи. Дай Глафире.

Та гордо на Инеску зыркнула, а Инеске совсем худо сделалось. Сама ведь, сама привела, дура.

— И мне он тоже: «Чего нос повесила? Пойдем к тебе, говорит. Обрадовать тебя хочу». А я и то рада. Думаю, рублевик получу, а то и два. Куплю Матрешке хлебца, пирогов. Ага, купила... Дохтуру потом еще пятерик платила, чтоб шею заштопал.

Она показала на горлю, а там, под пудрой, багровая полоска — ровная и узкая, в ниточку.

— Ты по порядку рассказывай, — велел Эрастушка.

— Ну что, заходим сюда. Он меня на кровать посадил, вот эту вот, одной рукой за плечо взял, другую за спиной держит. И говорит — голос у него мягкий, будто у бабы — ты, говорит, думаешь, что ты некрасивая? Я возьми и брякни: «Да я-то что, рожа заживет. Вот дочка у меня на всю жизню уродина». Он говорит, какая такая дочка. Да вон, говорю, полюбуйтеся на мое сокровище. Занавеску-то и отдернула. Он как Матрешку увидал — а она тож спала, сон у ней крепкий, ко всему привычная, — и аж затрясся весь. Я, говорит, ее сейчас такой раскрасавицей сделаю. И тебе будет облегчение. Я пригляделась, гляжу, у него в кулаке-то, что за спиной, высверкивает что-то. Матушки-светы, ножик! Узкий такой, короткий.

— Скальпель? — сказал Эрастик непонятное слово.

— А?

Он рукой махнул — давай, мол, дальше.

— Я его ка-ак пихну, да как заору: «Спасите! Режут!» Он на меня глянул, а морда страшная, вся перекореженная. «Тихо, дура! Счастья своего не понимаешь!» И как вжикнет! Я шарахнулась, но все равно по шее пришлось. Ну, тут уж я так завопила, что Матрешка, и та проснулась. И тоже давай выть, а голосок у ней что у мартовской кошки. Ну, энтот повернулся и дунул. Вот и вся приключения. Сберегла Пресвятая Дева.

Глашка лоб перекрестила и прямо сразу, еще руки не опустив:

— А вы, сударь, для дела интересуетесь или так, вобче?

И глазом, змея, поигрывает.

Но Эрастик ей строго так:

— Опиши мне его, Глафира. Ну, какой он собой, человек этот.

— Обыкновенный. Ростом повыше меня, пониже вас. Вот досюдова вам будет.

И по скуле Эрастушке пальцем провела, медленно так. Есть же бесстыжие!

— Лицо тоже обыкновенное. Гладкое, без усов-бороды. А еще я не знаю чего. Покажете мне его — враз признаю.

— Покажем, покажем, — пробормотал любушка, морща чистый лоб и что-то прикидывая. — Значит, хотел он тебе облегчение сделать?

— Я бы ему, вражине, за такое облегчение кишки голыми руками размотала, — спокойно, убедительно сказала Глашка. — Господу, чай, и уродины нужны. Пущай живет Матрешка моя, не евоная печаль.

— А по разговору он кто, барин или из простых? Как одет-то был?

— По одеже не поймешь. Может, из приказчиков, а может, и чиновник. Только говорил по-барски. И слова не все понятные. Я одно запомнила. Как на Матрешку глянул, сам себе говорит: «это не лишай, это редкий невус-матевус». Невус-матевус, вот как Матрешку мою обозвал, я запомнила.

— Невус матернус, — поправил Эрастик. — Это на дохтурском языке «пятно родимое».

Все-то знает, светлая головушка.

— Эрастик, пойдем, а? — Инеска тронула ненаглядного за рукав. — Коньячок заждался.

— А чего ходить, — вдруг пропела наглая курва Глашка. — Коли уж пришли. Коньячок и у меня для дорогого гостя отыщется, шустовский, на Светлую Пасху берегла. Как звать-то вас, кавалер пригожий?

* * *

Масахиро Сибата сидел у себя в комнате, жег ароматические палочки и читал сутры в память о безвременно оставившем сей мир служилом человеке Анисии Тюльпанове, его сестре Соньке-сан и горничной Палашке, горевать по которой японский подданный имел свои особенные основания.

Комнату Маса обустроил сам, потратив немало времени и денег. Соломенные татами, которыми был застлан пол, доставили на пароходе из самой Японии. Зато комната сразу стала золотистая, солнечная, и пол весело пружинил под ногами, не то что топать по холодному, мертвому паркету из глупого дуба. Мебели здесь не было вовсе, зато в одну из стен встроился поместительный шкаф с раздвижной дверцей — там хранились одеяла и подушки, а также весь Масин гардероб: хлопчатый халат-юката, широкие белые штаны и такая же куртка для рэнсю, два костюма-тройки, зимний и летний, и еще красивая зеленая ливрея, которую японец особенно уважал и надевал только по торжественным случаям. На стенах радовали глаз цветные литографии, изображавшие царя Александра и императора

Муцухито. А в углу, над полкой-алтарем, висел свиток с древним мудрым изречением: «Живи правильно и ни о чем не сожалей». Сегодня на алтаре стоял фотографический снимок — Маса и Анисий Тюльпанов в Зоологическом саду. Прошлым летом снято. Маса в летнем песочном костюме и котелке, серьезный, у Анисия рот до ушей и из-под фуражки уши торчат, а сзади слон, и уши у него такие же, только намного больше.

От горестных мыслей о тщетности поисков гармонии и непрочности мира Масу отвлек телефонный звонок.

Фандоринский лакей прошел в прихожую через пустые, темные комнаты — господин где-то в городе, ищет убийцу, чтобы отомстить, госпожа ушла в церковь и вернется нескоро, потому что нынче ночью главный русский праздник Пасуха.

— Аро, — сказал в круглый раструб Маса. — Это нумер гаспадзина Фандорина. Кто говорит?

— Господин Фандорин, это вы? — донесся металлический, искаженный электрическими завываниями голос. — Эраст Петрович?

— Нет, гаспадзин Фандорин нету, — громко проговорил Маса, чтобы перекричать завывание. В газете писали, что появились аппараты новой усовершенствованной системы, передающие речь «без малейших потерь, замечательно громко и ясно». Надо бы купить. — Поззе дзвоните падзяруста. Передати сьто?

— Благодарю, — голос с воя перешел на шелест. — Это конфиденциально. Я протелефонирую потом.

— Прошу рюбить и дзяровать, — вежливо сказал Маса и повесил трубку.

Плохие дела, совсем плохие. Господин третью ночь без сна, госпожа тоже не спит, все молится — то в церкви, то дома, перед иконой. Она всегда много молилась, но столько — никогда. Всё это кончится очень плохо, хотя, казалось бы, куда уж хуже, чем сейчас.

Вот нашел бы господин того, кто убил Тюри-сан, кто зарезал Соньку-сан и Палашу. Нашел бы и сделал верному слуге подарок — отдал бы Масе этого человека. Ненадолго — на полчасика. Нет, лучше на час...

За приятными мыслями время летело незаметно. Часы пробили одиннадцать. Обычно в соседних домах в это время уж давно спят, а сегодня все окна светились. Такая ночь. Скоро по всему городу загудят колокола, потом в небе затрещат разноцветные огни, на улице станут петь и кричать, а завтра будет много пьяных. Пасха.

Не сходить ли в церковь, постоять вместе со всеми, послушать тягучее, басистое пение христианских бонз. Все лучше, чем одному сидеть и ждать, ждать, ждать.

Но ждать больше не пришлось. Хлопнула дверь, раздались крепкие, уверенные шаги. Господин вернулся!

— Что, один горюешь? — спросил господин по-японски и легонько коснулся Масиного плеча.

Такие нежности меж ними были не заведены, и от неожиданности Маса не выдержал, всхлипнул, а потом и вовсе заплакал. Влаги с лица не вытирал — пусть течет. Мужчине слез стыдиться нечего, если только они не от боли и не от страха.

У господина глаза были сухие, блестящие.

— Не всё у меня есть, что хотелось бы, — сказал он. — Думал с поличным взять. Но ждать больше нельзя. Времени нет. Нынче убийца еще в Москве, а потом ищи по всему свету. У меня есть косвенные улики, есть свидетельница, которая может опознать. Довольно. Не отопрется.

— Вы берете меня с собой? — не поверил своему счастью Маса. — Правда?

— Да, — кивнул господин. — Противник опасный, а рисковать нельзя. Может понадобиться твоя помощь.

Снова зазвонил телефон.

— Господин, звонил какой-то человек. По секретному делу. Не назвался. Сказал, позвонит еще.

— Ну-ка возьми вторую трубку и попробуй понять, тот же самый или нет.

Маса приставил к уху металлический рожок, приготовился слушать.

— Алло. Нумер Эраста Петровича Фандорина. У аппарата, — сказал господин.

— Эраст Петрович, это вы? — проскрипел голос, тот же самый или другой — непонятно. Маса пожал плечами.

— Да. С кем имею честь?

— Это я, Захаров.

— Вы?! — крепкие пальцы свободной руки господина сжались в кулак.

— Эраст Петрович, я должен с вами объясниться. Я знаю, все против меня, но я никого не убивал, клянусь вам!

— А кто же?

— Я вам все объясню. Но только дайте честное слово, что придете один, без полиции. Иначе я исчезну, вы меня больше не увидите, а убийца останется на свободе. Даете слово?

— Даю, — без колебаний ответил господин.

— Я вам верю, ибо знаю вас как человека чести. Можете меня не опасаться, я вам неопасен, да и оружия при мне нет. Мне бы только объясниться... Если все же опасаетесь, прихватите вашего японца, я не возражаю. Но только без полиции.

— Откуда вы знаете про японца?

— Я про вас много что знаю, Эраст Петрович. Потому и верю только вам... Сейчас же, немедля, отправляйтесь на

Покровскую заставу. Найдете там на Рогожском валу гостиницу «Царьград», такой серый дом в три этажа. Вы должны приехать не позднее, чем через час. Поднимайтесь в 52-й нумер и ждите меня. Убедившись, что вы действительно пришли только вдвоем, я поднимусь к вам. Расскажу всю правду, а там уж судите, как со мной быть. Я подчинюсь любому вашему решению.

— Полиции не будет, слово чести, — сказал господин и повесил трубку.

— Всё, Маса, теперь всё, — сказал он, и лицо у него стало чуть менее мертвым. — Будет взятие с поличным. Дай мне крепкого зеленого чаю — опять ночь не спать.

— Что приготовить из оружия? — спросил Маса.

— Я возьму револьвер, больше мне ничего не понадобится. А ты бери что хочешь. Учти: этот человек — чудовище. Сильное, быстрое, непредсказуемое. — И тихо добавил. — Я решил и в самом деле обойтись без полицейских.

Маса понимающе кивнул. Без полицейских в таком деле, конечно, лучше.

* * *

Признаю свою неправоту, не все сыскные безобразны. Этот, например, очень красив.

Сладко замирает сердце, когда я вижу, как сужает он круги, подбираясь ко мне. Hide and seek[1]*.*

Такого неинтересно раскрывать миру — снаружи он почти столь же хорош, как внутри.

Но можно поспособствовать его просветлению. Если я в нем не ошибаюсь, он человек незаурядный.

---

[1] Прятки *(англ.)*.

Он не испугается, а оценит. Я знаю, ему будет очень больно. Сначала. Но потом он сам меня поблагодарит. Как знать, не станем ли мы единомышленниками? Мне кажется, я чувствую родственную душу. А может быть, целых две родственных души? Его слуга-японец происходит от народа, который понимает истинную Красоту. Высший миг бытия для жителя этих далеких островов — раскрыть перед миром Красоту своего чрева. Тех, кто умирает этим прекрасным способом, в Японии чтут как героев. Вид дымящихся внутренностей там никого не пугает.

Да, нас будет трое, я это чувствую.

Как же опостылело мне одиночество! Разделить бремя ответственности на двоих или даже на троих — это было бы несказанным счастьем. Ведь я не божество, я всего лишь человек.

Поймите меня, господин Фандорин. Помогите мне.

Но сначала нужно открыть вам глаза.

Скверный конец скверной истории

9 апреля, Светлое Воскресенье, ночь

Цок-цок-цок, весело отстукивают кованые копыта по булыжной мостовой, мягко шуршат резиновые шины, плавно качают стальные рессоры. Празднично катит Декоратор по ночной Москве, с ветерком, под радостный перезвон пасхальных колоколов, под пушечную пальбу. На Тверском иллюминация, горят разноцветные фонарики, а по левую руку, где Кремль, небо переливается всеми оттенками радуги — фейерверк там, пасхальный салют. На бульваре людно. Голоса, смех, бенгальские огни. Москвичи раскланиваются со знакомыми, целуются, где-то даже хлопнула пробка от шампанского.

А вот и поворот на Малую Никитскую. Здесь пустынно, темно, ни души.

— Стой, милый, приехали, — говорит Декоратор.

Извозчик спрыгивает с козел, открывает дверцу разукрашенной бумажными гирляндами пролетки. Сдернув картуз, произносит святые слова:

— Христос Воскресе.

— Воистину Воскресе, — с чувством отвечает Декоратор и, откинув вуаль, целует православного в колючую щеку. На чай дает целый рубль. Такой уж нынче светлый час.

— Благодарствуйте, барыня, — кланяется извозчик, растроганный не столько рублем, сколько поцелуем.

Хорошо, ясно на душе у Декоратора.

Безошибочное, никогда не подводившее чутье подсказывает: сегодня великая ночь, все напасти и мелкие неудачи останутся в прошлом. Впереди, совсем близко счастье. Все будет хорошо, очень хорошо.

Ах, какой замыслен tour-de-force![1] Господин Фандорин как мастер своего дела не сможет не оценить. Погорюет, поплачет — в конце концов, все мы люди, — а потом задумается над произошедшим и поймет, непременно поймет. Ведь умный человек и, кажется, умеет видеть Красоту.

Надежда на новую жизнь, на признание и понимание согревает глупое, доверчивое сердце Декоратора. Трудно нести крест великой миссии одному. Христу — и тому Симон Киринеянин плечо под крест подставил.

Фандорин с японцем сейчас несутся во весь опор на Рогожский вал. Пока найдут 52-й нумер, пока будут дожидаться. А если что и заподозрит чиновник особых поручений, то в третьеразрядном «Царьграде» телефонного аппарата ему не сыскать.

Время имеется. Можно не спешить.

Женщина, которую любит коллежский советник, набожна. Сейчас она еще в церкви, но служба в ближнем храме Вознесения скоро закончится, и к часу пополуночи женщина непременно вернется — накрывать пасхальный стол и ждать своего мужчину.

Ажурные ворота с короной, за ними двор, темные окна флигеля. Здесь.

Декоратор откидывает с лица вуаль, оглядывается по сторонам и ныряет в железную калитку.

С дверью флигеля приходится повозиться, но ловкие, талантливые пальцы свое дело знают. Щелкает замок, скрипят петли, и вот Декоратор уже в темной прихожей.

---

[1] Сильный ход *(фр.)*.

Ждать, пока обвыкнутся глаза, не нужно, привычному взгляду мрак не помеха. Декоратор быстро проходит по темным комнатам.

В гостиной секундный испуг: оглушительно бьют огромные часы в виде лондонского Биг Бена. Неужто уже так поздно? Декоратор в смятении смотрит на свои дамские часики — нет, спешит Биг Бен. Еще без четверти.

Надо выбрать место для священнодействия.

Декоратор сегодня в ударе, парит на крыльях вдохновения. А что если прямо в гостиной, на обеденном столе?

Будет так: господин Фандорин войдет вон оттуда, из прихожей, включит электрическое освещение и увидит восхитительную картину.

Решено. Где тут у них скатерти?

Порывшись в бельевом шкафу, Декоратор выбирает белоснежную, кружевную и накрывает ею большой, тускло мерцающий полировкой стол.

Да, это будет красиво. В буфете, кажется, мейсенский сервиз? Расставить фарфоровые тарелки по краешку стола, кругом, и разложить на них все изъятые сокровища. Это будет лучшее из всех творений.

Итак, декорация продумана.

Декоратор идет в прихожую, встает у окошка и ждет. Радостное предвкушение и святой восторг переполняют душу.

Двор вдруг светлеет, это выглянула луна. Знамение, явное знамение! Столько недель было хмуро, пасмурно, а нынче будто пелену с Божьего мира сдернули. Какое ясное небо, звездное! Воистину Светлое Воскресение. Декоратор трижды сотворяет крестное знамение.

Пришла!

Несколько быстрых взмахов ресниц, чтобы стряхнуть слезы восторга.

Пришла. В ворота не спеша входит невысокая фигурка, в широком салопе, в шляпке. Когда подходит к двери, становится видно, что шляпка траурная, с черным газом. Ах да, это из-за мальчика Анисия Тюльпанова. Не горюй, милая, и он, и домашние его уже у Господа. Им там хорошо. И тебе будет хорошо, потерпи немножко.

Дверь открывается, женщина входит.

— Христос Воскресе, — тихим, ясным голосом приветствует ее Декоратор. — Не пугайтесь, моя славная. Я пришла, чтобы вас обрадовать.

Женщина, впрочем, кажется, и не испугана. Не кричит, не пытается бежать. Наоборот, делает шаг навстречу. Луна озаряет прихожую ровным молочным сиянием, и видно, как сквозь вуаль блестят глаза.

— Да что ж мы, будто мусульманки какие, в чадрах, — шутит Декоратор. — Откроем лица.

Откидывает вуаль, улыбается ласково, от души.

— И давайте на «ты», — говорит. — Нам суждено близкое знакомство. Мы будем ближе, чем сестры. Ну-ка, дай посмотреть на твое личико. Я знаю, ты красива, но я помогу тебе стать еще прекрасней.

Осторожно протягивает руку, а женщина не шарахается, ждет. Хорошая женщина у господина Фандорина, спокойная, молчаливая, Декоратору такие всегда нравились. Не хотелось бы, чтоб она все испортила криком ужаса, страхом в глазах. Она умрет моментально, без боли и испуга. Это будет ей подарком.

Правой рукой Декоратор вытягивает из чехольчика, что прикреплен сзади к поясу, скальпель, левой же отбрасывает с лица счастливицы тончайший газ.

Видит широкое, идеально круглое лицо, раскосые глаза. Что за наваждение!

Но придти в себя времени не хватает, потому что в прихожей что-то щелкает и вспыхивает яркое, нестерпимое после темноты сияние.

Декоратор слепнет, зажмуривается. Слышит голос из-за спины:

— Я вас сейчас тоже обрадую, господин Пахоменко. Или предпочитаете, чтобы вас называли прежним именем, господин Соцкий?

Чуть приоткрыв глаза, Декоратор видит перед собой слугу-японца, который пялится на него немигающим взглядом. Декоратор не оборачивается. А что оборачиваться, и так ясно, что сзади господин Фандорин и, вероятно, держит в руке револьвер. Хитрый чиновник не поехал в гостиницу «Царьград». Не поверил коллежский советник в виновность Захарова. Почему? Ведь все было устроено так разумно. Видно, сам Сатана Фандорину нашептал.

Элои! Элои! Ламма савахфани?[1] Или не оставил, а испытываешь мой дух на твердость?

А вот проверим.

Стрелять чиновник не станет, потому что его пуля прошьет Декоратора насквозь и в японце застрянет.

Скальпелем коротышке в живот. Коротко, чуть ниже диафрагмы. После, рывком, развернуть японца за плечи и им прикрыться, толкнуть навстречу Фандорину. До двери два прыжка, а там посмотрим, кто быстрее бегает. Арестанта № 3576 даже свирепые херсонские волкодавы не догнали. Как-нибудь уж и от господина коллежского советника уйдет.

Ну, помоги, Господь!

Правая рука со стремительностью пружины вылетает вперед, но отточенное лезвие рассекает пустоту — япо-

---

[1] Боже Мой, Боже Мой, для чего Ты Меня оставил? *(древнеевр.)*.

нец с неправдоподобной легкостью отпрыгивает назад, бьет Декоратора ребром ладони по запястью, и скальпель с тихим, печальным звоном летит на пол, азиат же снова застывает на месте с чуть разведенными в стороны руками.

Инстинкт заставляет Декоратора развернуться. Он видит дуло револьвера. Оружие чиновник держит внизу, у бедра. Если так стрелять, снизу вверх, то пуля снесет Декоратору верхушку черепа, а японца не заденет. Это меняет дело.

— А обрадую я вас вот чем, — все тем же ровным голосом продолжает Фандорин, будто беседа вовсе не прерывалась. — Я освобождаю вас от ареста, следствия, суда и неминуемого приговора. Вы будете застрелены при задержании.

Отвернулся. Все-таки Он от меня отвернулся, думает Декоратор, но эта мысль печалит его недолго, вытесненная внезапной радостью. Нет, не отвернулся! Он смилостивился и призывает, допускает к Себе! Ныне отпущаеши мя, Господи.

Скрипит входная дверь, отчаянный женский голос умоляюще произносит:

— Эраст, нельзя!

Декоратор возвращается из горних, совсем уж было раскрывшихся высей на землю. С любопытством оборачивается и видит в дверях очень красивую, статную женщину в черном траурном платье и черной же шляпке с вуалью. На плечах женщины лиловая шаль, в одной руке узелок с пасхой, в другой венок из бумажных роз.

— Ангелина, почему ты вернулась? — сердито говорит коллежский советник. — Я же просил тебя переночевать в «Метрополе»!

Красивая женщина. Вряд ли она стала бы намного красивей на столе, залитая собственным соком и распахнувшая лепестки тела. Разве что совсем чуть-чуть.

— Сердце подсказало, — отвечает Фандорину красивая женщина, ломая руки. — Эраст Петрович, не убивайте, не берите греха на душу. Согнется от этого душа, сломается.

Интересно, а что коллежский советник?

От былого хладнокровия не осталось и следа, смотрит на красивую женщину сердито и растерянно. Японец тоже оторопел: вертит стриженой башкой то на хозяина, то на хозяйку, вид имеет преглупый.

Ну, тут дело семейное, не будем навязываться. Разберутся без нас.

Декоратор в два скачка огибает японца, а там пять шагов до спасительной двери, и стрелять Фандорину нельзя — женщина рядом. Прощайте, господа!

Стройная ножка в черном фетровом ботике подсекает Декоратора под щиколотку, и летит Декоратор со всего разбегу — прямо лбом в дверной косяк.

Удар. Темнота.

* * *

Все было готово к началу суда.

Подсудимый в женском платье, но без шляпки, обмякнув, сидел в кресле. На лбу у него наливалась пурпуром впечатляющая шишка.

Рядом, скрестив на груди руки, стоял судебный пристав — Маса.

Судьей Эраст Петрович определил быть Ангелине, роль прокурора взялся исполнять сам.

Но сначала был спор.

— Не могу я никого судить, — сказала Ангелина. — На то есть государевы судьи, пусть они решают, виновен ли, нет ли. Пускай по их приговору будет.

— Какой там п-приговор, — горько усмехнулся Фандорин, после задержания преступника вновь начавший заикаться, причем еще больше, чем ранее, словно вознамерился наверстать упущенное. — Кому нужен т-такой скандальный процесс? Соцкого охотно признают невменяемым, посадят в сумасшедший дом, и он непременно оттуда сбежит. Такого никакими решетками не удержишь. Я хотел убить его, как убивают бешеную собаку, но ты мне не д-дала. Теперь решай его участь сама, раз уж вмешалась. Дела этого выродка т-тебе известны.

— А коли это не он? Разве вы не можете ошибаться? — горячо произнесла Ангелина, обращавшаяся к Эрасту Петровичу то на «ты», то на «вы».

— Я докажу тебе, что убийца — именно он. На то я и п-прокурор. Ты же суди по с-справедливости. Милосерднее судьи ему не сыскать во всем мире. А не хочешь быть его судьей, п-поезжай в «Метрополь» и не мешай мне.

— Нет, я не уеду, — быстро сказала она. — Пускай суд. Но на суде адвокат есть. Кто ж будет его защищать?

— Уверяю тебя, что этот г-господин роль защитника никому не уступит. Он умеет за себя п-постоять. Начинаем!

Эраст Петрович кивнул Масе, и тот сунул под нос сидящему склянку с нашатырем.

Человек в женском платье дернул головой, захлопал ресницами. Глаза, вначале мутные, обрели лазоревую ясность и осмысленность. Мягкие черты озарились доброжелательной улыбкой.

— Ваше имя и з-звание, — сурово сказал Фандорин, до некоторой степени узурпируя прерогативы председателя.

Сидящий оглядел мизансцену. Улыбка не исчезла, но из ласковой стала иронической.

— Решили поиграться в суд? Что ж, извольте. Имя и звание? Да, Соцкий... Бывший дворянин, бывший студент, бывший арестант № 3576. А ныне — никто.

— Признаете ли вы себя виновным в совершении убийств, — Эраст Петрович стал читать по блокноту, делая паузу после каждого имени, — проститутки Эммы Элизабет Смит 3 апреля 1888 года на Осборн-стрит в Лондоне; проститутки Марты Табрам 7 августа 1888 года у Джордж-ярда в Лондоне; проститутки Мэри Энн Николс 31 августа 1888 года на Бакс-роу в Лондоне; проститутки Энн Чэпмен 8 сентября 1888 года на Хенбери-стрит в Лондоне; проститутки Элизабет Страйд 30 сентября 1888 года на Бернер-стрит в Лондоне; проститутки Кэтрин Эддоус того же 30 сентября на Митр-сквер в Лондоне; проститутки Мери Джейн Келли 9 ноября 1888 года на Дорсет-стрит в Лондоне; проститутки Роуз Майлет 20 декабря 1888 года на Поплар-Хай-стрит в Лондоне; проститутки Александры Зотовой 5 февраля 1889 года в Свиньинском переулке в Москве; нищенки Марьи Косой 11 февраля 1889 года в Малом Трехсвятском переулке в Москве; проститутки Степаниды Андреичкинойв ночь на 4 апреля 1889 года на Селезневской улице в Москве; неизвестной девочки-нищенки 5 апреля 1889 года близ Ново-Тихвинского переезда в Москве; надворного советника Леонтия Ижицына и его горничной Зинаиды Матюшкиной в ночь на 6 апреля 1889 года на Воздвиженке в Москве; девицы Софьи Тюльпановой и ее сиделки Пелагеи Макаровой 7 апреля 1889 года в Гранатном переулке в Москве; губернского секретаря Анисия Тюльпанова и лекаря Егора Захарова в ночь на 8 апреля 1889 года на Божедомском кладбище в Москве. Всего восемнадцати человек, из которых восемь умерщвлены вами в Англии и десять в России. И это лишь те жертвы, о которых следствию доподлинно известно. Повторяю вопрос: признаете ли вы себя виновным в совершении этих преступлений?

Голос Фандорина, словно окрепнув от чтения длинного списка, стал громким, звучным, будто коллежский советник выступал перед полным залом. Заикание опять странным образом исчезло.

— А это, дорогой Эраст Петрович, смотря по доказательствам, — ласково ответил обвиняемый, кажется, очень довольный предложенной игрой. — Ну, будем считать, что не признаю. Очень хочется речь обвинения выслушать. Просто из любопытства. Раз уж вы решили повременить с моим истреблением.

— Что ж, слушайте, — строго ответил Фандорин, перелистнул страничку блокнота и далее говорил, хоть и обращаясь к Пахоменко-Соцкому, но глядя преимущественно на Ангелину.

— Сначала — предыстория. В 1882-м в Москве приключился скандал, в котором оказались замешаны студенты-медики и слушательницы Высших женских курсов. Вы были предводителем, злым гением этого распутного кружка и за это, единственный из участников, понесли суровое наказание: получили четыре года арестантских рот — безо всякого суда, дабы избежать огласки. Вы были жестоки с несчастными, бесправными проститутками, и судьба отплатила вам такой же жестокостью. Вы попали в Херсонскую военную тюрьму, про которую рассказывают, что она страшнее сибирской каторги. В позапрошлом году, в результате следствия по делу о злоупотреблениях властью, начальство арестантских рот было отдано под суд. Но к тому времени вы были уже далеко...

Эраст Петрович запнулся и после некоторой внутренней борьбы продолжил:

— Я обвинитель и не обязан выискивать для вас оправдания, однако же не могу умолчать о том, что окончательному превращению порочного юнца в ненасытного, кровожадного зверя способствовало само общество. Контраст между студенческой жизнью и адом военной тюрьмы свел бы с ума кого угодно. В первый же год, защищаясь, вы совершили убийство. Военный суд признал смягчающие обстоятельства, однако увеличил срок заключения до восьми лет, а после нападения на конвоира на вас надели кандалы и подвергли длительному заключению в карцер. Должно быть, из-за нечеловеческих условий содержания вы и превратились в нечеловека. Нет, Соцкий, вы не сломались, не сошли с ума, не наложили на себя руки. Чтобы выжить, вы стали иным существом, напоминающим человека только по обличью. В 1886-м вашим родным, впрочем, давно от вас отвернувшимся, сообщили, что арестант Соцкий утонул в Днепре при попытке к бегству. Я отправил запрос в военно-судебный департамент, было ли обнаружено тело беглеца. Мне ответили, что нет. Такого ответа я и ждал. Тюремное начальство просто скрыло факт удачного побега. Самое обычное дело.

Обвиняемый слушал Фандорина с живейшим интересом, не подтверждая его слова, но и не опровергая их.

— Скажите, мой милый прокурор, а с чего вы вообще взялись ворошить дело какого-то давно забытого Соцкого? Вы уж простите, что перебиваю, но у нас суд неформенный, хоть, полагаю, приговор будет окончательный и обжалованию не подлежащий.

— Двое из лиц, первоначально попавших в круг подозреваемых, Стенич и Бурылин, были вашими соучастниками в деле «садического кружка» и поминали ваше имя. Выяснилось, что и судебно-медицинский эксперт Захаров, участвовавший в расследовании, принадлежал к той же компании. Я сразу понял, что сведения о ходе расследования преступник может получать только от Захарова, хотел присмотреться к его окружению, но вначале пошел по неверному пути — заподозрил фабриканта Бурылина. Очень уж все сходилось.

— А что ж на самого Захарова не подумали? — с некоторой даже обидой спросил Соцкий. — Ведь все на него указывало, и я как мог посодействовал.

— Нет, Захарова я убийцей считать не мог. Он меньше прочих запятнал себя в деле «садистов», был всего лишь пассивным созерцателем ваших жестоких забав. Кроме того, Захаров был откровенно, вызывающе циничен, а для убийц маниакального типа такой склад характера несвойственен. Но это соображения косвенные, главное же, что Захаров в минувшем году гостил в Англии всего полтора месяца и во время большей части лондонских убийств находился в Москве. Я проверил это первым же делом и сразу исключил его из числа фигурантов. Он не мог быть Джеком Потрошителем.

— Дался вам этот Джек! — досадливо дернул плечом Соцкий. — Ну, предположим, что Захаров, гостя в Англии у родственников, начитался газетных статей про Потрошителя и решил продолжить его дело в Москве. Я еще давеча приметил, что вы количество жертв как-то чудно считаете. У следователя Ижицына по-другому выходило: он на стол тринадцать трупов выложил, а вы мне московских убийств предъявляете всего десять. И это считая вместе с теми, кто преставился уже после «следственного эксперимента», а то вообще только четыре вышло бы. Что-то у вас не сходится, господин обвинитель.

— Отнюдь. — Неожиданный выпад Эраста Петровича ничуть не смутил. — Из тринадцати эксгумированных тел со следами глумления только четыре были доставлены непосредственно с места преступления: Зотова, Марья Косая, Андреичкина и неизвестная девочка, причем две свои февральские жертвы вы не успели обработать по всей вашей методе — видно, кто-то спугнул. Прочие девять трупов, обезображенные страшнее всего, были извлечены из безымянных могил. Московская полиция, конечно, далека от совершенства, но невозможно себе представить, чтобы никто не обратил внимания на трупы, изуродованные таким чудовищным образом. У нас в России убивают много, но проще, без этаких фантазий. Вон когда Андреичкину искромсанной обнаружили, какой сразу переполох поднялся. Немедленно донесли генерал-губернатору, а его сиятельство отрядил для дознания чиновника особых поручений. Скажу безо всякого бахвальства, что князь поручает мне лишь дела, которым придает чрезвычайное значение. А тут чуть не десяток истерзанных трупов, и никто не поднял шум? Невозможно.

— Что-то я не пойму, — впервые с начала «процесса» раскрыла рот Ангелина. — Кто же над ними, бедными, такое учинил?

Эраста Петровича ее вопрос явно обрадовал — упорное молчание «судьи» лишало разбирательство всякого смысла.

— Самые ранние тела эксгумированы из ноябрьского рва. Однако это вовсе не означает, что Джек Потрошитель появился в Москве уже в ноябре.

— Еще бы! — прервал Фандорина обвиняемый. — Насколько я запомнил, последнее лондонское убийство совершено в канун Рождества. Не знаю, удастся ли вам доказать нашему очаровательному судье, что я повинен в московских преступлениях, но уж Потрошителя вам из меня точно сделать не удастся.

По лицу Эраста Петровича скользнула ледяная усмешка, и оно снова сделалось строгим и мрачным:

— Отлично понимаю смысл вашей реплики. От московских убийств вам не отпереться. Чем их больше, чем они чудовищней и безобразней, тем для вас лучше — скорее признают безумным. А за Джековы приключения англичане непременно потребуют вас выдать, и российская Фемида с превеликим удовольствием избавится от столь обременительного умопомешанного. Поедете в Британию, а там гласность, нашенского шито-крыто не выйдет. Болтаться вам, милостивый государь, на виселице. Не хочется? — Голос Фандорина перешел на октаву ниже, словно у самого Эраста Петровича горло перехватило удавкой. — От лондонского «хвоста» вам не избавиться, даже не надейтесь. А с мнимым несовпадением сроков все объясняется просто. «Сторож Пахоменко» появился на Божедомском кладбище вскоре после нового года. Полагаю, что пристроил вас Захаров, по старому знакомству. Вероятнее всего, вы встретились в Лондоне во время его последней поездки. Про ваши новые увлечения Захаров, разумеется, не знал. Думал, вы бежали из тюрьмы. Как не помочь старому товарищу, обиженному судьбой. Так?

Соцкий не ответил, только двинул плечом: мол, слушаю, продолжайте.

— Что, жарко вам стало в Лондоне? Полиция близко подобралась? Ладно. Перебрались вы на родину. Не знаю, по какому паспорту вы пересекли границу, но в Москве появились уже в качестве простого малороссийского крестьянина, одного из странников-богомольцев, которых так много на Руси. Потому и в полицейских записях о приехавших из-за границы сведения о вас отсутствуют. Пожили вы немножко при кладбище, пообвыклись, присмотрелись. Захаров, очевидно, вас жалел, опекал, деньгами помогал. Вы довольно долго держались, никого не убивая, более месяца. Возможно, намеревались начать новую жизнь. Но это было свыше ваших сил. После лондонского возбуждения обычная жизнь стала для вас невозможной. Эта особенность маниакального сознания криминалистике хорошо известна. Кто раз вкусил крови, уж не остановится. Поначалу, используя свою должность, вы кромсали трупы из могил, благо время стояло зимнее, и тела, похороненные с конца ноября, совсем не разложились. Один раз вы опробовали мужской труп — не понравилось. Что-то не совпало с вашей «идеей». В чем она состоит, ваша идея? Грешных, безобразных женщин не выносите? «Хочу обрадовать», «помогу стать прекрасней» — это вы при помощи скальпеля спасаете падших от уродства? Отсюда и кровавый поцелуй?

Обвиняемый молчал. Лицо его стало торжественным и отрешенным, ярко-синие глаза померкли, прикрытые полуопущенными ресницами.

— А потом вам бездыханных тел стало мало. Вы совершили несколько покушений, к счастью неудачных, и два убийства. Или больше?! — внезапно вскричал Фандорин, рванулся к обвиняемому и тряхнул его за плечи, да так, что голова Соцкого чуть не слетела с плеч.

— Отвечайте!

— Эраст! — крикнула Ангелина. — Не надо!

Коллежский советник отшатнулся от сидящего, сделал два поспешных шага назад и спрятал руки за спину, борясь с волнением. Потрошитель же, ничуть не испуганный взрывом Эраста Петровича, сидел неподвижно и взирал на Фандорина взглядом, исполненным спокойствия и превосходства.

— Что вы можете понимать, — едва слышно прошептали мясистые, сочные губы.

Эраст Петрович недовольно нахмурился, стряхнул со лба прядь черных волос и продолжил прерванную речь:

— Вечером 3 апреля, через год после первого лондонского убийства, вы умертвили девицу Андреичкину и надругались над ее телом. Еще через день вашей жертвой стала малолетняя нищенка. Дальнейшие события происходили очень быстро. Ижицынский «эксперимент» вызвал у вас приступ возбуждения, который вы разрядили, убив и выпотрошив самого Ижицына. Заодно умертвили и его ни в чем не повинную горничную. С этого момента вы отходите от своей «идеи», вы убиваете для того, чтобы замести след и уйти от кары. Когда вы поняли, что круг сжимается, вы решили, что удобнее всего будет свалить вину на вашего друга и покровителя Захарова. Тем более что эксперт начал вас подозревать — вероятно, сопоставил факты или же знал что-то такое, чего не знаю я. Во всяком случае в пятницу вечером Захаров писал письмо, адресованное следствию, в котором намеревался вас разоблачить. Рвал, начинал заново, снова рвал. Ассистент Грумов рассказал, что Захаров заперся в кабинете еще в четвертом часу, да так до вечера и промучился. Мешали вполне понятные, но в данном случае неприменимые установления чести, корпоративная этика, да и в конце концов, просто сострадание к обиженному судьбой товарищу. Вы унесли письмо и подобрали все обрывки. Но два маленьких клочка все-таки не заметили. На одном было написано: «более молчать», на другом: «бражения корпоративной чести и сочувствие к старому тов». Смысл очевиден — Захаров писал, что не может более молчать и, оправдывая затянувшееся укрывательство убийцы, ссылался на соображения корпоративной чести и сочувствие к старому товарищу. Именно в тот момент я окончательно уверился, что преступника следует искать среди бывших соучеников Захарова. Раз «сочувствие» — значит, среди тех, чья жизнь сложилась неудачно. Это исключало миллионера Бурылина. Оставались только трое — полубезумный Стенич, спившийся Розен и Соцкий, имя которого вновь и вновь возникало в рассказах былых «садистов». Он якобы погиб, но это требовалось проверить.

— Эраст Петрович, а отчего вы так уверены, что лекарь этот, Захаров, убит? — спросила Ангелина.

— Оттого, что он исчез, хоть исчезать ему было незачем, — ответил Эраст Петрович. — Захаров в убийствах неповинен, да и укрывал он, по его разумению, не кровавого душегуба, а беглого арестанта. Когда же понял, кого пригрел, — испугался. Держал у кровати заряженный револьвер. Это он вас, Соцкий, боялся. После убийств в Гранатном переулке вы вернулись на кладбище и увидели Тюльпанова, следящего за флигелем. Сторожевой пес на вас не залаял, он вас хорошо знает. Увлеченный наблюдением Тюльпанов вас не заметил. Вы поняли, что подозрение пало на эксперта, и решили этим воспользоваться. В предсмертном рапорте Тюльпанов сообщает, что в начале одиннадцатого Захаров вышел из кабинета, а потом из коридора донесся какой-то грохот. Очевидно, убийство произошло именно тогда. Вы бесшумно проникли в дом и ждали, когда Захаров зачем-нибудь выйдет в коридор. Не случайно с пола исчез половик — на нем должны были остаться следы крови, потому вы его и унесли. Покончив с Захаровым, вы тихонько выбрались наружу, напали на Тюльпанова сзади, смертельно его ранили и оставили истекать кровью. Полагаю, вы видели, как он поднялся, как шатаясь вышел за ворота и снова упал. Подойти и добить его побоялись —

знали, что он вооружен, и еще знали, что полученные Тюльпановым раны смертельны. Не теряя времени, вы оттащили тело Захарова и зарыли его на кладбище. Я даже знаю, где именно: бросили в апрельский ров для неопознанных трупов и слегка закидали землей. Кстати, знаете, как вы себя выдали?

Соцкий встрепенулся, и застывшее, отрешенное выражение лица сменилось прежним любопытством — но не более, чем на несколько мгновений. Затем невидимый занавес опустился вновь, стерев всякий след живых чувств.

— Когда я разговаривал с вами вчера утром, вы сказали, что не спали до самого утра, что слышали выстрелы, а потом — стук двери и звук шагов. Из этого я должен был понять, что Захаров жив и скрылся. Я же понял совсем другое. Если сторож Пахоменко обладает таким острым слухом, что издали расслышал шаги, то как же он мог не услышать свистков очнувшегося Тюльпанова? Ответ напрашивался сам собой: в это время вас в сторожке не было. Вы были на достаточном отдалении от ворот — к примеру, в самом дальнем конце кладбища, где как раз и расположен апрельский ров. Это раз. Захаров, если бы он и был убийцей, не мог уйти через ворота, потому что там лежал раненый Тюльпанов, еще не пришедший в сознание. Преступник непременно добил бы его. Это два. Таким образом я получил подтверждение того, что Захаров, который заведомо не мог быть лондонским маньяком, непричастен и к смерти Тюльпанова. Если при этом он исчез — значит, убит. Если вы говорите неправду об обстоятельствах его исчезновения, значит, вы к этому причастны. Помнил я и о том, что оба «идейных» убийства, проститутки Андреичкиной и нищенки, совершены в пределах пятнадцати минут ходьбы от Божедомки — на это первым обратил внимание покойный Ижицын, правда, сделавший неверные выводы. Сопоставив эти факты с обрывками фраз из пропавшего письма, я почти уверился, что «старый товарищ», которому Захаров сочувствовал и которого не хотел выдавать, — это вы. По роду занятий вы были причастны к эксгумированию трупов и многое знали о ходе расследования. Это раз. Вы присутствовали при «следственном эксперименте». Это два. Вы имели доступ к могилам и рвам. Это три. Вы были знакомы и даже дружны с Тюльпановым. Это четыре. В списке свидетелей «эксперимента», составленном Тюльпановым перед смертью, вам дана следующая характеристика.

Эраст Петрович подошел к столу, взял листок и прочел:

— «Пахоменко, кладбищенский сторож. Имени-отчества не знаю, рабочие зовут его «Пахом». Возраст неопределенный: между тридцатью и пятьюдесятью. Рост выше среднего, телосложение плотное. Лицо округлое, мягкое, усов и бороды не носит. Малороссийский выговор. Имел с ним неоднократные беседы на самые разные темы. Слушал истории из его жизни (он богомолец и многое повидал), рассказывал ему про себя. Он умен, наблюдателен, религиозен, добр. Оказал мне большую помощь в следствии. Пожалуй, единственный из всех, в невиновности которого не может быть и тени сомнения».

— Милый мальчик, — растроганно произнес обвиняемый, и от этих слов лицо коллежского советника дернулось, а бесстрастный конвоир прошептал по-японски что-то резкое, свистящее.

Вздрогнула и Ангелина, с ужасом глядя на сидящего.

— Откровения Тюльпанова пригодились вам в пятницу, когда вы проникли в его квартиру и совершили двойное убийство, — продолжил Эраст Петрович после небольшой паузы. — Что же до моих... семейных обстоятельств, то они известны многим, и вам мог сообщить о них тот же Захаров. Итак, сегодня, то есть, собственно, уже вчера утром, у меня оказался всего один подозреваемый — вы. Оставалось, во-первых, установить внешность Соцкого, во-вторых, выяснить, действительно ли он погиб, и, наконец, найти свидетелей, которые могли бы вас опознать. Соцкого, каким он был семь лет назад, мне описал Стенич. Вероятно, за семь лет вы сильно переменились, но рост, цвет глаз, форма носа изменениям не подвержены, и все эти особенности совпали. Депеша из военно-судебного департамента, в которой излагались подробности тюремного заключения Соцкого и его якобы неудачного побега, показали мне, что арестант вполне может быть жив. Более всего пришлось повозиться со свидетелями. Я очень надеялся на бывшего «садиста» Филиппа Розена. В моем присутствии, говоря о Соцком, он произнес загадочную фразу, запавшую мне в память: «Он, покойник, мне в последнее время повсюду мерещится. Вот и вчера...» Фраза осталась незаконченной, Розена перебили. Но «вчера», то есть вечером 4 апреля, Розен был вместе со всеми в морге у Захарова. Я подумал, не мог ли он там случайно увидеть сторожа Пахоменко и уловить в нем черты сходства со старым знакомцем? Увы, Розена отыскать мне не удалось. Но зато я нашел проститутку, которую вы пытались убить семь недель назад, во время масленицы. Она хорошо запомнила вас и может опознать. Теперь можно было и произвести арест, улик хватало. Я бы так и поступил, если б вы сами не перешли в наступление. Тогда я понял, что такого, как вы, можно остановить лишь одним способом...

Грозный смысл этих слов, похоже, до Соцкого не дошел. Во всяком случае он не проявил ни малейших признаков тревоги — напротив, рассеянно улыбнулся каким-то своим мыслям.

— Ах да, еще была записка, посланная Бурылину, — вспомнил Фандорин. — Довольно неуклюжий демарш. На самом деле записка предназначалась мне, не правда ли? Нужно было уверить следствие в том, что Захаров жив и скрывается. Вы даже попытались передать некоторые характерные особенности захаровского почерка, но лишь укрепили меня в уверенности, что подозреваемый — не безграмотный сторож, а человек образованный, хорошо знавший Захарова и знакомый с Бурылиным. То есть именно Соцкий. Не мог меня обмануть и ваш звонок от имени Захарова, эксплуатирующий несовершенство современной телефонии. Мне самому приходилось использовать этот трюк. Ясен был и ваш замысел. Вы действуете, руководствуясь одной и той же чудовищной логикой: если вас кто-то заинтересовал, вы убиваете тех, кто этому человеку дороже всего. Так вы поступили с сестрой Тюльпанова. Так вы хотели поступить с дочерью проститутки, чем-то привлекшей ваше извращенное внимание. Вы настойчиво поминали про слугу-японца, вам явно хотелось, чтобы он пришел вместе со мной. Зачем? Разумеется, для того, чтобы Ангелина Самсоновна осталась дома в одиночестве. Лучше мне не думать о том, какую участь вы ей готовили. Иначе я не смогу сдержаться и...

Фандорин сбился и резко обернулся к Ангелине:

— Каков твой приговор? Виновен или нет?

Та, бледная и дрожащая, сказала тихо, но твердо:

— Пускай теперь он. Пускай оправдается, если сможет.

Соцкий молчал, все так же рассеянно улыбаясь. Прошла минута, другая, и когда стало казаться, что защитной речи не будет вовсе, губы обвиняемого шевельнулись, и полилась речь — размеренная, звучная, полная достоинства, будто говорил не этот ряженый с бабьим лицом, а некая высшая сила, преисполненная сознания права и правоты.

— Мне не в чем оправдываться, да и не перед кем. И судия у меня только один — Отец Небесный, которому ведомы мои побуждения и помыслы. Я всегда был сам по себе. Уже в детстве я знал, что я особенный, не такой, как все. Меня снедало безудержное любопытство, я хотел все понять в удивительном устройстве Божьего мира, все испытать, всего попробовать. Я всегда любил людей, и они чувствовали это, тянулись ко мне. Из меня получился бы великий врачеватель, потому что я от природы наделен талантом понимать, откуда берутся боль и страдание, а понимание равнозначно спасению, это знает любой медик. Одного я не выносил — некрасоты, я видел в ней оскорбление Божьего труда, уродство же и вовсе приводило меня в бешенство. Однажды, во время подобного приступа я не смог вовремя остановиться. Безобразная старая шлюха, один вид которой, по тогдашнему моему разумению, был кощунством против Господа, умерла под ударами моей трости. Я впал в исступление не под воздействием садического сладострастия, как вообразили мои судьи, — нет, то был священный гнев души, насквозь пропитанной Красотой. С точки зрения общества произошел обычный несчастный случай, золотая молодежь во все времена вытворяла и не такое. Но я не принадлежал к числу белоподкладочников, и меня примерно наказали во устрашение другим. Единственного из всех! Теперь-то я понимаю, что это Господь решил избрать меня, я ведь и есть единственный из всех. Но в двадцать четыре года понять такое трудно. Я был неготов. Для образованного, тонко чувствующего человека ужасы тюремного —

нет, во сто крат хуже, чем тюремного — дисциплинарного заключения не поддаются описанию. Я подвергался жестоким унижениям, я был самым забитым и бесправным во всей казарме. Меня мучили, подвергали физиологическому насилию, заставляли ходить в женской юбке. Но я чувствовал, как постепенно во мне зреет некая мощная сила, которая присутствовала в моем существе изначально, а теперь прорастала и тянулась к солнцу, как весенний стебель из земли. И однажды я ощутил, что готов. Страх ушел из меня и больше никогда не возвращался. Я убил главного своего мучителя, убил на глазах у всех: подошел, взял обеими руками за уши и разбил его полуобритую голову об стену. Меня заковали в кандалы и семь месяцев держали в темном карцере. Но я не ослабел, не впал в чахотку. С каждым днем я становился все сильнее, все уверенней, мои глаза научились проницать мрак. Все боялись меня — надсмотрщики, начальство, другие арестанты. Даже крысы ушли из моей камеры. Каждый день я напрягал ум, чувствуя, как что-то очень важное стучится в мою душу и никак не может достучаться. Все, что окружало меня, было безобразно и отвратительно. Больше всего на свете я любил Красоту, а ее в моем мире не осталось вовсе. Чтобы не сойти от этого с ума, я вспоминал университетские лекции и чертил щепкой на земляном полу устройство человеческого организма. Там все было разумно, гармонично, прекрасно. Там была Красота, там был Бог. Со временем Бог стал говорить со мной, и я понял, что это Он ниспосылает мою таинственную силу. Я бежал из острога. Моя сила и выносливость были беспредельны. Меня не догнали волкодавы, специально обученные охоте на людей, в меня не попали пули. Я плыл сначала по реке, потом по лиману много часов, пока меня не подобрали турецкие контрабандисты. Я бродяжничал по Балканам и Европе. Несколько раз попадал в тюрьму, но бежать оттуда было легко, много легче, чем из Херсонской крепости. В конце концов я нашел хорошую работу. В лондонском Уайтчепеле, на скотобойне. Был раздельщиком туш. Вот когда пригодились хирургические знания. Я был на отличном счету, много зарабатывал, копил деньги. Но что-то вновь зрело во мне, когда я смотрел на красиво разложенные сычуги, печень, промытые кишки для колбасного производства, почки, легкие. Всю эту требуху фасовали в нарядные пакеты, развозили по мясным магазинам, чтобы покрасивее уложить там на прилавках. Почему же человек так себя унижает, думал я. Неужто тупое коровье брюхо, предназначенное для перемалывания грубой травы, более достойно уважения, чем наш внутренний аппарат, созданный по Божьему подобию? Озарение наступило год назад, 3 апреля. Я шел с вечерней смены. На безлюдной улочке, где не горели фонари, ко мне подошла гнусная карга и предложила зайти с ней в подворотню. Когда я вежливо отказался, она придвинулась вплотную и, обдавая меня грязным дыханием, принялась выкрикивать бранные, срамные слова. Какая насмешка над образом Божьим, подумал я. Ради чего денно и нощно трудится все ее внутреннее устройство, ради чего качает драгоценную кровь неутомимое сердце, ради чего рождаются, умирают и вновь обновляются мириады клеток ее организма? И мне неудержимо захотелось превратить уродство в Красоту, взглянуть на истинную суть этого существа, столь неприглядного по своей наружности. У меня на поясе висел разделочный нож. Позднее я купил целый набор отличных скальпелей, но в тот, первый раз достаточно оказалось обычного мясницкого тесака. Результат превзошел все мои ожидания. Безобразная баба преобразилась! На моих глазах она стала прекрасной! И я благоговейно застыл при столь очевидном свидетельстве Божьего Чуда!

Сидящий прослезился, хотел продолжить, но только махнул рукой и более уже не говорил ни слова. Грудь его часто вздымалась, глаза восторженно смотрели куда-то вверх.

— Тебе достаточно? — спросил Фандорин. — Ты признаешь его виновным?

— Да, — прошептала Ангелина и перекрестилась. — Он виновен во всех этих злодействах.

— Ты сама видишь, ему нельзя жить. Он несет смерть и горе. Его нужно уничтожить.

Ангелина встрепенулась:

— Нет, Эраст Петрович. Он безумный. Его нужно лечить. Не знаю, получится ли, но нужно попробовать.

— Нет, он не безумный, — убежденно ответил на это Эраст Петрович. — Он хитер, расчетлив, обладает железной волей и завидной предприимчивостью. Перед тобой не сумасшедший, а урод. Есть такие, кто рождается с горбом или с заячьей губой. Но есть и другие, уродство которых невооруженным взглядом незаметно. Подобное уродство страшнее всего. Он только по видимости человек, а на самом деле в нем нет главного человечьего отличья. Нет той невидимой струны, которая живет и звучит в душе самого закоренелого злодея. Пусть слабо, пусть едва слышно, но она звенит, подает голос, и по ней человек в глубине души знает, хорошо он поступил или дурно. Всегда знает, даже если ни разу в жизни этой струны не послушался. Ты знаешь поступки Соцкого, ты слышала его слова, ты видишь, каков он. Он даже не догадывается про струну, его деяния подчинены совсем иному голосу. В старину сказали бы, что он — слуга Диавола. Я скажу проще: нелюдь. Он ни в чем не раскаивается. И обычными средствами его не остановить. На эшафот он не попадет, а стенам сумасшедшего дома его не удержать. Всё начнется сызнова.

— Эраст Петрович, вы же давеча сказали, что его англичане затребуют, — жалобно воскликнула Ангелина, словно хватаясь за последнюю соломинку. — Пусть они его убьют, но только не ты, Эраст. Только не ты!

Фандорин покачал головой:

— Процесс выдачи долог. Он сбежит — из тюрьмы, с этапа, с поезда, с корабля. Я не могу рисковать.

— Ты не веришь Богу, — поникнув, грустно молвила она. — Бог знает, как и когда положить конец злодейству.

— Я не знаю про Бога. И безучастным наблюдателем быть не могу. По-моему, хуже этого греха ничего нет. Всё, Ангелина, всё.

Эраст Петрович обратился к Масе по-японски:

— Веди его во двор.

— Господин, вы никогда еще не убивали безоружного, — встревоженно ответил слуга на том же языке. — Вам потом будет плохо. И госпожа рассердится. Я сделаю это сам.

— Это ничего не изменит. А что безоружный, не имеет значения. Устраивать поединок было бы позерством. Я с одинаковой легкостью убью его хоть с оружием, хоть без. Обойдемся без дешевой театральности.

Когда Маса и Фандорин, взяв осужденного за локти, повели его к выходу, Ангелина крикнула:

— Эраст, ради меня, ради нас с тобой!

Плечи коллежского советника дрогнули, но он не обернулся.

Зато оглянулся Декоратор и с улыбкой сказал:

— Сударыня, вы сама красота. Но, уверяю вас, что на столе, в окружении фарфоровых тарелок, вы были бы еще прекрасней.

Ангелина зажмурилась и закрыла ладонями уши, но все равно услышала, как во дворе ударил выстрел — сухой, короткий, почти неразличимый средь грохота ракет и шутих, взлетавших в звездное небо.

Эраст Петрович вернулся один. Встал у порога, вытер покрытый испариной лоб. Сказал, клацая зубами:

— Знаешь, что он прошептал? «Господи, какое счастье».

Долго так и было: Ангелина сидела с закрытыми глазами, из-под ресниц текли слезы, а Фандорин стоял, не решаясь приблизиться.

Наконец она встала. Подошла к нему, обняла, несколько раз страстно поцеловала — в лоб, в глаза, в губы.

— Ухожу я, Эраст Петрович. Не поминайте злом.

— Ангелина... — Лицо коллежского советника, и без того бледное, посерело. — Неужто из-за этого упыря, выродка...

— Мешаю я вам, с пути сбиваю, — перебила она, не слушая. — Сестры меня давно зовут, в Борисоглебскую обитель. И с самого начала так следовало, как батюшки не стало. Да ослабела я с вами, праздника возжелала. Вот и кончился праздник. На то и праздник, чтоб недолго. Издали буду за вами смотреть. И Бога за вас молить. Делайте, как вам душа подсказывает, а коли что не так — не бойтесь, я отмолю.

— Нельзя тебе в м-монастырь. — Фандорин заговорил быстро, сбивчиво. — Ты не такая, как они, ты живая, г-горячая. Не выдержишь ты. И я без т-тебя не смогу.

— Вы сможете, вы сильный. Трудно вам со мной. Без

меня легче будет... А что я живая да горячая, так и сестры такие же. Богу холодные не нужны. Прощайте, прощайте. Давно я знала — нельзя нам.

Эраст Петрович потерянно молчал, чувствуя, что нет таких доводов, которые заставят ее переменить решение. И Ангелина молчала, осторожно гладила его по щеке, по седому виску.

Из ночи, с темных улиц, не в лад прощанию, накатывал ликующий, неумолчный звон пасхальных колоколов.

— Ничего, Эраст Петрович, — сказала Ангелина. — Ничего. Слышите? Христос Воскресе.

Борис Акунин

ОСОБЫЕ ПОРУЧЕНИЯ

Верстка

Кирилл Лачугин

Издатель Ирина Евг. Богат
Свидетельство о регистрации
77 № 006722212 от 12.10.2004

121069, Москва, Столовый переулок, 4, офис 9
(рядом с Никитскими Воротами, отдельный вход в арке)

Тел.: (495) 691-12-17, 697-12-35
Факс: (495) 691-12-17
Наш сайт: www.zakharov.ru
E-mail: info@zakharov.ru

Подписано в печать 01.06.2013. Формат 70×100 1/32.
Усл. печ. л. 14,84. Бумага газетная.
Тираж 10 000 экз. Заказ № 4306014

Отпечатано в полном соответствии с качеством
предоставленного оригинал-макета
в ОАО «Первая Образцовая типография»
филиал «Нижполиграф»
603950, г. Нижний Новгород, ГСП-123, ул. Варварская, д. 32.
email: stv@nnp.ru
http://www.nnp.ru